Newton Compton Editores

Título original: *A Woman of War*

© 2018, Mandy Robotham. Publicado originalmente en inglés por HarperCollins Publishers Ltd.
© 2024, de la traducción por Raúl Rubiales Muñoz de León
© 2024, de esta edición por Antonio Vallardi Editore S.u.r.l., Milán

Todos los derechos reservados

Primera edición: marzo de 2024

Newton Compton Editores es un sello de Antonio Vallardi Editore S.u.r.l.
Pl. Urquinaona, 11, 3.º 1.ª izq. Barcelona, 08010 (España)
www.newtoncomptoneditores.com

Gruppo editoriale Mauri Spagnol S.p.A.
www.maurispagnol.it

ISBN: 978-84-19620-76-7
Código IBIC: FA
DL: B 16.880-2023

Composición:
Endoradisseny

Diseño de interiores:
David Pablo

Impreso en marzo de 2024 en Puntoweb s.r.l., Ariccia (Roma), en Italia.

Mandy Robotham

La enfermera
de Hitler

Traducción de Raúl Rubiales

Newton Compton Editores
Barcelona, 2024

A mis chicos: Simon, Harry y Finn.
Y a todas las madres y comadronas del mundo

Nota de la autora

A las comadronas nos encanta hablar, analizar y diseccionar; durante las conversaciones posteriores a un parto, en la sala de descanso, es cuando comentamos la belleza de un nacimiento y los pequeños dilemas: ¿cómo transmitirles a las mujeres la intensidad de lo que se pueden encontrar durante el parto? ¿Es adecuado que les describamos en detalle, antes de que llegue el día, la moneda de doble cara de agonía y éxtasis que es dar a luz?

Eso me llevó a pensar en los problemas morales más importantes a los que nos podemos enfrentar, momentos en los que las comadronas puede que no queramos implicarnos en cuerpo y alma en la seguridad de la madre y del bebé. ¿Y por quién o dónde harían eso?

Para mí solo había una respuesta: un niño cuya genética afectase a aquellos que habían padecido enormemente a manos de su padre: Adolf Hitler. Combinando una historia fascinante de tiempos de guerra y mi pasión por los partos, concebí la idea. Con personajes reales como Hitler y Eva Braun –que siguen incitando emociones fuertes después de casi ocho décadas–, puse a prueba mis límites morales. Y aun así, afirmo que todas las mujeres, en el momento de dar a luz, son iguales: princesa o indigente, ángel o demonio; en un parto normal todas tenemos que buscar en lo más profundo de nosotras mismas. Un nacimiento elimina cualquier tipo de prejuicio. Eva, durante su parto, es una de esas mujeres, así que el bebé también llega al mundo libre de cualquier mancha moral: una criatura inocente y completamente pura.

Aunque he usado hechos reales y escenarios documentados, esta es mi versión de un instante de la historia. Ha habido especulaciones de que el Führer y su prometida tuvieron un hijo, pero *La enfermera de Hitler* es una obra de ficción, y mi mente pregunta: ¿y si...?

Anke también es fícticia, si bien es una personificación de lo que veo en muchas comadronas: un corazón enorme, pero con dudas y miedos. En otras palabras, una persona normal y corriente.

1

Irena

Durante unos instantes, el barracón estuvo tan callado como siempre a primera hora, un silencio roto solo por el sonido de algunos ronquidos femeninos. La vigilante de la noche caminaba lentamente arriba y abajo de las hileras de literas con su bastón, atenta a cualquier rata que quisiera tomar como presa las piernas inertes de las mujeres y preparada para azotar a esos voraces roedores. Unas nubecillas de aliento humano se elevaban de los catres superiores cuando entraban en contacto con el aire helado y tranquilo; era extraño no oír a las mujeres toser por turnos, una sinfonía de costillas atormentadas por feroces infecciones de sus lastimosos pulmones, como si otro ataque pudiera abrirles el pecho en dos. Cada treinta segundos, la oscuridad daba paso a destellos de luz blanca cuando el reflector hacía su barrido incesante por los agujeros de las endebles planchas, el único lugar al que podíamos considerar nuestro hogar.

Me encontraba dormitando en la entrada del barracón, a sabiendas de que Irena justo empezaba el proceso. Un grito repentino proveniente de su litera cerca de la estufa rompió el silencio; una contracción feroz hizo que se hiciera un ovillo y su sueño perturbado se interrumpiera, soltando por entre sus dientes rotos:

—Anke, Anke —decía a gritos—. No, no, no... Hazlo parar.

Su angustia no era causada por debilidad —Irena ya había pasado por eso dos veces antes en tiempos de paz—, sino por el inevitable resultado del proceso de dar a luz. Un nacimiento. Su bebé llegaría al mundo, y para Irena esa era su peor pesadilla. Mientras había estado dentro, dando alguna que otra patadita, mostrando señales de que no había agotado los jugos vitales de su madre y de que todavía quería más, había albergado esperanza. En el exterior, esa esperanza mermaba con rapidez.

Recogí los trapos y el papel que habíamos estado acumulando y llegué enseguida a su lado con un cubo de agua, extraída con cuidado del pozo antes del toque de queda. Irena estaba agitada, sumida en un tipo de delirio que normalmente se veía en los casos de tifus. Balbuceaba una y otra vez por entre sus labios resecos el nombre de su marido, que probablemente ya hacía mucho que había muerto en otro campo, mientras golpeaba el fino colchón de paja, haciendo que los listones de madera de debajo crujieran.

–Irena, Irena.

Susurré su nombre repetidamente, intentando buscar sus ojos, que se abrían y cerraban sin cesar. A diferencia de las mujeres de los hospitales de Berlín, en el campo las madres a menudo parecían seres de otro mundo cuando daban a luz y se evadían a otro sitio, a un palacio mental. Me imaginaba que era una manera de eludir la realidad de que estaban trayendo a sus bebés a este mundo cruel lleno de horrores, creando un nido perfecto en sus sueños cuando la vida real era incapaz de proveérselo.

Como ocurre generalmente en los terceros partos, este no se demoró demasiado. Tras espaciarse durante varias horas, las contracciones se sucedieron una tras otra, escalando con rapidez. Rosa no tardó en llegar a mi lado, despierta también de su duermevela. Alimentó el fuego moribundo y puso algo de agua a hervir, mientras otra mujer traía una lámpara de aceite que guardábamos para esas circunstancias. Eso era todo cuanto teníamos, más allá de la fe en la Madre Naturaleza.

Las contracciones eran violentas, y rompió aguas en un momento particularmente intenso –una cantidad exigua y patética–, pero Irena se estaba resistiendo. En cualquier otro escenario, el cuerpo se habría visto forzado a empujar, una expulsión natural abrumadora e implacable. Las mujeres primerizas a menudo se preocupan por si sabrán cuándo ha llegado el momento de empujar, y nosotras como comadronas solo podemos calmarlas: «Lo sabrás, es como un poder interior sin igual, una ola traída por la marea que debes surcar en vez de esquivar». Irena, sin embargo, se aferraba a su bebé con todas sus fuerzas. Bajo la sábana se veía un reguero de sangre mocosa. Era señal de que el cuerpo estaba listo, más que preparado para soltarlo. Solo la voluntad férrea de la madre mantenía las puertas cerradas.

Al final, tras algunas contracciones fuertes, el útero de Irena ganó la batalla; después de un delatador gruñido primario y con la ayuda de la luz de la lámpara, vi que el bebé estaba de camino. Su cabeza todavía no era visible, pero sí una forma distintiva detrás de la piel fina y casi traslúcida del perineo, que completaban su anatomía. Agitó la cabeza con angustia, jadeando y murmurando:

—No, todavía no, bebé. Quédate a salvo.

Mientras tanto, dirigía las manos temblorosas hacia su apertura en un intento desesperado de convencer al bebé de que retrocediera. Rosa estaba al lado de la cabeza de Irena, susurrándole palabras de consuelo, dándole de beber sorbos del agua más limpia que habíamos podido encontrar, y yo seguía abajo con la lámpara.

Ajeno a su futuro, el bebé estaba decidido a nacer. En la siguiente contracción, un pelo negro brotó por entre los labios vaginales tensos de Irena, y la insté: «Respira, respira, respira», con la esperanza de ralentizar el proceso y evitar un desgarro en la piel para el que no teníamos ni equipamiento ni medios para coser; otra herida abierta que sería objetivo de las ratas y las ladillas.

Asumiendo lo inevitable, Irena cedió, y la cabeza de su bebé se deslizó de entre los confines de su madre, abriéndose camino en el mundo.

Durante unos segundos, como en tantos partos a los que he asistido, el tiempo se detuvo. La cabeza del bebé estaba apoyada en el trapo más limpio que teníamos, con los hombros y el cuerpo todavía en el interior de Irena. Esta dejó caer la cabeza perlada de sudor sobre Rosa, convulsionada por los sollozos de alivio y tristeza, y solo un ápice de júbilo.

El barracón estaba en silencio; la mayoría de las mujeres se había despertado, y se podían ver de dos a tres cabezas por litera mientras la curiosidad triunfaba por encima del deseo de dormir. Con todo, solo echaron una ojeada para respetar la poca privacidad que tenía Irena.

El bebé había salido de un solo empujón y en ese momento me miraba directamente. Vi cómo sus ojos se abrían y cerraban como los de una muñeca de porcelana y que fruncía la boca en un mohín parecido a un pez, como estuviera respirando. Pasaron diez segundos, pero no nos teníamos que preocupar: el cordón umbilical que le daba sustento le proporcionaba oxígeno filtrado de Irena, mucho más puro que el aire viciado que nos rodeaba.

—Está bien, todo va bien, tu bebé estará aquí pronto —susurré.

Pero sabía que nada haría que Irena sintiera otra cosa que no fuera un miedo inminente o tristeza.

Se gestó otra contracción, y movió las nalgas para hacer sitio mientras la cabeza del bebé daba media vuelta hacia un lado, permitiendo que todo el ancho de los hombros pudiera pasar, y el hijo de Irena salió, bañado de solo un poco más de agua mezclada con sangre. Era una cosa esmirriada y penosa con una cabeza demasiado grande para unas piernas y brazos raquíticos, y unos testículos protuberantes. Irena lo había gestado lo mejor que había podido con una dieta pobre que apenas contenía proteína o grasas, y ese era el resultado. Cogí el segundo mejor trapo y limpié los fluidos, estimulando su cuerpo flácido, que no emitió sonido alguno, y una pequeña parte de mí pensó: «Desaparece ahora, niño, ahórrate el sufrimiento».

Pero seguí frotando su piel delicada, insuflándole vida, como parte de nuestro instinto humano de preservarla.

Inmediatamente, Irena volvió a este mundo, aterrorizada.

—¿Está bien? ¿Por qué no llora?

—Solo está un poco aturdido, Irena, dale algo de tiempo —respondí sintiendo cómo mi propia adrenalina se disparaba mientras musitaba para mis adentros: «Vamos, bebé, respira, hazlo por ella, vamos» y soplaba sobre los rasgos sorprendidos de la criatura. «Venga, pequeño, vamos, danos un llanto».

Tras frotarlo con un poco más de fuerza, tosió, cogió aire y pareció observar a su alrededor con unos ojos incluso más abiertos. Se lo pasé de inmediato a Irena y lo coloqué contra su piel. El esfuerzo del parto la había convertido en la superficie más caliente de la habitación y el pequeño empezó a murmurar, más que emitir un saludable gimoteo. Con todo, cualquier sonido significaba que estaba respirando, que había vida.

Por primera vez en meses, los rasgos de Irena adoptaron una completa satisfacción.

–Hola, amor mío –lo arrulló–. Vaya guapetón estás hecho. Qué espabilado eres.

Después de dos niñas, era su primer hijo varón, que había sido el deseo de su marido. Lo que todas las presentes estábamos pensando, pero que nadie diría en voz alta, era que era muy poco probable que pudiera llegar a verlos crecer y presenciar en qué se convertirían, en qué tipo de personas. Pero ningún alma le estallaría esa burbuja temporal.

Sin mediar palabra, Rosa y yo nos dedicamos a nuestras tareas asignadas. Ella se quedó con Irena y el bebé, arropándolo con cualquier tela que pudiésemos encontrar, y yo vigilé la apertura de Irena mientras la sangre empapaba el trapo. Era algo normal, de momento. Pero desde que había empezado mi aprendizaje, las placentas me daban más respeto que los bebés. El puro agotamiento físico podía hacer que el cuerpo se cerrara y se limitara a negarse a expulsar la placenta. Se me empezó a perlar la frente de sudor y las gotas me caían por la nuca. Perder a una madre y a su bebé a esas alturas haría parecer que la Madre Naturaleza no tenía alma en realidad.

Al fin se manifestó, como había hecho una y otra vez, una constante en esa humanidad horrible y cambiante. Los rasgos de Irena, todavía embebidos en las hormonas del amor más auténtico, se retorcieron de dolor mientras tenía otra contracción. Tras dos empujones más, la placenta cayó sobre los trapos, pequeña y pálida. El bebé le había arrebatado cada migaja de grasa a ese motor de embarazo y no quedaba más que un harapo estrujado con su cordón umbilical fibroso adherido. Las mujeres alemanas bien

13

nutridas formaban cordones umbilicales gruesos y jugosos que se enrollaban en espiral en un tejido rojo sangre, bien alimentadas durante los nueve meses. Solo había visto cordones delgados desde que llegué al campo.

Una vez que comprobé que la placenta se había desprendido por completo –cualquier cosa que quedara en el interior podía ocasionar una infección mortal–, abrimos la puerta del barracón y la lanzamos fuera, lejos de la entrada. Se oyó una riña feroz cuando varias de las ratas, algunas casi del tamaño de un gato, pelearon para ser las primeras en salir de sus agujeros situados en el lateral del barracón con el fin de obtener el mejor pedazo de carne fresca. Unos meses atrás, habían tenido lugar discusiones entre las mujeres por alimentar a las ratas de ese modo, puesto que lo único que conseguirían era que se hicieran más grandes, pero esas criaturas eran insaciables en su empeño por conseguir comida. Si no tenían nada, entonces se fijaban en nosotras y mordisqueaban la piel de las mujeres que estaban demasiado enfermas como para moverse, demasiado faltas de vida como para darse cuenta. Si esas criaturas estaban distraídas, o saciadas, al menos nos podíamos tomar un respiro y dejaban de merodear un tiempo. Odiaba esa plaga, pero, a la vez, podía admirar su instinto de supervivencia. Roedor o humano, todos nos limitábamos a intentar sobrevivir.

Rosa y yo limpiamos a Irena con lo que pudimos encontrar mientras ellas disfrutaba de tener a su bebé piel con piel. Tampoco teníamos ropa con que vestirlo, de todos modos. El bebé se alimentó voraz de su pecho apergaminado, sus pequeños mofletes mamando con fuerza en una carne que estaba prácticamente seca. La liberación de hormonas le causó más calambres en su cansada barriga, pero se podía ver que Irena casi disfrutaba de la succión en su cuerpo. Rosa preparó algo de té de ortiga con las hojas que habíamos reservado, y el rostro de Irena estuvo iluminado por el júbilo durante una hora más o menos. Pero mientras la oscuridad se desvanecía y la luz del sol empezaba a lamer las rendijas de las paredes, la atmósfera del barracón se tornó inquieta. El tiempo que le quedaba a Irena y a su bebé era limitado.

Algunas de las mujeres se acercaron a ella y un leve murmullo se elevó mientras se reunían alrededor de su cama, transformándose en una canción de bienvenida para el bebé. En el mundo real, le habrían llevado regalos, comida o flores. Aquí, no tenían nada que darle, excepto el amor escondido en un rincón protegido de sus corazones, algún tipo de esperanza que en ocasiones dejaban palpitar; había muchas que ya habían perdido a sus hijos, los habían separado y sentían todos los tipos de dolor posibles por el olor de las cabecitas húmedas de sus bebés, de sus hermanos, sobrinas o sobrinos. Todas formaban parte de la añoranza. Una mujer ofreció una bendición, en ausencia de un rabino, y aceptaron al bebé como uno de los suyos. Su madre lo llamó Jonas, como su padre, y sonrió mientras el pequeño se convertía en parte de la historia, reconocido.

Rosa y yo nos sentamos en una esquina, yo como la única mujer no judía del barracón, impregnándome del precioso sonido. Tenía un oído en alerta para cuando el campo se despertara y los guardias gritaran órdenes, para el constante paso arrastrado de sus botas sobre el terreno duro y helado del exterior. Solo era cuestión de tiempo antes de que entraran en nuestro dominio. Esconder al bebé no serviría de nada. Ya lo habíamos intentado antes; los gritos y los gimoteos de hambre de un recién nacido eran imposibles de amortiguar. Aquella vez, había resultado en la pérdida tanto de la madre como del bebé de la manera más fría y cruel.

Si podíamos salvar al menos a uno de los dos, no sería en balde. Irena tenía otros hijos a los que tal vez podía volver a ver. Era poco probable, pero siempre una posibilidad.

Al final, Irena disfrutó de casi tres horas de valioso contacto con su recién nacido. A las siete, la puerta se abrió de golpe y entraron los guardias seguidos de un viento feroz para pasar lista. Habían excluido ese barracón del recuento en el exterior solo porque muchas de las mujeres no se podían separar de la cama y los guardias se irritaban peligrosamente si se caían mientras esperaban largo rato. Le había solicitado al comandante del campo hacer el recuento dentro y lo había logrado; una concesión extraña y sorprendente por su parte.

La primera guardia que entró fue la que se percató de la nueva llegada. Yo estaba muy segura de que esa en concreto había trabajado en hospitales antes de la guerra, probablemente como comadrona; me echó una mirada cargada de recelo, con un surco mugriento en su frente ancha, que aparecía sobre todo cuando estaba con las mujeres judías, como si no pudiera contemplar siquiera el hecho de tocarlas. Sin embargo, no tenía ningún escrúpulo en emplear su porra, una técnica que había perfeccionado golpeando los maltrechos cuerpos para provocar el máximo dolor posible. Además de eso, tenía una segunda especialidad que era, si cabe, todavía más siniestra.

Fue el olfato de esa guardia la que captó el aroma metálico de la sangre del nacimiento, y no el de la segunda guardia sombría que la seguía.

—Has tenido a otro, ¿no?

Me adelanté unos pasos, como siempre hacía. La conversación se había convertido en un juego que estaba segura de que iba a perder, pero eso nunca me impedía intentarlo.

—Solo hace una hora que ha nacido el bebé —mentí—. No hace nada. Solo un poco más de tiempo. No interferirá con el recuento.

La guardia escaneó de arriba abajo el barracón; había casi sesenta pares de ojos posados en ella, y la mirada usualmente apagada de Irena brillaba como nunca la había visto antes. Durante un segundo, fue como si la guardia estuviera pensando en conceder un pequeño indulto. Acto seguido, resopló y gruñó.

—Ya conoces las normas. Yo no las hago. Es la hora. —La justificación para el noventa por ciento de las humillaciones en el campo era la misma: no es culpa nuestra, solo nos limitamos a seguir órdenes. El otro diez por ciento era solo puro divertimento.

Fue entonces cuando Irena salió de repente de su ensimismamiento maternal. Se aferró al bebé en el pecho desnudo, salió de la cama de un salto y retrocedió hacia la esquina cerca de la estufa dejando un reguero de sangre tras de sí.

–No, no, por favor –gritó–. Puedo hacer lo que sea. Haré lo que sea, lo que queráis.

El semblante impertérrito de la guardia le dio a entender a Irena que la opción de suplicarle no le serviría de nada, así que desvió la atención hacia sí misma.

–Llevadme a mí en su lugar. Ahora mismo, pero dejad al bebé. –Irena dirigió su voz frenética hacia mí–. ¿Anke? Puedes cuidar del bebé, ¿verdad? ¿Si yo no estoy?

Asentí con la cabeza, pero en realidad no podía hacerlo; las pocas mujeres no judías a las que les permitían quedarse con sus bebés ya tenían poca leche para sus propios recién nacidos, mucho menos para permitir que otro les arañara el pecho. Los bebés padecían de desnutrición en cuestión de semanas, y ver a uno que superara el mes de vida era algo inusual. Ni siquiera tenía que molestarme en preguntarlo; ninguna de esas súplicas desesperadas había surtido efecto jamás. Todas contuvimos la respiración por Irena, una escena que habíamos presenciado demasiadas veces, pero que nunca dejaba de ser completamente surreal. Una madre que tenía que suplicar por la vida de su bebé.

La guardia suspiró, con un aburrimiento aparente. El siguiente paso era inevitable, pero todas las madres, si no estaban inmóviles o en un estado casi inconsciente, hacían la misma súplica ingenua. Era el reflejo de una madre: rendir la propia vida para salvar una nueva.

–Vamos, va –dijo la guardia mientras se acercaba a Irena–. No lo hagas más difícil. No me obligues a hacerte daño.

Hizo ademán de agarrar los trapos, e Irena se apretó más contra la esquina. Los repentinos aullidos del bebé casi enmascararon los ruidos que hizo el cuerpo de Irena al romperse, y la guardia salió de la refriega con el trapo y las pequeñas piernecitas y bracitos envueltos holgadamente. Se giró con los ojos entrecerrados para ir a conjunto con la línea fina de sus labios. Sus pesadas botas retumbaron mientras se dirigía hacia la puerta, y nosotras nos juntamos de inmediato alrededor de Irena, como para formar un escudo de protección; si salía corriendo para perseguir a la guardia, lo más probable era que le dispararan los francotiradores de los puestos de vigilancia. Se abalanzó como la más feroz de las madres osas desde las sombras, enseñando los dientes rotos en un tornado de desesperación, pero la contuvimos con nuestra red humana. Los gritos altos y estridentes habrían llenado el aire de fuera, y me imaginé el campo deteniéndose durante un segundo, a sabiendas de que el protocolo mortífero estaba a punto de tener lugar.

Al instante, las mujeres empezaron a entonar una canción, un lamento cuyo volumen se elevaba rápidamente mientras el grupo se mecía al unísono con Irena en el centro como una protección alrededor de su sufrimiento. Su propósito era consolarla, pero también tenía otro objetivo: enmascarar el sonido del bebé golpeando el agua del barril, tan espeluznante como un disparo si alguna vez habías oído uno. Rosa me miró a los ojos, asintió y salió por la puerta de inmediato, con la esperanza de recuperar el mísero cuerpecillo después de que la guardia lo hubiera tirado, a tiempo de evitar que las ratas y los perros de los guardias pudieran hacerse con él. Una placenta era una cosa, pero un cuerpo humano, una persona..., eso era algo impensable.

Tras unos segundos, los chillidos de Irena se fueron apagando y fueron reemplazados por un sollozo grave que le salía de lo más profundo del corazón, un lamento constante que no se podía describir con palabras. Solo había oído ese sonido durante los veranos que había pasado en la granja de mi tío en Baviera, cuando se llevaban al mercado a los terneros recién nacidos. Despojadas de sus crías, las madres emitían un lamento constante durante todo el día y hasta bien entrada la noche, buscando a ciegas a sus pequeños. Yo solía tumbarme en la cama tapándome las orejas con las manos, desesperada por bloquear esos tormentosos mugidos. Cuando me hice mayor, siempre le preguntaba al tío Dieter cuándo era la época de llevar a los terneros al mercado y organizaba mis visitas para evitarlo.

Me despejé la mente lo mejor que pude y me mantuve ocupada atendiendo a algunas de las otras mujeres enfermas del barracón, cambiando unos cuantos vendajes exiguos, dándoles agua y limitándome a sujetarlas mientras tosían sin control. En esos momentos, daba las gracias a mi aprendizaje automatizado de enfermera, en el que hacer tareas de poca importancia requería pensar poco. No quería meditar demasiado ni procesar lo que había pasado aquella mañana ni en otras tantas.

Salí dos veces, una para tomar algo de aire –el frío me animó un poco– y otra para visitar otro barracón para no judías, donde dos mujeres habían dado a luz recientemente. Poco podía hacer por ellas en el posparto, puesto que no tenía ni equipamiento ni medicinas, pero al menos las podía tranquilizar diciéndoles que la pérdida de sangre era normal y que sus cuerpos se estaban recuperando. Las mujeres más fuertes de su barracón trajinaban de aquí para allá mientras intentaban en vano animar a que sus pechos produjeran leche.

Mi clasificación en el campo como «política alemana», con una estrella roja en vez de amarilla cosida a mi brazalete, me permitía moverme con libertad por los barracones como enfermera y comadrona, ya que me ofrecía –al menos en los tiempos de paz– a atender a cualquier mujer, sin tener en cuenta su cultura o credo. La mayoría de las mujeres a las que cuidaba ya llegaban embarazadas, o por algún motivo manifestaban un embarazo una vez encarceladas. Eso les sucedía sobre todo a las mujeres judías, aunque nunca llamaban a ningún guardia para pedirle explicaciones. La violación simplemente no existía en el vocabulario del campo. Parecía irónico que una buena cuota de los bebés nacidos fueran medio arios y, aun así, los sacrificaran por el bien de la raza dominante.

De vuelta al Barracón 23, al que de manera extraoficial tanto los guardias como los inquilinos llamaban «el barracón de maternidad», Irena se quedó en su catre al lado del fuego mortecino durante varias horas, en todo momento acompañada por una de las mujeres que había cantado en el círculo. Comprobé que su sangrado no fuera excesivo, y abrió los ojos un instante. Estaban hinchados, con unas bolsas oscuras bajo sus pupilas dilatadas, despellejados y faltos de vida por completo. Me agarró la mano mientras la retiraba de su barriga.

—Anke, ¿para qué ha servido? —me preguntó. Sus pupilas negras perforaban las mías, y se desplomó hacia atrás con sollozos de una aflicción sin lágrimas.

Estaba demasiado confundida como para responder porque no sabía a qué se refería. ¿Para qué había servido el qué? ¿El embarazo, los bebés, esa vida... o la vida en general? Sencillamente, no había respuesta.

2
Salida

Solo con oír esas palabras me puse a temblar visiblemente:

—El comandante quiere verte.

Tenía los ojos desorbitados en medio de la tristeza del barracón, y todo movimiento se detuvo. No había más sonido que el aliento rancio del miedo, que se elevaba por encima del hedor de los seres humanos como si fueran animales: orina y excrementos, flujos femeninos y la reminiscencia del olor de dar a luz. Tenía las manos empapadas de pus, y el soldado las miró con una repugnancia manifiesta. Fui en busca de un trapo que no estuviera ya empapado y me entretuve un momento en las sombras.

—¡Espabila! —me dijo—. No lo hagas esperar.

En ese punto, mi pensamiento estaba claro: «Voy a morir de todos modos, así que no voy a apresurar el momento». A nadie lo llamaban ante el comandante para una agradable charla vespertina.

Irónicamente, fue el viento gélido que me azotaba a través de los agujeros de la falda el que me permitió no temblar. Los músculos que quedaban en mi cuerpo se tensaron para mantener todo el calor posible. A lo largo del patio árido, más ojos se fijaron en mí, miradas que esbozaban mi destino mientras yo me esforzaba por mantener el ritmo del paso de oca del soldado.

«Ah, nos acordamos de Anke —dirían tiempo después en sus fríos y húmedos barracones—. Recuerdo el día que el comandante la llamó. No la volvimos a ver». Con suerte, tal vez formaría parte de uno de esos muchos recuerdos, una historia que contar.

El guardia me guio a través de los matorrales que envolvían las casetas hasta la puerta de la casa principal y me azuzó con brusquedad:

—¡Venga, venga!

Nunca había visto la puerta de la casa, y me detuve para maravillarme ante las intrincadas decoraciones talladas que la decoraban con formas de ángeles y ninfas, sin duda alguna obra de Ira, el tallador de madera y mampostero que había muerto de neumonía el invierno anterior. Se podía apreciar el orgullo que desprendía su trabajo, incluso en las puertas del enemigo, aunque atisbé una pequeña gárgola emparedada entre dos rosas, una clara imagen de la maldad de los nazis. Esa pequeña porción de sublevación me insufló un ápice de coraje mientras subía los escalones hacia la puerta.

Dentro, las mejillas me ardieron por el calor repentino, y de mi labio superior brotaron pequeñas gotas de sudor que retiré con la lengua, disfrutando de su salinidad. En el amplio salón revestido de madera, un fuego crepitaba en una chimenea, con un montón de leña apilada al lado que podría haber salvado a una docena de los bebés que había visto perecer durante los últimos meses. No estaba ni sorprendida ni conmocionada, y me odié por esa falta de emoción. Nos habíamos acostumbrado a limitar los sentimientos a aquellos que podían conseguir algo; la rabia era malgastar energía, pero la irritación agudizaba el ingenio y la predisposición, y salvaba vidas.

El soldado observó mis miembros esqueléticos y me bramó que esperara al lado del fuego, y me lo tomé como una pequeña muestra de humanidad. Me puse de espaldas a él y dejé que el calor atravesara mi vestido raído y me quemara el trasero huesudo; rápidamente noté cómo me chamuscaba la piel y casi disfruté del dolor. El soldado llamó con fuerza a una puerta de madera oscura, se oyó una voz que provenía de dentro y me hizo señas para que abandonara mi sitio al lado del fuego y cruzara la puerta.

Estaba de espaldas a mí, su cabello rubio platino; un ario de manual. El soldado entrechocó los tacones como un bailarín y la cabeza se giró en la silla mostrando al hombre nazi ideal: pómulos marcados, firmes y saludables, una dieta rica que le coloreaba de un tono rosado la piel, como los flamencos de tono pastel que recordaba haber visto en el zoo de Berlín con mi padre. Los tonos de piel en el resto del campo se comprendían en variaciones de una escala de grises.

Revolvió algunos papeles y se quedó mirando mis pies. Una vergüenza repentina que me hizo subir los colores me invadió por los visibles agujeros que tenía en las botas, y luego una rápida furia dirigida a mí misma por permitirme experimentar esa culpa. Él y los suyos habían diseñado esos agujeros y las dolorosas ronchas de mis curtidas plantas de los pies. Levantó la mirada, ignorando el desastre que había entre mis pies y mi cabeza.

–Fräulein Hoff –empezó a decir–, ¿se encuentra bien?

Por la manera como lo dijo podíamos estar tomando el té tan cómodos, un comentario anodino dirigido a una soltera o una chica bonita. La irritación volvió a envolverme, y fui incapaz de producir una respuesta. Él había devuelto la atención a sus papeles inconscientemente, y fue el silencio lo que hizo que volviera a levantar la vista.

Pensé: «No tengo nada que perder».

–Ya puede ver lo bien que estoy –dije con voz monótona.

Era extraño, pero no vi signos de rabia ante mi disidencia, y me di cuenta entonces de que el comandante estaba obligado a hacer esa tarea, un deber desagradable pero necesario.

–Mmm –murmuró–. ¿Haces de comadrona en el campo? ¿Ayudas a las mujeres, a todas las mujeres?

Me miró con un profundo desprecio. Observó mis tonos morenos, que unían de manera natural el mundo alemán y el judío.

–Así es –respondí, con un deje de orgullo.

–¿Y trabajabas en los hospitales de Berlín antes de la guerra? ¿Como comadrona?

–Sí.

–Tienes muy buena reputación, según se dice –comentó mientras leía algo en los papeles que tenía delante–. Estabas a cargo de la sala de partos, y te ascendieron al rango de enfermera.

–Correcto. –Me empezaba a aburrir un poco su falta de emoción; incluso la rabia estaba ausente.

–Mis empleados dicen que no has perdido ni a un solo bebé que estuviera bajo tus cuidados durante el tiempo que llevas aquí.

–Al menos no al nacer –respondí, esa vez desafiante–. Antes y después es lo habitual.

–Sí, bueno... –Pasó por alto el tema de la muerte como si rechazara con un movimiento de la mano un ofrecimiento de más té o vino–. ¿Y tu familia?

Ahí fue donde el orgullo y la terquedad me abandonaron, cayendo al nivel de mis botas agujereadas. Un nudo de dolor se me aferró a la garganta, y me lo tragué como si fueran brasas ardientes.

–Tengo una madre, un padre, una hermana y un hermano que posiblemente estén en los campos –conseguí decir–. Tal vez estén muertos.

–Bueno, tengo algunas noticias sobre ellos –me contó en un tono entrecortado y desprovisto de emoción–. Por lo que sé, vienes de una buena familia alemana, aunque como ya sabes tu padre no es partidario de la guerra, ni tampoco tu hermano. Por supuesto, están bajo nuestro cuidado, y vivos. También conocen su situación.

Sus ojos se clavaron en los míos durante un instante para comprobar mi reacción. Cuando no obtuvo ninguna, volvió a desviar la mirada.

–Quiero que sepas esto por la propuesta que estoy a punto de hacerte.

Su tono sugería que me estaba ofreciendo un préstamo bancario, más que mi propia vida. En ese momento, sopesé si ese hombre abrazaba a su madre cuando se veían, si la besaba sintiéndolo de verdad o si habría sollozado en su regazo como un bebé. ¿O ya había nacido siendo un cabrón despiadado? Medité si la guerra lo había transformado en lo que era, en ese ser vacío con uniforme. Me estaba divirtiendo mucho. Mis huesos al fin se calentaban gracias a la chimenea, que crepitaba con furia. Tal vez moriría caliente, y no con la sangre azul helada renqueando por mis venas. Sangraría abundantemente por todo su bonito suelo pulido, y como mucho le causaría algo de pena, sería solo un mero inconveniente. Tenía la esperanza de que sus botas patinaran y se deslizaran por encima de mi efluvio escarlata, dejándole una mancha impregnada en el cuero que estuviera siempre presente.

—¿Fräulein? —No fue la urgencia de su voz la que me sacó de mis cábalas, sino un disparo en el patio, una grieta que se abría en la quietud de su despacho. Uno de los varios que se oían cada día. Ni siquiera se inmutó—. Fräulein, ¿me has oído?

—Sí.

—Te ha llamado la más alta autoridad, ni más ni menos que los altos cargos del Führer. —Esperaba que le siguiera una pequeña fanfarria por cómo había cubierto la frase de devoción—. Precisan de tus servicios.

No dije nada, insegura de cómo reaccionar.

—Saldrás dentro de una hora —me informó a modo de despedida.

—¿Y si no quiero ir? —Las palabras me habían abandonado los labios antes de que me pudiera dar cuenta, como si las hubiera formulado una persona que no era yo.

Su enfado era visible, probablemente por no poder dispararme allí mismo a sangre fría. Como había hecho tantas veces antes, o eso nos contaba su reputación. La mera mención del gabinete del Führer significaba que no iba a morir allí, al menos no ese día si accedía a ir. El comandante apretó la mandíbula, sus pómulos rígidos como un rostro pétreo y sus ojos grises como el acero.

—Entonces, no puedo garantizar la seguridad de tu familia o la solución de los problemas actuales.

Ya estaba decidido. Atendería a las mujeres nazis y ayudaría a dar a luz a cambio de evitarle la muerte a mi propia familia. No había nada que leer entre líneas, todos sabíamos dónde estábamos.

—¿Y las mujeres de aquí? —pregunté ignorando su despedida—. ¿Quién las atenderá?

—Se las apañarán —dijo con el rostro en los papeles—. Una hora, Fräulein. Te recomiendo que estés preparada.

Mi cuerpo era de nuevo inmune al frío viento mientras me acompañaban de vuelta al Barracón 23. Extrañamente, no sentía nada, ni siquiera el alivio por haber salido de la casa principal con vida.

Sin embargo, mi mente no paraba de dar vueltas a las cosas que tenía que legarle a Rosa, que contaba con solo dieciocho años, pero hasta la fecha había sido mi ayudante más competente. Rosa había estado conmigo en casi todos los nacimientos del campo de los últimos nueve meses, reconfortando cuando era necesario, cogiendo las manos, limpiando restos y secando lágrimas cuando arrancaban a los bebés de sus madres, como ocurría a menudo.

Ningún bebé judío pasaba más de veinticuatro horas después de nacer al lado de su madre. A las no judías les permitían a veces cuidar de sus bebés hasta que la inevitable desnutrición o la hipotermia se los llevaba, pero al menos esas madres podían tener un desenlace. Las judías se aferraban solo a un espacio vacío, sus sollozos rítmicos se unían al viento que aullaba mientras se colaba en el barracón. Solo a una madre judía y a su bebé los habían sacado a hurtadillas del campo durante la noche, bajo las órdenes de un oficial de alto rango, sospechamos. Estábamos divididas sobre si su destino era bueno o malo.

En el barracón, las mujeres me dieron la bienvenida aliviadas primero y apenadas después por mi marcha. No tenía ninguna posesión que empaquetar, así que esa preciada hora la pasé haciéndole a Rosa un resumen atolondrado de las revisiones que se tenían que hacer y dónde estaba escondido nuestro escaso alijo de suministros. Durante sesenta minutos que fueron demasiado breves, hice todo cuanto pude para pasarle la experiencia que había adquirido durante nueve años como comadrona: cuándo se atascaban los hombros, compresas sobre los desgarros vaginales, si el bebé venía de culo en vez de cara, qué hacer para evitar que una mujer muriera por una hemorragia y placentas que no se desprendían. No podía pensar ni hablar lo suficientemente rápido como para no dejarme nada. Por suerte, Rosa aprendía con suma rapidez. Había visto numerosos partos sin incidentes, y también habíamos presenciado casos poco habituales. Le agarré con las manos la cara, cuya piel reseca se extendía alrededor de sus grandes ojos marrones.

—Cuando consigas salir de aquí, tienes que prometerme una cosa —le dije—. Sigue tu aprendizaje, conviértete en comadrona, al menos sé testigo del lado bueno que tienen las madres y los bebés juntos. Tienes un don natural, Rosa. Supera esto y búscate tu propio camino.

Ella asintió en silencio. Sus pupilas estaban empañadas en lágrimas. Yo sabía que eran sinceras porque ninguna de nosotras malgastaba un escaso fluido a menos que proviniera de lo más profundo de nuestro corazón. Era la mejor despedida que me podía haber dado.

Un golpe en la maltrecha puerta señaló que la hora había llegado, y no tuve tiempo de volver a mi propio barracón. De todos modos, estaría vacío. Graunia y Kirsten, las personas que me sustentaban, estaban asignadas al departamento de trabajo. Sin tiempo para poder ir a buscarlas, le encargué a Rosa que les transmitiera mi amor y mi despedida. Abracé a varias de las mujeres mientras me dirigía a la salida, con los ojos bajos para disimular mi propia angustia. Iba a salir, pero ¿acaso eso era bueno? Me dirigía a un destino potencialmente peor que la fealdad del campo. No podía empezar ni a imaginarme hasta qué punto podría llegar a tener que saquear mi propia alma.

Un coche grande de color negro me estaba esperando, de esos en los que solo viajaban los oficiales nazis, con un conductor y un sargento joven para acompañarme. El sargento estaba sentado, con cara de póker, en el otro extremo del asiento trasero. Su repugnancia ante mi hedor físico y moral era más que palpable, como la alemana sin lealtad a la patria que era. A regañadientes, empujó una manta en mi dirección. Me arrebujé en la franela suave, arrullada por el lujo de sentir lana real contra mi piel y la vibración del motor. Cerré los ojos y caí en un sueño profundo, aunque inquieto.

Berlín, agosto de 1939

Nos llamaron una a una, sacadas de nuestras tareas en el barracón de maternidad, al despacho de la enfermera supervisora. Ella se quedó de pie, impasible, mientras un hombre vestido con un traje negro estaba sentado detrás de su escritorio, al parecer muy cómodo. Cuando llegó mi turno, debió de haber leído la misma instrucción las suficientes veces como para saberla de memoria, y apenas miró al papel que tenía delante.

–Enfermera Hoff –empezó a decir con voz monótona–, ya sabe cuánto valora y aprecia el Reich su profesión como guarda de nuestra futura población.

Mantuve la mirada firme al frente.

–Por ese motivo dependemos tanto de usted y de sus colegas para ayudarnos a mantener el objetivo que tenemos, de pureza para la nación alemana.

Me habían obligado a escuchar hasta el final tantas peroratas sobre la pureza racial que sabía exactamente a qué se refería, por más que las palabras encubrieran lo obvio. Las Leyes de Núremberg habían establecido hacía varios años que el matrimonio era ilegal entre los judíos y los arios, y habíamos visto un declive real de recién nacidos «mixtos» en el hospital. Ahora que los judíos estaban excluidos de las prestaciones sociales, ya apenas teníamos contacto con madres judías, a menos que fueran ricas y valientes.

El hombre siguió hablando.

–Enfermera, estoy aquí para compartir con usted información sobre una nueva directiva que formará parte de su labor diaria, con efecto inmediato. Le exigimos que nos informe, a través de sus superiores, de todos los niños que nazcan, o con los que tenga contacto, en los que se pueda sospechar de alguna discapacidad de cualquier tipo.

En ese momento bajó la vista hacia su lista.

—Estas condiciones incluyen: imbecilidad, mongolismo, hidrocefalia, microcefalia, malformación de los miembros —cogió aire, aburrido—, parálisis o condición espástica, ceguera o sordera. Por supuesto, esta lista no es exhaustiva y nos sirve solo como guía. Confiamos en su conocimiento y discreción.

Acabó el discurso, y me miró directamente a los ojos. Seguí con la vista fija en algún lugar entre su temple y la línea del pelo engominado, mientras sus ojos me escrutaban el rostro. Esperaba con todas mis fuerzas que no me pidiera que aceptara explícitamente tales términos.

—¿Entiende que es una directiva y no una petición, enfermera? —me preguntó.

—Sí. —Al menos podía ser sincera con eso.

—En ese caso, confío en su profesionalidad para que trabaje por una Alemania más esplendorosa. El mismísimo Führer reconoce su papel vital en esta tarea y garantiza su... protección frente a la ley. —Puso énfasis en las últimas palabras a propósito, y luego continuó a la ligera—: Sin embargo, entendemos que es un desgaste de su tiempo y conocimiento, y habrá un pago como gratitud de dos marcos imperiales por cada caso que se reporte, que abonará el hospital.

Sonrió diligentemente ante la generosidad de tal proposición, así como para comunicarme que habíamos terminado.

Quería gritar por dentro y clavarle mis uñas demasiado cortas en lo profundo de sus ojillos, colocados entre demasiada carne, que se había vuelto más rosada y corpulenta gracias a las numerosas visitas al bar, sentado junto a sus amigotes nazis, empinando el codo a base de cerveza y riéndose de esa «asquerosa chusma judía». Quería hacerle daño por asumir que todos éramos tan sucios y asquerosos, tan inhumanos, como en lo que él se había convertido. Pero no dije ni hice nada, como mi padre me había recomendado. «Anke, se puede desafiar de muchas maneras –fue su consejo–. Engaña de una manera inteligente».

El nazi revolvió sus papeles y vi por el rabillo del ojo cómo se movía la falda de la matrona. Sabía lo que debía de estar pensando. «Tranquila, Anke, y, sobre todo, no digas nada», estaría deseando transmitirme.

–Gracias, enfermera Hoff –dijo sin demora, y me guio de inmediato a la salida.

Volví a la sala de maternidad; durante mi breve ausencia, el cuarto parto de una mujer había progresado rápidamente y en menos de una hora ya estaba acunando entre los brazos a su nuevo bebé, contando los deditos de las manos y los pies, e ignorando por completo que el eficiente Reich sacrificaría sin pensarlo a su preciosa hija si alguno de esos dedos estuviera fuera de lugar. Nadie nos había mencionado qué pasaría después de que nosotras, como ciudadanas diligentes, informáramos de alguna discapacidad, pero hacía falta ser muy corto de miras para no imaginarlo. No me cabía ninguna duda de que no era para construir y proveer a esos «desafortunados» de unas instalaciones excelentes donde cuidarlos. Pero ¿adivinar su destino? De verdad que no quería indagar demasiado en mi imaginación. El número creciente de soldados de las SA de Hitler por las calles y su descarada violencia contra los judíos nos mostraban que ya se había rebasado cualquier tipo de barrera. Era muy simple: para el Reich, no había límites. Nadie –hombre, mujer o niño– estaba a salvo.

Habían hablado con todas las comadronas, enfermeras y doctores, creando una extraña conspiración de silencio. La gente era amable con los demás –demasiado amable–, como si ya estuviéramos deshaciéndonos de los disidentes, de aquellos de entre nosotros que no estaban entregados a la causa. La sala de partos seguía igual, pero cada nacimiento traía una nueva pregunta. Si antes había sido: «¿Niño o niña?» o «¿Cuánto pesa?», de pronto era: «¿Está todo bien?». Jugábamos a la ruleta rusa con un número desconocido de recámaras en el tambor, y nadie quería ser el primero.

Me vino al pensamiento un nacimiento al que había asistido hacía unos años, en casa de una pareja eslovaca. El parto había sido inusualmente largo para un segundo bebé y la fase de expulsión, agotadora. Mientras observaba cómo salía la cabeza del bebé, la razón se hizo aparente: una coronilla más grande de lo habitual que tiraba de cada centímetro de piel de la mujer y de su espíritu para nacer. Con la bebé finalmente en los brazos de su madre, todos lo vimos: una cabeza hinchada y desproporcionada, con unos ojos protuberantes bajo un entrecejo prominente. Uno de los ojos lechoso y opaco, ciego, y el otro hundido, probablemente carente también de visión. En comparación, el cuerpo era escuálido, como si la cabeza se hubiese tragado toda la energía que la madre había invertido en el embarazo. Y lo único que esta dijo fue: «¿No es maravillosa?». La abuela también arrullaba a la nueva vida, satisfecha con lo que Dios les había dado.

La belleza nunca se había asentado tan firmemente en el ojo de un espectador como en ese nacimiento. Solo había imaginado que la madre habría derramado lágrimas a solas pensando en el futuro perdido de su preciosa hija o especular sobre cuánto tiempo habría sobrevivido la pequeña. Pero estaba más segura de que todos los bebés eran preciosos para alguien, de que no teníamos el derecho de jugar a ser jueces, jurados o Dios. Nunca. Decidí con firmeza que no sería cómplice. En el caso de que ocurriera, encontraría la manera..., aunque no sabía cómo.

Justo un mes después, Alemania entraba en guerra con Europa, y enseguida se puso a prueba el entramado de toda una nación.

3
El exterior

Un frío distinto en el aire me despertó. Era de noche y todavía estábamos viajando. El gran motor seguía ronroneando sin cesar y unas cuantas luces salpicaban el camino en las pocas casas donde las acababan de encender. Estaba desorientada y no tenía ni idea de en qué dirección íbamos, pero supuse que estábamos subiendo las montañas poco a poco. El aire me parecía diferente; tenía un deje cristalino y un sabor que recordaba a las vacaciones familiares. Estaba sorprendida. Había dado por hecho que estaríamos en Berlín, en Múnich o en cualquier otra ciudad industrial, en dirección a algún hospital de maternidad privado, donde las mujeres de los oficiales nazis y hombres de negocios leales estarían llevando a cabo sus tareas. A las mujeres de Alemania les habían encomendado que procrearan la siguiente generación como parte de su «servicio militar». Antes de que me desahuciaran, los carteles podían verse en cada esquina de las calles de Berlín, en los que se animaba a alistarse a filas: mujeres rubias sonrientes con los brazos alrededor de sus fuertes polluelos arios, listos para servir al Reich como pienso nutritivo para las tropas. Era su deber, y no lo cuestionaban. ¿O sí? No se podía saber, puesto que las mujeres alemanas leales al régimen no expresaban su opinión.

El sargento se sobresaltó cuando me moví y cuadró los hombros automáticamente. Le habló al aire.

–Llegaremos pronto, Fräulein. Deberías estar preparada.

Estaba sentada con mi vestido harapiento y no tenía nada más que recoger, pero aun así asentí. Tras unos minutos, giramos a la izquierda y cruzamos una verja de hierro para subir lentamente por un camino largo de grava que crujía bajo el vehículo. En la cima había un chalé enorme con el porche iluminado por un resplandor que venía de dentro. El estilo era inconfundiblemente alemán, aunque en ningún caso rústico, con columnas talladas que soportaban la gran veranda que rodeaba toda la casa. Unas sillas de madera y unas mesas pequeñas estaban dispuestas para poder apreciar las vistas a la montaña.

Durante un breve instante, pensé que habíamos llegado a Lebensborn, el centro semioculto de crianza donde Heinrich Himmler llevaba a cabo su sueño racial utópico, y que mi tarea sería salvaguardar las vidas de los bebés arios de mujeres embarazadas escogidas o de las esposas de los oficiales de las SS. Pero el edificio parecía ser la vivienda de alguien, aunque fuera monumental y desmesurada. Medité sobre qué tipo de esposa nazi podía vivir allí, cuán importante tenía que ser para haber captado la atención del gabinete del Führer y la promesa de tener su propia comadrona.

La imponente puerta de madera se abrió justo cuando nos detuvimos y apareció una mujer. No estaba ni embarazada ni era la señora de la casa, puesto que iba vestida como una criada con un corpiño colorido y un vestido *dirndl*. Trastabillé un poco al salir del coche, con las piernas entumecidas por la comodidad extrema. La criada bajó los escalones con una amplia sonrisa y me extendió la mano. Su vaho blanquecino golpeó el frío aire, pero su bienvenida era cálida. Ese día se estaba haciendo más estrambótico por momentos.

–Bienvenida, Fräulein –dijo, con un marcado acento bávaro–. Por favor, entra.

Me llevó hacia un vestíbulo opulento con lámparas decoradas que resaltaban los retratos en marcos cubiertos de oro, Hitler en un lugar prominente encima de la brillante chimenea; había visto más fuegos de bienvenida en ese único día que en todo el tiempo que había estado en el campo. Seguí a la criada como un perrito por una puerta que salía del vestíbulo y descendimos en lo que claramente eran los aposentos de los sirvientes. Varias cabezas se giraron hacia mí cuando entré en una sala amplia, sus ojos juzgadores mientras la criada me guiaba a lo largo de un pasillo hasta llegar finalmente a una pequeña habitación.

–Aquí –me indicó–. Dormirás aquí esta noche antes de ver a la señora por la mañana.

Me quedé atónita, como una niña a la que le ponen delante un pastel de cumpleaños mágico. La cama tenía un colchón de verdad y colcha, con un camisón limpio doblado sobre una mullida almohada. Podía ver un cepillo encima de un pequeño armario, junto a una pastilla de jabón y una toalla limpia. Era una visión de ensueño. La criada se volvió a dirigir a mí.

–La señora indicó que te diéramos... –se detuvo, corrigiéndose–, que te ofreciéramos un baño antes de cenar. ¿Te parece bien, Fräulein?

Era un misterio qué versión habrían contado para dar explicación a mi aspecto desaliñado: mi pelo oscuro había vuelto a crecer y mis dientes estaban intactos, pero mi apariencia era cualquier cosa menos saludable. Esa criada o bien desconocía mis orígenes, o bien lo disimulaba perfectamente.

–Sí, sí –conseguí responder–. Gracias.

La criada se fue por el pasillo y el sonido del agua corriente me llegó a los oídos. ¡Agua caliente! ¡Del grifo! En el campo había sido un bien escaso, fría y extraída con una bomba de un pozo sucio. No podía despegar los ojos de la pastilla de jabón, como si fuera maná caído del cielo y pudiera darle un bocado en cualquier momento, como Alicia en el país de las maravillas.

Me senté con cautela en la cama, notando cómo mis huesos se hundían en el material suave. Nunca imaginé que volvería a pasar una noche bajo sábanas limpias. La criada, que se presentó como Christa, me llevó al cuarto de baño, cerró la puerta y me permitió tener mi primer momento real de soledad desde hacía dos años. A pesar de los sonidos de la casa a mi alrededor, era un silencio inquietante y el espacio a mi alrededor se cernía sobre mí, claustrofóbico. No había nadie que me tosiera cerca, succionando mi propia respiración, no estaba Graunia moviendo sus huesos para ajustarse a los ángulos de la carne que me faltaba. Estaba sola. Y no estaba segura de si me gustaba.

Me quité el vestido raído y mi ropa interior casi se desintegró cuando tocó el suelo. El vapor se elevaba en bucles por encima del agua, y metí la punta de un pie, casi temerosa de entrar, por si una sensación física real podía romper aquel intrincado sueño.

Cuando me sumergí en esa placentera calidez, malgasté unas preciadas lágrimas saladas, por más que hubiera agua de sobras. Cuando habías visto tanto horror, destrucción e inhumanidad en un solo lugar, las cosas más simples eran las que rompían tu determinación y te recordaban que había amabilidad en el mundo. Un baño caliente era una parte de mi infancia, pero especialmente de cuando estaba congestionada por un resfriado o atormentada por la tos. Mi madre me preparaba el baño y se quedaba sentada mientras me hablaba o cantaba y me limpiaba el pelo y me envolvía en una toalla suave antes de meterme en la cama con una bebida caliente y calmante.

Intenté con todas mis fuerzas no pensar en ninguno de ellos, mientras nadaba en ese entorno extraño, pero tenía la esperanza por encima de todo de que no estuvieran en el infierno que yo acababa de dejar atrás. Unos sollozos violentos zarandearon mis músculos consumidos, hasta que me quedé seca por dentro.

Cuando hube acabado las lágrimas, examiné mi cuerpo por primera vez desde hacía una eternidad; no había espejos en el campo, y el frío significaba que rara vez nos desvestíamos. La visión me dejó conmocionada. Conté las costillas a través de la piel apergaminada y vi que los músculos de los brazos que había desarrollado por el trabajo en el hospital ahora estaban flácidos y macilentos y los huesos de mis caderas salían protuberantes por debajo de mi piel.

¿Dónde había desaparecido? ¿Dónde había ido la antigua Anke?

Tuve que frotar a conciencia con la gloriosa pastilla de jabón para eliminar las varias capas de suciedad, y dejé el agua gris cuando salí de la bañera, donde pequeños cadáveres negros de insectos flotaban en la roña que me había quitado de encima. Christa me había dejado una bata fina, y evité a propósito mirarme al espejo. Con indecisión, deshice el camino por el pasillo con pasos ligeros con los pies descalzos pero limpios.

Más tesoros me aguardaban en la habitación. Había ropa interior colgada sobre la silla, junto a una falda, medias y un jersey. También una camiseta interior pero ningún sostén, aunque ya no me quedaba nada que sujetar, con casi el aspecto de una adolescente en la pubertad en un cuerpo desarrollado prematuramente. Pasados unos minutos, Christa vino con un plato de carne glaseada y patatas y zanahorias como acompañamiento del color del sol de última hora de la tarde. El hambre era una sensación constante, y no me había dado cuenta de que no había probado bocado en todo el día.

–Te dejo tranquila –me dijo, con una sonrisa dulce y natural–. Te traeré el desayuno por la mañana y la señora hablará contigo después de eso.

Mi instinto me apremiaba a devorar el plato con glotonería y atiborrarme de esas preciadas calorías, pero sabía lo suficiente de mi interior muerto de hambre como para predecir que, si quería retener la comida y no vomitarla al instante, tenía que deglutirla poco a poco. Mastiqué y saboreé cada trozo, sintiendo cómo se amoldaba en mi interior. Una o dos veces, mi garganta se atragantó sin control ante aquella exquisitez, y respiré hondo, desesperada por tragar.

La carne, cocinada a fuego lento, me trajo recuerdos de los tiempos antes de la guerra, de las comidas que preparaba mi madre por los cumpleaños: carne de res a la cerveza alemana. Sintiéndome culpable, tuve que dejar un tercio del plato sin acabar. Con nada más con lo que entretenerme, me tumbé en la cama con el pelo húmedo sobre la mullida almohada, impregnándome del olor del jabón de la ropa, y me quedé dormida de inmediato.

La luz que se filtraba por la pequeña ventana señalaba que despuntaba el día, y moví el hombro lentamente, como había hecho cada día en los pasados meses. El somier de madera de la cama del campo me había causado unas irritaciones dolorosas en los hombros, y levantarse exigía hacerlo con cuidado para evitar que se me desgarrara la piel y se me pudiera infectar la herida. Solo cuando noté que la piel se me hundía en el suave algodón me acordé de dónde estaba. Incluso entonces me llevó un rato convencer a mi soñoliento cerebro de que no me encontraba perdida en una fantasía.

El ruido de una casa que estaba ya en pleno bullicio reptaba por las paredes y me fui de puntillas al baño, sintiendo la inevitable batalla en mi interior entre la inanición y la hinchazón del estómago. Christa se dirigía a mi habitación cuando regresé, con una pequeña mirada de sorpresa, como si me hubiera perdido durante un instante. Como si pudiera escaparme.

–Buenos días, Fräulein –me dijo, dirigiéndose a mí como si fuera una huésped de verdad. Le había cogido afecto, mayormente porque me había tratado como a un ser humano, y porque me había traído más comida. Su pelo rubio estaba recogido en un moño apretado que hacía que sus pómulos prominentes parecieran más altos y sus ojos verdes brillaran.

–Lo siento, no fui capaz de acabarme la cena –me disculpé, mientras miraba las sobras–. No estoy acostumbrada...

–Ningún problema –zanjó con una sonrisa. Claramente el personal tenía sus suspicacias, sea lo que fuere que les hubieran contado. Me llevó bastante tiempo acabarme los huevos y el pan que había en mi plato, con unas yemas del mismo color que los girasoles gigantes que se mecían en el jardín de mi madre. Esos recuerdos, que había mantenido cuidadosamente a raya en el campo, de pronto volvían poco a poco. Me obligué a tragar la proteína en mi organismo, que ya estaba saturado. Christa me esperaba en la puerta mientras me metía a la fuerza la última cucharada.

Me llevó al piso de arriba a una sala grande, dotada de grandes ventanales en tres de sus paredes, la vista del bosque en una y montañas en las de enfrente. Era lo suficientemente espaciosa como para albergar varios sofás de piel de un diseño alemán austero, con mesitas auxiliares de madera oscura y unos pequeños ornamentos ostentosos horribles. El inevitable retrato del Führer se alzaba imponente por encima de la vasta chimenea, que producía una suave crepitación caliente más que un rugido.

Una mujer estaba sentada en una de las voluminosas butacas y se puso de pie cuando entré. Alta, delgada y elegante, su pelo rubio peinado hacia un lado, de ojos azules claros y un mohín coloreado con pintalabios rojo rubí. Arreglada y muy alemana. Obviamente tampoco estaba embarazada.

–Fräulein Hoff, bienvenida a mi casa. –Solo me dedicó una sonrisa forzada; estaba claro desde un comienzo que la situación era un acuerdo, uno con el que ella no estaba para nada contenta–. Me llamo Magda Goebbels, y me solicitó una muy buena amiga que encontrara a alguien con su experiencia que la pudiese ayudar.

Con la mera mención a su nombre, descubrí por qué me habían tratado tan bien. Frau Goebbels era el epítome de la mujer alemana, casada con el ministro de Propaganda y madre de siete perfectos especímenes arios, un claro modelo para aquellos carteles entusiastas. Puesto que el Führer no tenía esposa, a menudo salía a su lado en los noticiarios cinematográficos y las fotos en los años antes de que me arrestaran. Era la nazi perfecta, aunque fuera una mujer, apodada por los columnistas como la «Primera Dama Alemana».

Siguió hablando de manera práctica.

–Conozco su reputación, su experiencia en el trabajo y su... situación.

Me di cuenta de que siempre había una pausa cuando se mencionaba la amenaza a mi familia. ¿Era vergüenza o solo un leve bochorno? Para unas personas que infligían crueldad con tanto descaro, los nazis parecían casi avergonzados de llamarlo chantaje.

Continuó, imperturbable:

–Sé que puesto que su trabajo ha sido tan variado, se preocupa de verdad por las mujeres y los bebés en cualquier situación. Solo puedo confiar en que hará lo mismo por mi amiga, que necesita ayuda. –Se quedó callada, invitándome a responder.

–Siempre mostraré todo mi empeño para conseguir el mejor resultado por cualquier mujer –dije, haciendo una pausa deliberadamente–. Sea quien sea.

Lo creía de verdad. Las normas de mi aprendizaje como comadrona no discriminaban entre ricas y pobres, buenas o malas, delincuentes o buenas ciudadanas; todos los bebés nacían del mismo modo llegado el momento y merecían la oportunidad de vivir. Eran el tiempo, los meses y los años de después los que los fracturaban en un mundo desigual.

Entendió mis palabras y juntó las manos delante del cuerpo, con unas uñas con una manicura perfecta.

–Bien. Pasará el día de hoy preparándose, y entonces viajará para conocer a su nueva clienta mañana. –Dijo la palabra «clienta» como si yo fuera una profesional privada a punto de aceptar una tarea que hubiera escogido libremente. Me pregunté entonces cuánto y cómo de profundo tenían asimiladas las mentiras. Si se creían de verdad su propia propaganda. ¿De verdad la aceptaban?

Me quedé callada, negándome a calificar su oferta con ni siquiera un «gracias». Pero la señora no quería dejarlo estar.

–Debería tener muy presente que esta es una buena oportunidad para usted, Fräulein Hoff. A muchas no les sería confiada una tarea tan importante. Tenemos la sensación de que priorizará su tarea como comadrona, sean cuales sean sus ideas políticas.

Se estaban arriesgando, pero probablemente tenían razón. Yo no era ninguna santa, pero me tomaba mi trabajo seriamente. Las madres estaban embarazadas para tener bebés saludables, y los bebés tenían el cometido de sobrevivir, al menos en la mayoría de los casos. Esa era la regla de oro.

Estaba dando la vuelta para irme, cuando vi una figura fantasmal que pasaba por la puerta.

–¿Joseph? –llamó la señora por detrás de mí–. Joseph, ven a conocer a la comadrona que hemos conseguido.

Un hombre bajo vestido con un traje oscuro avanzó hacia mí con una leve cojera, se detuvo y chocó los talones de una manera automatizada. No era un ario, pero su rostro salía a menudo en los diarios que mi padre había leído minuciosamente durante los días previos a nuestra desaparición. Joseph Goebbels, uno de los hombres de confianza de Hitler, maestro en tergiversar la verdad, embellecer las mentiras y embaucar a los alemanes buenos y honestos. ¿Acaso no era Goebbels el que había declarado: «La misión de las mujeres es ser bonitas y traer hijos al mundo»? Recuerdo a mi hermana Ilse y yo riéndonos ante esas palabras, pero en ese instante que tenía a su mujer delante, entendí por qué se imaginó que podía ser una realidad.

–Fräulein Hoff, es un placer conocerla.

Me dedicó esa media sonrisa que los oficiales del Tercer Reich claramente practicaban en su entrenamiento, diseñado para que fuera más bien una amenaza, con sus dientecitos puntiagudos apenas visibles. Era insultantemente delgado, con el pelo oscuro engominado hacia atrás y las mejillas hundidas. Si a Himmler –la mano derecha de Hitler– lo calificaban como la rata de los altos mandos del Reich, entonces Joseph Goebbels era la comadreja perfecta. Para su esposa, la atracción debía de haber ido más allá del aspecto físico. Sentí un escalofrío inmediato al ver que se sabía mi nombre.

Se dirigió a su mujer.

–¿Están los preparativos en marcha?

–Sí, Joseph –respondió ella con una clara irritación.

–Entonces me despido de vosotras. Espero que cuiden bien de usted, Fräulein Hoff.

Se marchó mientras su mujer tenía la vista clavada en su espalda y los labios apretados. Tal vez fuera preciosa y una reproductora copiosa, pero tenía la sensación de que Frau Goebbels era algo más que una cara bonita.

Acabada la entrevista, Christa apareció en el umbral de la puerta para llevarme de nuevo a los aposentos de los sirvientes. El «estar preparada» consistía en que tuviera un aspecto presentable para mi misteriosa clienta, una tarea encomiable para llevarla a cabo en un solo día. Christa llevaba fenol para arremeter contra los huevos de las ladillas que tenía incrustados entre los mechones de mi pelo fino. Trabajaba con alegría, hablando con cariño sobre su familia que vivía cerca de Colonia, y aunque pasó por alto las dificultades de la guerra, era evidente que las familias trabajadoras alemanas de verdad también estaban sufriendo. Su hermano ya había caído en combate, ciego y devuelto del frente este, con lo que su padre tenía que apañárselas para sacar adelante la granja familiar sin los músculos de un hombre joven. Hizo solo una pequeña alusión a su desdén por el Reich.

Había sido ayudante de enfermera antes del conflicto, en un hogar para mujeres mayores. Una parte de los cuidados, dijo Christa, consistía en peinar sus escasos cabellos en algo que fuera vistoso; eso funcionaba mucho mejor que cualquier medicina. Cuando me hubo sacado las últimas liendres de la cabeza, obró milagros con unas tijeras y una plancha caliente, haciendo que pareciera que había doblado el volumen de mis debilitados mechones y escondiendo mi cuero cabelludo descascarillado con destreza. Apenas me podía reconocer en el espejo, sin haberme mirado el propio rostro desde lo que me parecían años. Había envejecido notablemente, arrugas alrededor de los ojos, mejillas chupadas y pequeñas venas rojas que sobresalían en las zonas donde se marcaban los huesos de mi calavera, pero los esfuerzos de Christa amortiguaron la conmoción. Igual que había hecho con mi cuerpo, elegí no afligirme por la imagen.

Christa trajo varios vestidos y faldas, sencillos y prácticos, de los armarios de las antiguas gobernantas o amas de llaves; medité solo un instante cuántas se habrían ido de la casa envueltas en la sombra de la muerte. En el campo, registrábamos con avidez los cadáveres en busca de ropa útil sin pensarlo dos veces. «Los muertos no tiemblan de frío», decíamos, para justificar nuestra culpa. Se aceptaba para sobrevivir. Así que, en ese momento, no me estremecí mientras me ponía unas medias ásperas, que para mí eran como si estuvieran hechas de seda, y me abotonaba una blusa que no haría que se me irritara la piel por estar infestada de bichos. Me quedaba holgada, pero Christa recortó e hizo dobladillos y se llevó las prendas para devolvérmelas al cabo de unas horas con los arreglos pertinentes.

Hacia el final del día, un visitante inesperado apareció en mi puerta. Christa notó que me tensaba cuando vi su pequeño maletín negro, su cabeza que clareaba y las gruesas gafas. La gobernanta se apresuró a hablar, para tranquilizarme y asegurarme de que no se trataba de una caricatura del Doctor Muerte.

—Fräulein Hoff, este es el doctor Simz. La señora le ha pedido que le haga una revisión antes de su viaje mañana.

El doctor Simz tenía el doble papel de médico y dentista y examinó todo mi cuerpo de la cabeza a los pies. Me dio un bálsamo para las irritaciones más visibles de la piel y aseguró que mis pulmones «resollaban un poco», pero que no estaban infectados y que para su sorpresa mis dientes estaban en buenas condiciones. No retrocedió al verme las costillas o mis pechos lamentables y trabajó metódicamente para comprobar que no suponía ninguna amenaza para la clienta que me habían propuesto. Sus murmullos asertivos me decían que estaba preparada.

Serviría.

Dormí inquieta esa noche, a pesar de la lujosa cama. Pensé en Rosa, pasando frío y vulnerable, en todas las mujeres del barracón de maternidad, en mi propio barracón, y en Margot, embarazada de ocho meses a la que apenas se le notaba que iba a ser mamá. Su barriga era pequeña, pero el feto había succionado cada partícula nutritiva de su necesitado cuerpo de todos modos. Llegado el día, le arrebatarían la energía, la vida y el bebé de un solo golpe, y Rosa tendría que lidiar con los restos físicos, así como con el lamento profundo y vacuo de Margot, que se elevaría desde el barracón mientras llorara la vida y la pérdida de su bebé. Y allí estaba yo, durmiendo casi rodeada de lujos. «Injusto» ni siquiera empezaba a describir la lotería en la que vivíamos, moríamos o simplemente existíamos.

Tomé mi última comida en aquella casa con Christa, que había sido prácticamente mi único contacto desde que llegué. En tan poco tiempo, habíamos entablado una pequeña amistad; reconocía en ella un espíritu que me decía que estaba allí solo para sobrevivir y por su familia, y descubría en aquellos jóvenes ojos verdes que no era uno de ellos. Era una supervivencia de un tipo distinto a la mía, pero supervivencia al fin y al cabo. Tal vez hubiera más como nosotras de lo que imaginábamos, simplemente aguantando lo mejor que podíamos.

Pero ¿era suficiente? ¿Era lo correcto?

4
La subida

El largo sedán soltaba nubecitas en el aire frío mientras Christa me despedía con la mano.

–Ten cuidado –me dijo mientras me daba un apretón de manos cargado de significado–. Búscame, a veces me envían a la mansión a hacer recados.

–Lo haré, gracias, Christa. Muchas gracias.

Estaba triste de verdad por irme de su lado, con la sensación de que nos habríamos convertido en mejores amigas con el tiempo suficiente. Avanzamos con el coche durante un par de kilómetros dejando atrás grandes casas que parecían cabañas hasta que la carretera empezó a empinarse, flanqueada por altas encinas y subíamos más y más por una carretera hecha de piedra zigzagueante en perfecto estado. El aire cambió, se podía notar el cielo azul incluso dentro del coche, y la atmósfera empezó a parecerme muy montañosa. Pasamos por varios puntos de control, y tenía el presentimiento de que no iba a bajar de allí arriba durante un buen tiempo.

Tras ascender lentamente durante quince minutos, el motor del coche empezó a quejarse como un abuelo refunfuñón, los árboles se empezaron a dispersar y la vista se despejó. Por lo que parecía estábamos escalando una montaña de verdad. Incluso envuelta en una fina neblina, era espectacular, como un collar blanco vaporoso envuelto en la masa de roca, cediendo el paso más abajo a tierras de cultivo que se recortaban en cuadrículas, salpicadas ocasionalmente por pequeños grupos de viviendas. Como una niña, apreté la nariz contra la ventanilla; si seguíamos escalando más, tenía la sensación de que podíamos hacer como Jack subiendo por el tronco de la habichuela mágica, atravesando las nubes de caramelo.

Tras unos minutos, apareció ante la vista la cima, un borde de hormigón que parecía que estuviera balanceándose sobre el canto de la cumbre de granito, como la casa en el árbol que mi padre había construido en nuestro jardín, divertida pero siempre un poco insegura. Justo cuando creía que la carretera no se podía escarpar más, se niveló de golpe y se convirtió en una llanura, y pasamos a través de una verja negra custodiada por guardias hacia un camino ancho. La vista desde abajo me había engañado; la montaña tenía un área llana –si era obra del hombre o la naturaleza, no podía saberlo– y el complejo de la casa era grande y extenso, asentado sobre el lateral de la roca natural y no en la cima, como me había parecido al principio. La casa principal era una mezcla de piedra antigua y madera tipo chalé de dos pisos, pero parecía que mostraba solo la punta del iceberg, y que hubiera más pisos debajo. Era una pequeña aldea en la cima del mundo, con jardines y amplios balcones que rodeaban la casa principal y construcciones anexas por aquí y por allá. Había soldados uniformados esparcidos en diferentes localizaciones, como caballeros en guardia.

Me hicieron subir los escalones hacia el gran porche, respirando un aire tan completamente distinto de la niebla tóxica del campo que creía que había cambiado de planeta y mis pulmones jadeaban ante su pureza. La luz que había allí arriba me hizo pensar que había vida, al fin y al cabo; durante todos esos días oscuros, ese mundo había existido en paralelo, fuera del infierno. Era una realidad que costaba asimilar.

La puerta se abrió y salió de ella una mujer de rostro enjuto y mirada severa, coronado por un cabello negro azabache y una sonrisa reticente.

–Bienvenida, Fräulein Hoff. Soy Frau Grunders, el ama de llaves –dijo esta última frase con veneración, y solo conseguí decir «hola» y «gracias». Los cactus y demás plantas puntiagudas plantadas en hileras de macetas de cerámicas de colores que decoraban el pasillo eran un vivo reflejo de su hosca bienvenida. Se fue con paso enojado mientras sus austeros zapatos negros resonaban por el suelo de madera y me guiaba a lo largo de un pasillo alto y abovedado para bajar a los aposentos de los sirvientes. Me llevó hasta una pequeña sala, que podía haberse definido tanto abarrotada como acogedora.

—Por favor, toma asiento y espera aquí —me ordenó y cerró la puerta.

Unos minutos después entró un oficial enfundado en un uniforme gris de las SS, agachándose al cruzar la puerta para evitar que su imponente estatura le hiciera chocar con el marco.

—Buenos días Fräulein, soy el capitán Stenz.

Entrechocó los talones y tomó asiento incómodo, aunque su rostro era transparente.

—Yo seré su contacto oficial aquí. Según mi información, solo le han comentado por encima su labor. —Unos iris azules profundos como pozos me miraron directamente.

—Sí, capitán. Solo me dijeron que necesitarían mis habilidades como comadrona.

El capitán se quedó callado mientras mantenía la vista fija en el suelo, como si el hecho de darme más detalles le fuera a producir un dolor físico. En silencio, se quitó los guantes de cuero negro, dedo a dedo.

—La situación es delicada —dijo al fin—. Estamos confiando no solo en sus habilidades prácticas, sino también en su confidencialidad profesional... e integridad.

Me limité a asentir, ansiosa porque siguiera contándome más.

—Hay una señora que reside en esta casa que está actualmente encinta, de unos cuatro o cinco meses, creemos. Por varias razones no puede ir a ningún hospital para que la atiendan. Será su único trabajo.

—¿Puedo saber su nombre, si voy a ser quien la esté cuidando siempre?

El capitán suspiró ante la inevitabilidad de abrir esa caja secreta y peligrosa, y dejó las manoplas sobre la mesita que nos separaba, como si me estuviera retando, arrojándome el guante.

5
Un nuevo comienzo

–Su nombre es Fräulein Eva Braun.

Con esas palabras el capitán Stenz se reclinó en la silla, consciente de que acababa de sacar de la bolsa una bomba de relojería. Nunca había sido muy aficionada a las revistas de cotilleo, pero mi hermana pequeña, Ilse, devoraba las páginas de actualidad con entusiasmo, siguiendo las distintas fiestas sociales de Berlín.

«Mira esto, Anke –solía decirme–. ¿No crees que es preciosa? ¿Debería cortarme el pelo como ella?». Gracias a Ilse, había oído el nombre de Eva Braun, la hermana de uno de los hombres cercanos a Hitler, una chica alemana completa, de buena familia, rubia y de ojos azules, alguien con quien Hitler podía y querría que lo asociaran. Nunca se dijo oficialmente que fueran íntimos, que tuvieran alguna relación sentimental; el Führer estaba casado con Alemania, al fin y al cabo. En los noticiarios cinematográficos diseñados para mostrar su lado más humano, en los momentos de «tiempo libre» del Führer, ella a veces salía de fondo, filmando con una cámara, junto a su hermana Gretl.

En ese momento, la mente me daba vueltas. Hasta entonces, creía que me habían encargado cuidar de la esposa de un dignatario nazi, o incluso de un hijo ilegítimo de alguien de los altos mandos del Reich. Pero en ese instante, algo mucho más siniestro corría como la electricidad por dentro de mi cerebro, tan inverosímil que escapaba a mi comprensión.

¿Podía ser que Adolf Hitler, el Führer, el comandante del Tercer Reich, y con el tiempo seguramente el de toda Europa, fuera el padre del bebé de Eva Braun? ¿Y qué repercusión tendría eso con su papel de Padre de Alemania, con compartirlo con una población que él consideraba como su hijo? Para aquellos de nosotros que habíamos experimentado la versión de Hitler de purificar, que habíamos sido testigos en primera persona de lo que era capaz de infligirle a un ser humano, cualquier descendiente que tuviera una pizca de su manera de pensar constituía un prospecto aterrador. Un hijo y heredero tanto de su nombre como de su genética era demasiado que asimilar.

Me esforcé por reaccionar, por absorber tales noticias. El capitán Stenz se limitó a mirarme con aquellos profundos ojos azules mientras los segundos iban pasando lentamente. Buscando, inquiriendo.

–¿Fräulein Hoff?

–¿Sí?

–¿Se encuentra bien? –preguntó con una nota de preocupación real, y un esbozo de sonrisa–. No podemos permitir que caiga enferma, no en su primer día, ¿no cree?

–No, no –respondí–. Solo es... el cambio de circunstancias, tan repentino. Cuesta hacerse a la idea.

Quería comprobar la reacción del capitán al hacer referencia a mi otra vida, para ver si la enmascaraba del mismo modo automatizado que los demás, con la empatía succionada de su alma. Bajó la vista y estiró el brazo para recuperar los guantes.

–Sí –dijo en voz queda. De modo que era un nazi por completo... uno más de ellos. Inevitable. Pero justo entonces, capté un parpadeo casi imperceptible de sus pestañas rubias en mi dirección, con sus ojos azules centelleando. En ese segundo pude entrever algo de duda y un poco de reconocimiento. Y me sorprendió escudriñándolo. Durante los últimos dos años apenas había mirado a un hombre sin sentir odio o repugnancia, puesto que la mayoría eran guardias infectados por un profundo desdén por la humanidad. Aun así, el que tenía delante desató una reacción inesperada en mi interior, como un pellizco en el fondo de mi alma. ¿Acaso era atracción? Me reprendí de inmediato a mí misma por permitirme unos sentimientos tan superficiales.

El capitán tenía que irse pronto –un coche lo estaba esperando–, así que repasamos mis tareas con rapidez. Me quedaría en Berghof el tiempo que durase el embarazo, y de cuatro a seis semanas después del parto como mínimo para ayudar a la mujer a mi cargo a adaptarse a la maternidad. El bebé nacería en casa, pero el transporte y un médico estarían siempre disponibles si los necesitaba, y además el doctor residiría en el complejo desde un mes más o menos antes del alumbramiento. Se prepararía una pequeña habitación para la anestesia, lista para transformarla en un quirófano si fuera menester.

Era elaborado y excesivo, y claramente querían evitar un viaje al hospital a toda costa, por más privado que fuera. La verdadera naturaleza de la maquinaria de propaganda del Reich quedaba expuesta. Las apariencias formaban una buena parte de aquella guerra, y solo los más altos mandos debían saber cuál era mi papel real. Para todos los demás, no era más que una amiga. Aquel bebé debía mantenerse en secreto hasta que fuera prudente presentarlo al mundo, bajo los términos del Führer. Ya casi sentía pena por Eva Braun.

–He preparado todo el equipamiento necesario –continuó el capitán Stenz con un tono militar–. Si necesita algo más, por favor contacte con mi despacho. Mientras esté ausente, puede dirigirse a mi subsecretario, el sargento Meier. Él la atenderá en sus necesidades diarias, y me informará a mí directamente. Esperamos que lleve un registro regular y detallado de todos los cuidados.

–Lo entiendo –dije.

Demasiado bien. Informarían sobre mí, me escrutarían bajo un microscopio, desde ese momento hasta el nacimiento. Cargada con la tarea de traer al mundo un espécimen ario vivo. El ario. La responsabilidad de traer vida nunca me había perturbado durante todos los años que había trabajado con madres y recién nacidos, pero esa vida... ese pobre niño ignorante podía ser un poco distinto. Ni menos ni más preciado que ninguno que hubiera visto, pero con el potencial de crear un maremoto imparable por toda Europa y el resto del mundo. Para los siglos de los siglos. Casi anhelaba estar de vuelta en el campo, entre las de mi misma clase, donde podía marcar la diferencia y salvar vidas en vez de limitarme a complacer a criadas de buenas familias nazis. Entonces, abochornada por haberle deseado tal degradación a un ser vivo, aunque fuera a mí misma, me recordé de que había tenido mucha suerte de haber podido salir de allí.

El sonido abrupto de las botas del capitán Stenz me sacó de mis pensamientos.

–Entonces me despido, Fräulein –dijo con una leve inclinación de cabeza, y añadió–: Mmm... Fräulein Braun no sabe nada de su...

–¿Pasado? –le ayudé.

–Sí... Pasado –respondió con una mezcla de vergüenza y alivio con los labios ligeramente curvados.

Decidí en ese instante que él era alguien que había estado muy unido a su madre, se había subido a su regazo para los abrazos y los besos de antes de ir a la cama, había sido real, individual y había aceptado y devuelto el amor. Miré sus ojos de color turquesa y me pregunté qué le había hecho el Reich.

6

Ajuste

Cuando se fue el capitán, me quedé sola durante un rato rodeada del desorden del mundo personal del ama de llaves, en una habitación que era obvio que servía tanto como su despacho como su sala de estar, con la imagen obligatoria del Führer colocada sobre una chimenea apagada como si fuera un altar. Mi estómago emitió un rugido sonoro. Se había acostumbrado rápido a tener comida de nuevo, y me di cuenta de que se acercaba la hora del almuerzo. Esperé, puesto que nadie me había dado ninguna otra instrucción, y me di cuenta de lo rápido que había caído en un rol servicial. En el campo, obedecíamos a los guardias en un acto reflejo como norma básica de supervivencia, pero encontrábamos métodos de desafiarlos en las reacciones de nuestros «sí, señor; no, señor». Nosotras, todas nosotras, nunca nos creímos ciudadanas de segunda clase, solo cautivas de las armas que empuñaban en nuestra contra. Cada día era una batalla para que nos acordáramos de eso, pero lo veíamos como algo vital, una manera de evitar quedarnos atrapadas en el barro.

Finalmente, Frau Grunders entró, y trajo con ella una bandeja con pan, queso y embutido, además de una pequeña copa llena de cerveza. No había visto o probado la cerveza durante los últimos dos años, y los rayos del sol del mediodía creaban una esfera de néctar en sus manos. Apenas podía refrenar el anhelo que mis labios sentían por tocar ese cáliz y embriagarme del aroma del lúpulo. Nunca había sido una experta en cerveza, pero mi padre solía tomarse una copa por la noche mientras escuchaba la radio, y me dejaba beber un sorbito cuando era niña, para que «creciera grande y fuerte». Él era ese olor, estaba en esa copa, preparado y esperándome.

El ama de llaves crujía mientras se movía y soltaba chispas de irritación por sus piernas delgadas y la coronilla de cabello plateado cuando colocó la bandeja en un lado. Sus rasgos de ratón se arrugaron cuando se dirigió a mí.

–Residirás en uno de los pequeños edificios anexos a la casa principal –empezó a decir, dejando claro que yo no era ninguna criada ni nada que se le pareciera–. A menos que Fräulein Braun solicite tenerte más cerca, en cuyo caso podemos preparar un catre en su habitación. Las comidas las harás en el comedor de los sirvientes, a menos que Fräulein Braun desee que comas con ella. Si necesitas algo más, por favor, ven a hablar conmigo.

Me mostré impertérrita ante su intento de descalificarme; criada o no, se trataba de sobrevivir y mantener una dignidad personal que considerara adecuada. Con todo, comprendí que para Frau Grunders, el respeto por sí misma residía en mantener el orden en aquel extraño pequeño planeta en la cima del mundo, una cumbre bien dispuesta en medio del caos. Mirando la cerveza con ojos pequeños y brillantes, la única reacción que tuve fue pronunciar «gracias», y ella se dio la vuelta para irse.

–Fräulein Braun quiere verte a las tres para tomar el té en el salón –añadió mientras se alejaba.

La cerveza era el néctar que prometía ser, dulce y amarga a la vez, y me ahogué lastimosamente en el tercer trago, en parte por el ansia, pero mayormente porque no podía frenar las lágrimas que me corrían por las mejillas ni pelear para intentar que retrocedieran y tragármelas.

En el campo, me había resistido a mortificarme por los horrores que mi familia podía estar viviendo: si el asma de mi padre lo estaría matando lentamente; si la artritis de mi madre la habría dejado incapacitada a causa del frío; si habrían disparado a Franz por desobedecer, por esos arrebatos de disidencia procedentes de su temperamento ardiente; si la inocencia de Ilse la estaría convirtiendo en objetivo de los voraces guardias. En ese momento, envuelta en el silencio, en la comodidad, en la normalidad relativa de donde estaba sentada, me caían las lágrimas por las mejillas y no paraba de sollozar por una vida que yo, y el mundo, no volveríamos a tener jamás.

Me sentía seca mientras intentaba obligarme a tragar algo del pan y el queso, todavía incapaz de liberarme del condicionamiento del campo que dictaba que cuando se encontraba comida, se debía comer en ese mismo instante y lugar. Me quedé mirando absorta las estanterías de Frau Grunders durante un rato, incapaz de moverme con la barriga hinchada y una oleada abrumadora de cansancio. Tenía ganas de tocar las páginas de algún otro mundo, tal vez algún drama histórico, para que me alejara de donde estaba. Pero lo siguiente que recuerdo fue a alguien llamando a la puerta con suavidad, y que abrí los ojos para ver a una criada joven vestida con una falda y un delantal rojo y verde, diciéndome que pasaban de las dos y preguntándome si quería ir a mi habitación antes de encontrarme con Fräulein Braun.

Nos desplazamos por la misma planta que la habitación de Frau Grunders, cruzamos la sala de los sirvientes y salimos por una puerta lateral hacia una cuesta cubierta de gravilla, que nos llevó hasta una pequeña hilera de tres chalés de madera, construidos en la cima de la pendiente para que por un lado miraran hacia el tejado de la casa y por el otro hacia un jardín que ocupaba la pendiente. La puerta que estaba en medio era la mía, con un pequeño porche y un patio, solo lo suficientemente grande como para albergar una mesa pequeña y una silla fuera de la ventana.

La ropa que Christa me había arreglado estaba colocada encima de la cama y un juego de artículos de aseo, medias nuevas y ropa interior en los armarios de enfrente. En el pequeño baño adyacente había jabón, champú y toallas limpias dispuestas con cuidado. También había instrumentos de comadrona: un estetoscopio de Pinard de madera para escuchar los latidos del bebé, un monitor para calcular la presión sanguínea, un fonendoscopio y un kit de análisis de orina. Todo nuevo. La culpa me atravesó el cuerpo como un rayo. ¿Qué más iba a sacrificar por esos lujos? ¿Seguro que iban a ser solo mis habilidades? En el transcurso de los dos últimos años me había enfrentado a los demonios de la muerte; me había esforzado por evitarla escurriéndome de sus dedos sin cuidado, pero de algún modo me había resignado a su inevitabilidad en presencia de tanta violencia. Mi mayor miedo era que me hicieran elegir, que tuviera que intercambiar algo de mí misma por mi propio corazón; vivir sin alma.

En el campo, era una decisión fácil de blanco o negro. Eran ellos o nosotras, y cuando se intercambiaban favores eran por la vida o la muerte. No era ninguna novedad que las mujeres mejor provistas negociaran con sus cuerpos con los guardias a cambio de comida para mantener a sus hijos o las unas a las otras con vida; un intercambio aceptable si tenemos en cuenta que ya nos sentíamos desconectadas de nuestra sexualidad. Se trataba simplemente de una anatomía funcional. Pero dar una información que podía conllevar que arrastraran a compañeras cautivas a una muerte tortuosa, eso era harina de otro costal. Por supuesto ocurría cuando las culturas estaban enfrentadas unas con las otras, pero yo había confiado en las mujeres de mi alrededor implícitamente. Moriríamos antes de vender nuestro motivo de ser.

La criada volvería a por mí justo antes de las tres, me había dicho. Me molestaba el rato que iba a pasar sola cuando se fue, el tiempo que tendría para pensar. Envidiaba profundamente a esas personas que tenían la habilidad de vaciar sus mentes para disfrutar de algo de paz, que eran capaces de entrar en un espacio vacuo con puertas que conducían a más vacío. ¿Paz? Solo la posibilidad, fuera universal o personal, me parecía completamente remota.

Encontré una manta en uno de los cajones y me senté en el porche, disfrutando del sol del invierno que me acariciaba el rostro, caliente y reconfortante. Los jardines estaban en silencio, ningún guardia uniformado a la vista, así que o bien eran discretos o no estaban en alerta. Me preguntaba si el Führer estaba presente, y si hallarme cerca del núcleo de la maldad me hacía sentir diferente; si podría notar su fuerza si estuviera próximo. ¿Qué haría si me encontraba cara a cara con el ingeniero de la destrucción de la moral alemana?

Berlín, marzo de 1941

Era inevitable, lo que ninguna de nosotras quería: el bebé de nuestras pesadillas.

–¿Enfermera? –La voz de Dahlia me llegaba entrecortada mientras me dedicaba a limpiar el instrumental.

–Sí, ¿qué ocurre? –Le seguía dando la espalda.

–El bebé de la sala 3. Es, mmm...

Me di la vuelta.

–¿Qué es? ¿El bebé ha nacido, respira?

–Sí, ha nacido y está vivo, pero...

Tenía los ojos azules desorbitados y el labio inferior le temblaba como el de un niño.

–Hay algo que no está... Las piernas...

–Suéltalo ya, Dahlia.

–... deformes. –dijo como si solo pronunciar la palabra fuera una traición.

–Oh. –Mi mente empezó a dar vueltas de inmediato–. ¿Es muy obvio a primera vista?

–Sí –respondió ella.

–¿Algo más?

–No, por lo demás parece estar perfectamente bien... un niño precioso. Está alerta y se agarra bien.

–¿La madre se ha dado cuenta? ¿Te ha dicho algo?

–Todavía no, el niño está arropado. Me di cuenta durante el parto, y de nuevo cuando lo pesé. No me lo estoy imaginando.

Ambas nos quedamos calladas durante un minuto, buscando en nuestro interior una respuesta, con la esperanza de que alguien apareciera por la puerta y nos aportara una solución. Fui yo la que habló primero, mirándola directamente a los ojos.

–Dahlia, ya sabes lo que nos han ordenado. ¿Qué crees que deberías hacer?

Sabiendo esa información, ya era cómplice de cualquier decisión, pero si lo ocultábamos, ¿me arrepentiría? ¿Sería yo, como encargada de la sala, la que recibiría una visita del administrador del hospital y de la Gestapo? ¿O las dos acarrearíamos el secreto y lo ocultaríamos entre nosotras? Era triste tener que decir que en esa guerra, entre la desconfianza que generaba engendrar nazis puros, incluso tus compañeras eran unas desconocidas.

–Tengo miedo de no decir nada –confesó Dahlia, visiblemente afectada–, pero no deberían... no deberían apartarlo de la madre. Los separarán, ¿verdad?

–Creo que es lo más probable. Casi seguro.

Los ojos de Dahlia se empañaron de lágrimas.

–¿Me estás diciendo que quieres mi ayuda? –le pregunté marcando bien cada palabra–. Porque te ayudaré si estás segura. Pero tienes que estarlo.

Mantuvimos la mirada durante varios segundos.

–Sí, estoy segura –dijo al final.

Pensé rápidamente en cómo llevar a la práctica que un bebé existiera oficialmente pero que a su vez desapareciera.

–Dahlia, acaba el papeleo y prepara el alta de inmediato. Yo entretendré al pediatra y pediremos un taxi lo antes posible.

La adrenalina, casi siempre el aliado en el que más podía confiar, me inundó el cerebro y los músculos, otorgándome la determinación para entrar en la habitación de la mujer. Me pinté el rostro con una sonrisa de felicitación y en el tono más diplomático le dije que por su mayor interés debía irse lo antes posible, renunciar a los siete días de ingreso hospitalario, abandonar Berlín y mudarse a la casa de sus padres, donde su padre estaba peligrosamente enfermo y no se esperaba que superara la noche. ¿No era ese el caso? Así era, ¿verdad?

Al principio se quedó estupefacta, pero pronto entendió el motivo cuando desarropamos al bebé y vio con sus propios ojos que no llegaría nunca a ser un atleta, pero sin duda un ser cariñoso y amable y posiblemente con una mente brillante. Hice mención concienzudamente a su futuro en el verdadero Reich, y aunque lloraba, se vestía a toda prisa para irse a casa. Estábamos haciendo una apuesta del todo arriesgada sobre su lealtad hacia el Führer, pero había visto madres suficientes como para saber que, excepto unas pocas, la mayoría darían la vida por la supervivencia de sus hijos y por la oportunidad de mantenerlos cerca. Viendo cómo la madre acariciaba las imperfectas piernas del bebé, supe que era una de las segundas.

Dahlia y yo nos turnamos para custodiar la puerta y falsifiqué la firma del pediatra que estaba de turno. Visitaba a tantos bebés, y su letra era tan descuidada, que sería bastante fácil convencerlo de que había sido otro parto normal si en algún punto se cuestionaba el papeleo.

Dahlia tenía el rostro blanco como la cal, y tuve que recordarle que sonriera mientras sacábamos a la mujer de la sala de partos, como si irse unas horas después de dar a luz fuera una escena común. El niño estaba envuelto en mantas a conciencia, dejando a la vista del mundo solo la nariz y los ojos. El pasillo estaba despejado, y nos dirigimos lentamente hacia la puerta de entrada de la sala de partos, con la mujer dando los pasitos de hormiga de una madre que acaba de dar a luz. Dahlia me aseguró que un taxi la esperaba con el motor en marcha.

–¿No la vas a transferir a la habitación, enfermera? ¿Va todo bien?

El tono inconfundible, severo e imponente de la matrona Reinhardt cortó el aire. Juraría que podía silenciar el sonido de sus pasos a voluntad.

Giré sobre los talones, y le di un pequeño apretón a Dahlia en el hombro, que significaba «quédate aquí, no te muevas».

Ajusté la expresión de mi rostro.

–Desafortunadamente, debido a un familiar enfermo tenemos que darle el alta a esta madre antes de lo previsto, matrona. Un abuelo que está deseoso de ver al pequeño y al que los médicos le pronostican que no le queda mucho tiempo.

La mujer giró la cabeza y asintió en afirmación con los labios apretados.

La matrona se dirigió hacia nosotras, con expresión inalterable. Le echó un vistazo rápido a la mujer, curvó la comisura de los labios levemente y dijo:

–Mi enhorabuena y mi apoyo.

Entonces me dijo a mí:

–¿El bebé está sano como para darle el alta, enfermera? ¿Lo han revisado bien?

Creí oír un pequeño chillido que provenía de donde estaba Dahlia, pero podría haber sido el bebé, como protesta por ir tan apretado.

Mi querida amiga la adrenalina vino en mi rescate de nuevo, empujando el coraje por los vasos sanguíneos hacia donde más lo necesitaba. Sonreí abiertamente, y constaté con mi mejor tono profesional:

–Claro, matrona. En forma y sano y una madre que se siente segura para darle el pecho.

Dio otro paso adelante y apuntó con su dedo largo y fino hacia las mantas que rodeaban la cabeza del bebé. La matrona, que rara vez tocaba a uno, pero que dirigía, admiraba y animaba en la distancia, tiró de la lana y dijo:

–Un chico muy guapetón, ¿verdad? Espero que tengas toda la vida por delante, bonito. –Le dedicó una sonrisa de empatía a la madre–. Tal vez sea mejor que te afanes, si te espera un viaje por delante.

Dahlia relajó la expresión aliviada, y se llevó a la mujer hacia la salida. Yo me quedé con la matrona y las observé mientras se iban, esperando a que me interrogaran e inevitablemente me solicitaran el historial que tenía en la mano para inspeccionar el papeleo y los datos ficticios que contenían. De todas las personas, ella sabría identificar la mentira. La campana de una de las salas de parto sonó, y me quedé inmóvil.

–Será mejor que vayas a ver quién necesita tu ayuda –dijo la matrona mientras con un gesto señalaba hacia la habitación, y se dirigió en la dirección opuesta.

Nunca más volvimos a hablar de ese bebé o nos referimos a él.

7

Eva

Debí de divagar por el filo de un sueño profundo durante algún tiempo, porque la criada me despertó con amabilidad: Fräulein Braun me estaba esperando. Solo tuve tiempo de comprobar mi aspecto en el espejo del baño –¿cuándo había sido la última vez que había hecho eso?– antes de volver a la casa principal. Los pasillos estaban vacíos y daban un aspecto escalofriante, solo atisbaba sombras de cuerpos que se movían por aquí y por allá. Me llevaron hasta el salón principal, enorme y espacioso, pintado de un tono jade, donde ella me esperaba, empequeñecida por la opulencia de los muebles oscuros. En algún lugar del fondo de la habitación trinó un pajarito, un centelleo amarillo dentro de una jaula colgada.

Fräulein Eva Braun se puso en pie cuando entré y me ofreció una mano y una sonrisa; era de mediana altura pero de constitución atlética, con un brillo saludable en la cara y los labios carnosos, pintados sutilmente y con un maquillaje discreto. Su cabello era de un tono rubio rojizo, rizado y suelto y llevaba puesto un vestido verde sencillo cuya falda quedaba tirante bajo la cintura: la tela apenas podía ocultar una redondez inconfundible. Mis ojos se posaron en su abdomen de inmediato, calibrando el estado de gestación, mientras que ella dirigió por instinto la mano hacia la barriga, una reacción que señalaba que ya tenía una conexión con su bebé y se mostraba naturalmente protectora. Solo Dios sabía que esa pobre criatura necesitaría toda la ayuda posible, siendo el amor de su madre su mejor aliado.

–Fräulein Hoff –dijo con una voz sorprendentemente suave–. Estoy muy contenta de conocerla. Por favor, siéntese.

Casi de inmediato, sentí que Eva Braun, amante de Hitler o no, no era Magda Goebbels. Me pareció como cualquier chica que podría haber sido vecina mía, alguien que podría haber trabajado en cualquiera de los grandes almacenes de Berlín antes de la guerra, lista para ayudar con un frasco de colonia en la mano. Tenía un potencial y una sonrisa que le podría haber abierto muchas puertas. ¿Había sido eso, quizá, lo que había encandilado al hombre más poderoso de Europa? Aunque no estaba segura de si debía odiarla por ello.

Le pidió a la criada que trajera té, y pronto nos dejaron solas. Me quedé sentada sin pronunciar palabra, básicamente porque no tenía nada que decir. Hubo un breve silencio, roto solo por el chisporroteo de la chimenea, y se giró para mirarme de frente.

—Supongo que le han dicho que estoy esperando un bebé... —Las palabras le salieron furtivamente, echando un breve vistazo alrededor, como si las oscuras paredes de madera pudieran oírnos.

—Así es.

—Y que la escogimos específicamente para ser mi comadrona. Espero que esté de acuerdo con eso.

Posiblemente ignoraba que no había tenido más opción, que desconocía la influencia emocional que conllevaba, pero aun así no dije nada.

—Probablemente no sepa que a varias de las amigas de mi familia las han tratado durante el embarazo en Berlín —continuó—, y que tienen sus habilidades en muy alta estima.

Una vez más, me limité a asentir.

—También es consciente de que, debido a las... circunstancias, el nacimiento de mi bebé —se volvió a acariciar la barriga— tendrá lugar aquí. Quiero a alguien en quien pueda confiar, que tenga la destreza para asistir al parto de manera segura. Y discreta. Mi madre tuvo bastante suerte de disponer de los cuidados de una buena comadrona varias veces, y a mí me gustaría disfrutar de lo mismo.

Se reclinó en la silla, aliviada, como si ese discurso la hubiera dejado sin aliento. Con todo, seguía sin saber qué ofrecerle para tranquilizarla. Lo que sabía era que Eva Braun parecía ser, al menos en la superficie, una persona inocente. Si era a conciencia o por pura ingenuidad no sabía decirlo, pero no me podía creer que se hubiese acostado con un monstruo, y mucho menos que llevara en sus entrañas a su hijo bastardo. El camino del nazi era el camino de la familia; «cocina, niños, iglesia» era su lema y a las buenas esposas alemanas las denominaban como las soldados de la casa, a las que estrambóticamente premiaban con medallas reales por tener abundantes retoños. Eva Braun había roto el protocolo. Su situación era indefendible, su cuerpo y su vida ya no le pertenecían, al menos mientras portara al bebé del Führer —y debía dar por hecho de que era su sangre, dado el trato que había recibido desde que saliera del campo—. Eva no tenía aspecto ni de soldado ni de una cómplice del mal.

En vez de fingir un falso deleite, me enfoqué en el embarazo: de cuánto tiempo estaba, cuándo saldría de cuentas, qué tipo de pruebas ya le habían hecho. La había visitado un doctor para confirmar que estaba encinta, pero desde entonces nadie más. Las fechas de su ciclo menstrual sugerían que el bebé saldría de cuentas a principios de junio.

—Pero noto que el bebé se mueve, cada día. —Sonrió, casi como un niño que complace a su maestro, con la mano de nuevo tocando la barriga.

—Bueno, eso es muy buena señal —comenté—. Un bebé que se mueve es, por lo general, un bebé feliz. Tal vez, si quiere, podría ir a buscar mis instrumentos y hacer una revisión, solo para ver si todo progresa con normalidad.

—¡Ay, sí! Me encantaría. Gracias. —Ella sola exudó el resplandor de mil mujeres embarazadas juntas.

La confusión me envolvió de nuevo como una niebla densa, retorciendo los hilos de mi moralidad en el cerebro. Se suponía que tenía que sentir rechazo hacia esa mujer, incluso odio. Había bailado con el demonio, procreado y estaba gestando a su hijo. Y aun así tenía el aspecto de cualquier mujer orgullosa de su barriga hinchada y el deseo de acunar a su recién nacido. En ese instante y lugar deseé estar de vuelta en el campo, con Rosa a mi lado, donde el mundo era detestable, pero al menos blanco y negro. Donde sabía contra quien estar furiosa y quién era el enemigo.

Fui a buscar el nuevo equipamiento a mi habitación y Fräulein Braun me guio por un laberinto de pasillos hasta la suya. Era de tamaño mediano, cómoda pero sin decoraciones, solo fotos familiares encima de la repisa de la chimenea en las que se mostraban alemanes sanos gozando de las vacaciones en el exterior. En total había tres puertas que daban a la estancia: por la que habíamos entrado, otra hacia un pequeño baño y, en el lado opuesto, una que se abría a una habitación adyacente. Vislumbré una cama de matrimonio por el resquicio de la puerta cubierta con una colcha brocada. Me descubrió husmeando y la cerró lentamente. Entonces lo comprendí. ¿Acaso era esa la habitación de él? Del líder de toda Alemania, del ingeniero de mi miseria y de la miseria de tanta gente llegados a ese punto. Quise encontrar una escapatoria de esa normalidad surrealista de inmediato, pero Fräulein Braun, mi clienta, ya estaba de pie al lado de la cama, esperando.

–¿Quiere que me tumbe, Fräulein Hoff? –Tenía el rostro lleno de expectación y esperanza.

Había momentos de mi carrera en los que odiaba los impulsos automáticos de ser comadrona. Al principio, algunas de las salas de parto en los hospitales de los distritos más pobres habían parecido granjas de cría: un abdomen, un bebé, uno tras otro. Pero en ese momento, estaba agradecida a mi experiencia, que me guiaba mientras la exploraba. Con la falda bajada, Eva Braun era como cualquier otra mujer, una esfera tersa que esperaba que la examinaran, ansiosa por oír que su bebé estaba bien y sano.

Presioné con cuidado sobre la carne extra que llevaba dentro, y fui bajando lentamente hasta que topé con un punto duro alrededor de su ombligo.

–Aquí está la parte más alta del útero –le expliqué, y me respondió con un pequeño gemido afirmativo. Apoyé el estetoscopio de Pinard sobre su piel y acerqué la oreja a su superficie llana, descartando los sonidos de la casa y centrándome en el latido del corazón del bebé. Fräulein Braun se quedó completamente inmóvil y se mostró paciente durante todo el proceso. Finalmente capté un atisbo de palpitación rápida, apenas audible, pero el ritmo inconfundible de un caballo al galope.

–Maravilloso –dije mientras me erguía–, ciento cuarenta latidos por minuto. Está muy sano.

Una vez más, su rostro se iluminó como el de un niño.

–¿De verdad puede oírlo? –preguntó, como si la Navidad hubiera llegado antes de tiempo.

–El feto todavía es bastante pequeño –respondí–, así que es muy leve, pero puedo oírlo, sí. Y todo parece estar normal y progresando bien.

Se volvió a acariciar la barriga y sonrió abiertamente, murmurándole algo al bebé en voz baja.

Hablamos de cada cuándo quería que la examinara, cuándo empezaríamos a preparar el parto y si podía hacer un último viaje para ver a sus padres, que estaban a un día largo en coche. Me di cuenta de que mis servicios no serían necesarios durante mucho de mi tiempo en Berghof, rodeada de todo aquel lujo, y una culpabilidad intensa me volvió a invadir.

Mientras me giraba para irme, me dijo desde atrás:

–Gracias, Fräulein Hoff. Le estoy muy agradecida por venir a cuidar de mí.

Y creo que lo dijo con sinceridad, inocente o no. No sabía si ser benévola por esa oportunidad en la vida, o enfadarme con ella por su ingenuidad. Un pensamiento repentino me vino a la mente «un niño dentro de un niño», y me obligué a sonreír como respuesta, mientras cada nervio de mi ser se retorcía y anudaba.

8

Un nuevo confinamiento

Tomé el desayuno la mañana siguiente en el comedor de los sirvientes. Me presentaron como la compañera de Fräulein Braun, y aun así nadie me preguntó de dónde venía, o sobre mi vida durante o antes de la guerra; el pasado de todos, por lo que parecía, había sido borrado por el caos.

Habíamos acordado que le haría una visita breve a Fräulein Braun cada mañana después del desayuno, y una vez a la semana una exploración completa. Aparte de eso, solo la vería si me necesitaba o tenía alguna pregunta. Todo esto me lo dejó muy claro el sargento Meier en la primera reunión que tuve con él, que se presentó orgullosamente mientras volvía a mi habitación.

—Y no tengo que especificarle que no puede abandonar el complejo sin Fräulein Braun —añadió—, o su permiso explícito... por escrito.

Me dedicó una media sonrisa, su bigote corto y bien recortado despuntando. Unas gafas de metal se asentaban a horcajadas sobre su nariz corta y puntiaguda, y la cabeza la coronaba un pelo corto y engominado. Su arrogancia artera y la manera como ostentaba su lúgubre chaqueta de las SS hizo que me estremeciera; había visto cientos de guardias de las SS empuñando pesadas porras, formando delante de miles de mujeres indefensas. Antes de la guerra, ese hombre había sido pequeño e insignificante. El conflicto le había otorgado dignidad y se regodeaba en ello.

—Dado de dónde vengo, sargento, no me hago ningún tipo de ilusión sobre mi posición aquí —le dije—. Sigo siendo una prisionera, ocupada en un trabajo esclavo, por más que quieran maquillarlo.

—Un trabajo esclavo muy cómodo, Fräulein —dijo sin perder tiempo—. No lo olvide. Ni a su familia. Que tenga un buen día.

Los últimos días de enero y el inicio de febrero pasaron lentamente. La casa estaba tranquila, y solo podía suponer que su residente principal estaba dirigiendo la guerra desde otro lugar. Fräulein Braun y yo pronto nos asentamos en una rutina: yo iba a su habitación después del desayuno, le preguntaba cómo había pasado la noche, cómo se movía el bebé y si quería que lo auscultara. Una o dos veces por semana le hacía un chequeo completo, con la presión sanguínea y la orina. Estaba sana y no había ningún problema aparente.

Hacía un frío pungente, pero los días despejados las vistas a través de los anchos valles que se extendían por debajo de la casa eran espectaculares, y anhelaba aventurarme más en los prados. Sin embargo, por extraño que pudiera parecer, no me pasó por la cabeza ni una sola vez persuadir a los guardias para que me dejaran salir al mundo. A veces me sentía como si no estuviera en una prisión; Fräulein Braun me trataba con respeto, podía entablar conversación con los demás sirvientes y Frau Grunders me toleraba. Era el constante espectro del futuro de mi familia lo que me mantenía a raya. Si había la más remota posibilidad de que mi docilidad pudiera permitir que sobreviviera ni que fuera uno solo de ellos, me parecía un pequeño precio que pagar.

Me pasé horas envuelta en mi manta en la esquina de la amplia terraza de piedra adherida a la casa principal, tomando algo bajo el sol del invierno y leyendo. En los días claros, el espacio estaba dotado de mesas y sombrillas a rayas que le daban el aspecto de un exclusivo hotel oculto. Fräulein Grunders me había permitido el maravilloso acceso a sus libros, y estaba devorando con voracidad los volúmenes de los clásicos ingleses y alemanes: Austen y Goethe, Dickens y Thomas Mann. Los cielos zumbaban con pequeñas aeronaves, posiblemente combatientes, pero allí arriba, rodeada por el aire más puro, no había ninguna señal de que una guerra se estuviera propagando por todo el mundo; nuestras nubes de algodón no se parecían en nada al humo de las armas que había más abajo.

De hecho, la guerra parecía que hubiera tenido lugar hacía siglos.

Aparte de los jóvenes abusones que patrullaban el complejo y que fumaban durante los descansos, no había ningún indicio de que algo no anduviera bien en el mundo. Estaban aburridos y deseosos de una charla, con los rifles colgados a los hombros como si fueran meros complementos. En el campo, habíamos tenido escasas noticias del mundo exterior; solo cuando traían a una nueva residente podíamos saber qué fronteras habían caído, o qué nuevos países habían sido ocupados. No había diarios, nada con lo que pudiéramos juzgar nuestro lugar en el plan a gran escala. Suponíamos que era algo intencionado, puesto que nuestra ignorancia contribuía al régimen del miedo, a su habilidad para influir en nuestras vidas y las de nuestras familias. Cualquier cosa con el fin de aislar nuestra humanidad.

En las alturas de las montañas bávaras, también parecíamos estar en un punto ciego de las noticias. A veces alcanzaba a ver un diario sobre el escritorio del sargento Meier y albergaba un hambre feroz por la tinta de sus páginas. Pero también sabía que no era más que propaganda. Como hija de un profesor en política, me habían enseñado a tenerle a los medios una falta de respeto saludable. «Son la voz de su amo», era una de las quejas más habituales de mi padre. «Siempre lee entre líneas, Anke. No te creas nada a la primera». Cualquier periódico nazi de aquellos días, controlado por completo por Goebbels, contenía más ficción que hechos reales.

En la sala de los sirvientes había un pequeño aparato de radio, una de las Radios del Pueblo, pero rara vez estaba encendida, y las conversaciones se limitaban a preguntar por los familiares cercanos que no estuvieran lejos en el frente, o a hablar de la abundante comida que teníamos delante. De hecho, todo sobre Berghof hacía pensar que la guerra no era más que un elaborado producto de nuestra imaginación: la calidad de los muebles, el lujo del jabón, el champú e incluso el betún, que reponían en mi habitación regularmente.

Inevitablemente, mi cintura empezó a llenarse y una capa de carne cubrió mis costillas, así que ya no podía tocarlas como si fueran un xilófono y que hicieran eco. En el espejo, apreciaba una transformación sutil en mi rostro, un cambio de tono en mi piel gradual que me subía por las redondeadas mejillas, y el pelo se me hizo más espeso, adquiriendo un suave brillo. Casi parecía estar sana. La que veía era la antigua Anke, pero nadie que reconociera. Mi interior y mi exterior no casaban.

En una o dos ocasiones ese mes, me permitieron salir más allá de la verja. Fräulein Braun normalmente daba un paseo después del desayuno con sus terriers, Negus y Stasi. La veía a menudo dirigiéndose a la valla perimetral y seguir un camino que llevaba a otro monte. Una mañana, después de nuestro encuentro habitual, me preguntó si quería acompañarla. Cuando le dije que no tenía ningún abrigo, se quedó un poco atónita, y rebuscó en su armario uno que me pudiera ir bien.

–Toma, este te mantendrá caliente y guapa–me dijo, sonriendo, y durante medio segundo parecía como si fuéramos hermanas, como si hubiésemos estado compartiendo cotilleos durante horas y peinándonos mutuamente a la última.

Eva se puso sus gafas de sol contra el astro brillante y blanco que latía para calentar el aire gélido. Nuestras respiraciones emitían pequeñas nubes de vaho mientras nos encaminamos por el sendero helado, seguidas a una distancia discreta por un guardia armado y los perros brincando por delante. La conversación al principio fue poco natural, dado que había pocos temas que compartiéramos y muchos de los que no podíamos hablar. En los círculos en los que se movía, Eva había adquirido una cierta habilidad para hablar diplomáticamente de temas anodinos. Comentamos algunas de nuestras películas favoritas, nuestros días en la escuela, y me contó un poco sobre su familia, a la que claramente echaba de menos. Su hermana, Gretl, solía visitarla en Berghof, puesto que estaba comprometida con un oficial de rango superior de las SS, pero rara vez veía a su hermana mayor, Ilse. Cuando le comenté que yo tenía una hermana con el mismo nombre, sonrió y parecía estar contenta de verdad porque tuviéramos una pequeña cosa en común. Poco le faltó para preguntarme dónde estaba mi Ilse y cómo le iba.

–Cuéntame cosas de cuando trabajabas en Berlín, y de los bebés a los que trajiste al mundo –me pidió, ansiosa por saber–. Muchas veces pienso que debe de ser un trabajo precioso. Creo que, si las cosas hubieran sido distintas, habría acabado como enfermera o algo así.

Eso era lo máximo a lo que se acercó a hacer alusión a la guerra y a su catastrófico efecto en el mundo entero que se extendía bajo nosotras, y no por primera vez hizo que me cuestionara lo de verdad que sabía, o si quería saberlo.

Le conté algunas historias agradables sobre los partos, los casos más estrafalarios, pero nada de los aspectos negativos, los momentos en los que podía ir mal, y de las emergencias con las que podríamos tener que lidiar. Mi lado más amargo podría haber dejado caer alguna, pero no obcecarse con el aspecto negativo era una regla no escrita entre las comadronas. Después de todo, ¿de qué iba a servir? Las mujeres embarazadas emprendían un viaje, a través de las sinuosas horas del parto y hasta la maternidad, sin opción a tomar un atajo. ¿Por qué le iba a revelar que estaba potencialmente cargado de peligros, reafirmando la antigua visión alemana de que dar a luz estaba plagado de riesgo? Como comadronas, sabíamos que el miedo extremo podía parar en seco el parto, con consecuencias evidentes. Necesitábamos que las madres le dieran la bienvenida en sus cuerpos, aunque fuera invitando el dolor y la incomodidad. Tras horas interminables de observar y esperar a mujeres parturientas, creía firmemente que la ansiedad era nuestro enemigo y que una dosis generosa de humor era la mejor medicina.

Tardamos media hora en llegar hasta un lugar apartado, un pequeño claro recortado en los árboles en el que se elevaba un edificio rectangular en un extremo, parte de ladrillo y parte de madera, que se redondeaba en el otro. Las ventanas daban a la extensión que tenía debajo, cruzando la frontera de Austria. Los perros anunciaron nuestra llegada con ladridos.

–¡Silencio, chuchos! –Eva los reprendió juguetona.

El edificio contenía una única sala principal, con una antesala circular visible desde la puerta abierta. Unas sillas cómodas estaban arrambladas a las paredes y el suelo de madera estaba cubierto por lujosas alfombras.

—Lo llamamos la casa del té —dijo Fräulein Braun, mientras los perros retozaban sobre los cojines bordados. Estaba contenta de hacer de anfitriona—. ¿No es preciosa?

Estaba radiante mientras me ofrecía té de un pequeño hornillo que le habían encendido con anterioridad y preparado para la excursión —haciendo que sus paseos matutinos fueran de todo menos arduos—, y me hablaba mientras llenaba las tazas.

—Venimos aquí y tomamos el té algunas tardes. Si el día está despejado, se puede ver hasta una distancia de quince kilómetros, más o menos. La vista es imponente.

No me miraba a mí, pero el plural de «venimos» cayó como una losa.

—Es encantador —dije, como si estuviera en algún tipo de cuento de hadas.

—¡Dios santo! —dijo de repente, cuando nos acabamos el té—. Tenemos que volver. Frau Grunders nos llamará para la comida y se preguntará dónde estamos.

Masculló a quién podía llamar. Por lo que sabía, Grunders no había salido de la casa desde hacía semanas. Había oído a algunas de las criadas cuchichear sobre lo llena que solía estar Berghof con una corriente constante de invitados. Ese torrente social, sin embargo, se había detenido de golpe, sin duda por obra de Goebbels. Eva esbozó la sonrisa de un niño travieso, invitándome a ser cómplice de su suave mofa del ama de llaves, y yo le devolví la sonrisa en un acto reflejo. Sin quererlo, Frau Grunders nos había ayudado a forjar una pequeña alianza.

9

Contacto

Una semana después, Eva me volvió a pedir que la acompañara. El día amanecía fresco, pero el aire estaba cargado de niebla y ella se encontraba baja de ánimos, aunque hacía el esfuerzo por mantener la conversación activa.

–¿Cree que algún día tendrá hijos, Fräulein Hoff? Quiero decir, su trabajo, ¿no la ha desalentado?

Me tomó por sorpresa su franqueza, puesto que nunca habíamos mencionado algo tan personal anteriormente. Debía de saber por mis informes que solo era un año más joven que ella, y completamente capaz de tener un bebé todavía, suponiendo que la vida en el campo no me hubiera podrido el interior; hacía más de un año que no tenía un ciclo menstrual.

–Espero tener un bebé algún día –respondí–. Claramente no me desalienta o me asusta. Todo lo contrario. Creo, tengo la esperanza, de que lo disfrutaría y que sería una experiencia bienvenida. Mi trabajo me ha enseñado a tener mucha fe en las mujeres. Por lo visto la Madre Naturaleza lo hace bien la mayoría de las veces.

–Espero que sea amable conmigo –repuso Eva Braun con una voz melancólica–. De verdad.

No sabía decir si estaba hablando del parto, del bebé o de las dos cosas; la presión sobre ella de producir un heredero consumado debía de pesarle en los hombros ya en ese momento. No sería tolerado nada que no fuera la perfección.

–Y por descontado, el premio por un parto difícil siempre es el bebé –añadí para animar el ambiente, pero mientras pronunciaba las palabras me vinieron a la mente de inmediato las madres a las que no les habían permitido quedarse con ese premio, y me avergoncé por tratar ese truculento asunto tan a la ligera. ¿Cómo me había podido olvidar tan rápido? ¿Tan fácilmente? Me golpeó de lleno un ataque de remordimiento y me puse colorada por la vergüenza.

Eva Braun, por su parte, escuchó solo la parte bella.

–¡Oh! Me alegra tanto oír eso. Mi madre hablaba de dar a luz como algo positivo, «poderoso» lo denominó una vez. Espero sentirme de esa manera llegado el momento.

–Y tu familia, ¿están emocionados?

Dejó de andar y supe que había ido demasiado lejos, pero la opinión de Eva sobre el Reich no se volvió en mi contra. En vez de eso, cuadró los hombros y se puso una máscara.

–Gretl está muy emocionada. De hecho, vendrá de visita dentro de unos días, así que la conocerá. Espero que esté presente cuando salga de cuentas.

Su falso tono animado lo decía todo. El velo de secretismo significaba que solo sus familiares más cercanos lo sabían: padres y hermanos, y si estos eran unos nazis redomados, estarían orgullosos a más no poder. Pero si adoptaban por inercia las creencias del Tercer Reich, como sabía que hacían muchas familias en Berlín, avezados a mantener las apariencias como técnica de supervivencia, entonces temerían tanto por su hija como por ellos mismos. Había oído a algunos de los sirvientes hablando de Eva como si no fuera merecedora de su lugar en Berghof, cuestionando qué o quién era su familia. Lo achaqué a la envidia y los celos, puesto que casi todos parecían ser seguidores leales de su maestro. Me preguntaba entonces si sus padres se arrepentían del lugar que ocupaba su hija en el círculo íntimo.

Fräulein Braun terminó pronto el paseo, con la excusa de que tenía que escribir urgentemente algunas cartas antes de la comida.

–Supongo que usted también –dijo.

Jugué con la idea de dejarlo pasar, pero la falta de comunicación con mi familia me afligía, especialmente cuando la información sobre su estado tenía que ser parte del acuerdo. Y con todo el sargento Meier estaba terriblemente ocupado siempre que le intentaba preguntar.

—Me temo que no se me permite enviar cartas ni recibirlas —dije con voz plana.

—Ay... No me había dado cuenta. Lo siento.

El rubor le subió a las mejillas, avergonzada, y se giró hacia la casa.

Tras aproximadamente un minuto, entré por el acceso de los sirvientes y me dirigí a la sala de Frau Grunders para escoger un nuevo libro. Había el trajín habitual en la cocina, pero la habitación estaba en silencio. Oí unas voces procedentes del piso de arriba agitadas y urgentes. Solo capté algunas palabras sueltas y sonidos amortiguados: la voz de Fräulein Braun y los distintivos quejidos del sargento Meier.

—Voy a tener que hacerlo... solo el capitán puede decir... —Las palabras iban y venían.

—Estaría agradecida... nada más...

Agudicé el oído para captar mejor el sonido, completamente curiosa. Nunca los había visto en la misma habitación antes, y el despacho del sargento Meier y la habitación de Eva estaban en lados opuestos de la casa.

—Lo organizaré...

—Gracias...

Una silla se arrastró en el piso de arriba, se oyó el inconfundible sonido de los talones que entrechocan y luego silencio.

Estaba volviendo a mi habitación cuando el sargento Meier me alcanzó.

—¡Ah! Fräulein Hoff.

—Buenos días, sargento Meier, ¿cómo está?

Un divertimiento que había tenido durante las últimas semanas había sido en actuar todo lo dulce y cortés con ese hombre odioso como pudiera, y mi recompensa era ver su visible y sudorosa incomodidad.

—Estoy perfectamente bien, Fräulein. Tengo algunas noticias para ti.

—¿Ah sí? ¿Mi familia? —anticipé demasiado rápido.

—Todavía no, pero espero que pronto. Se ha decidido que puedes escribir algunas cartas, a tu familia si lo deseas. O a tus amigos.

–Oh –exclamé–. Me pilla por sorpresa. Pensaba que el trabajo que llevo a cabo aquí no debía mencionarse. –Sonreí con inocencia.

–No habrá mención a tu trabajo, por supuesto. –contrapuso él, con la frente brillante–. Solo que estás bien. Podrías hablar del tiempo, o de lo bien que va la guerra, pero sin detalles. Revisaré cada carta personalmente, por supuesto.

–No esperaría menos, sargento Meier. ¿Cuántas cartas se me permite escribir, y qué material puedo usar?

El sargento Meier ya me había dejado claro que el libro de registros y algunas hojas sueltas que me habían proporcionado solo se podían usar para mis informes médicos sobre Fräulein Braun. Tener un diario no estaba permitido.

–No más de dos por semana, y daré órdenes para que te traigan suficientes hojas y sobres –me dijo, mientras una pequeña gota de sudor le bajaba hacia la ceja–. Si dejas las cartas en mi despacho, yo me encargaré de que las envíen, igual que cualquier respuesta que puedas recibir. Y espero que me dejes el informe mensual sobre mi escritorio pronto; el capitán Stenz vendrá de visita para recoger su copia.

Prácticamente volví a mi habitación corriendo todo el trayecto, cerré la puerta tras de mí y me abracé el cuerpo con una amplia sonrisa que evolucionó a una carcajada. ¡Una carta! La perspectiva de obtener algunas noticias a cambio era muy emocionante. Me di cuenta entonces de lo aislada que me había sentido en las últimas semanas, sin amigos en los que confiar ni contacto físico con nadie. Claramente, Eva Braun había sido la artífice de ese cambio, ya fuera por un acto genuino de amistad, por sentir lástima por mí o como una manera de ganarse mi favor. La verdad era que no me importaba. No era tan orgullosa como para no aceptar su ayuda si significaba que podía averiguar si mi familia seguía con vida. Y si estaban muertos quería saberlo, sin tapujos. Para dejar de tener esperanza y cerrar ese infinito y desconocido vacío.

El papel y los sobres llegaron diligentemente a mi habitación esa misma tarde; unas hojas gruesas y granulosas, cada una estampada con el sello del águila del Tercer Reich. Me senté para escribirle a mis padres, una carta a cada uno, puesto que lo más probable era que no estuvieran juntos, presumiblemente en campos distintos. Pero ¿qué diablos decir? ¿Cómo describir el estado de mi mente: ese constante hilo chisporroteante de ansiedad que me sacaba de la cama como un calambre a las tres de la mañana, o me hacía mirar el techo durante horas, mientras me preguntaba qué narices estaba haciendo y cómo iba a sobrevivir? ¿Cómo insuflar de significado un mensaje en el que incluso las palabras se escondían tras los barrotes?

Me concentré en dar a mis novedades un tono positivo, haciendo hincapié en que estaba fuera de peligro, al menos hasta ese momento. Cuando nuestras vidas en Berlín habían sucumbido a un estado todavía más precario, mi padre y yo habíamos creado un código entre nosotros. Habíamos designado dos palabras para señalar que estábamos bien: cualquier mención al «sol» significaba que estábamos a salvo, en términos relativos, pero las «nubes» grises o la línea del «horizonte» señalaba lo contrario.

Escribí que estaba bien, comiendo bien –una verdad como un templo a esas alturas– y que el brillo del sol me hacía sentir animada. «el horizonte a veces se ilumina bastante, papá», divagué, desesperada por transmitir algo que él pudiera interpretar, que supiera que no me hallaba en un lugar del todo seguro pero no en un peligro inminente. El resto lo rellené con «espero que tú y mamá estéis bien, pienso en vosotros, Franz e Ilse cada día». Si mi padre seguía manteniendo la mente despierta, hallaría la manera de leer entre líneas. Y tenía que confiar en que tuviera, a pesar del papel estampado, la certeza de que no me había convertido en una nazi entusiasta, que no me había transformado.

Estaba envuelta en una manta en mi porche y luchaba contra los últimos rayos de sol cuando oí unos pasos. Enfrascada en mi novela, no levanté la vista.

–¿Goethe? Vaya sorpresa.

–Capitán Stenz –dije a modo de saludo–. ¿Necesita verme? ¿Quiere que vaya a la casa?

–No, no –respondió mientras se quitaba la gorra–. No quiero molestarla. Pero me gustaría que habláramos un momento. ¿Puedo? –preguntó señalando hacia la otra silla. Su tono sugería que no me esperaba una riña, y su ademán parecía relajado cuando se sentó.

–Por supuesto.

Estaba agradecida por la compañía y sí, de hecho estaba contenta de verle. ¿Era solo porque él no era el sargento Meier? El capitán llevaba el mismo uniforme que él, y aun así mi reacción al hombre que había dentro era completamente distinta.

El apartó la vista con los ojos entrecerrados por el sol, que se escabullía por detrás de las montañas coronadas de nieve hacia la derecha de nuestras vistas. Observé cómo se le vidriaban los ojos durante unos segundos, y entonces se le escapó un suspiro por entre los labios, antes de que el ruido captara su atención.

–¿Cómo lo está llevando? ¿Le están tratando bien? ¿Tiene todo lo que necesita?

–Sí, me cuidan bien –le aseguré–. Tengo todo cuanto necesito para llevar a cabo mi trabajo.

Vi cómo entendía lo que le estaba queriendo decir.

–Fräulein Braun me dice que está muy contenta con el acuerdo, y que se siente bien, así que podemos estar agradecidos por eso.

–Sí –afirmé–. Goza de buena salud. De hecho, siento que tengo poco trabajo. No es a lo que estoy acostumbrada.

Ambos parecíamos ser expertos en intercambiar formalidades poco sustanciosas.

–Yo no me preocuparía mucho por eso –dijo él, sonriendo–. Su labor será más intensa en las últimas etapas, de eso no me cabe duda. Es un trabajo importante.

Desvió la mirada hacia el horizonte. El sol se estaba poniendo rápidamente por detrás de los picos, que se recortaban blancos contra el resplandor naranja. Hojeé las páginas de mi libro mientras contemplaba su pelo rubio que acababa en la nuca por encima del cuello negro de la chaqueta, y que se habría rizado si lo hubiera dejado crecer. Del cuello hacia arriba tenía el aspecto de un chico de campo, a diferencia del hombre enfundado en ropa gris acero que cargaba con tanto poder.

Me preguntaba por qué no se levantaba y se iba, puesto que claramente no tenía nada más que decirme. Fui yo la que rompió el silencio, impidiendo su partida inmediata.

–Capitán Stenz, ¿le puedo preguntar algo?

Giró la cabeza de cabello claro y me miró un poco alarmado.

–Puede preguntar, aunque no le puedo prometer que responda.

De repente, volvía a ser un miembro de las SS.

–Bueno, entiendo que el secretismo es una medida de seguridad con Fräulein Braun, dado el que creo que es el linaje. –La miró con ojos penetrantes, pero no la contradijo–. Nadie aparte de un puñado de personas ha reconocido al bebé. Nadie parece estar contento con esta noticia. El Tercer Reich cree en la familia, en las familias grandes. Trabajé en Lebensborn antes de todo esto, sé que se tolera a las mujeres embarazadas que no están casadas si están ayudando... a la causa. –Las palabras se me atoraron en la garganta–. Así que no entiendo esta muestra de falsa ignorancia. Ese bebé nacerá, y entonces será difícil ocultarlo. ¿No deberían estar contentos como pareja? ¿No subiría la moral del país, baja por la guerra, si se supiera?

El capitán respiró hondo, y entrelazó los dedos enguantados.

–Es complicado, Fräulein Hoff, y no pretendo ser un experto en relaciones públicas, ya tenemos un departamento para eso. –Me dedicó una sonrisa resignada–. Me tiene en demasiada alta estima... no soy más que un ingeniero y mensajero.

–¿Entonces en qué es experto?

–¿Disculpe?

–Quiero decir, ¿a qué se dedicaba antes de la guerra?

Al fin estaba entablando una conversación que no parecía ser sumisa ni peligrosa.

–Era estudiante de arquitectura. Me vi obligado a abandonar los estudios.

–¿Obligado?

–Es lo que se esperaba de mí –dijo.

–¿Y los retomará? Después, quiero decir.

–Eso depende.

–¿De qué?

–De si sobrevivo a esta guerra –respondió, perdiendo la sonrisa–. Y de si queda un mundo por reconstruir. –Se levantó, casi receloso de poder haber bajado la guardia–. Debo irme. ¿Me podría entregar los informes, Fräulein Hoff?

–Por supuesto.

Entré en mi habitación para recogerlos.

–Adiós, hasta la próxima –se despidió, y entrechocó los talones, frenando en seco el saludo y sustituyéndolo por un asentimiento de cabeza, aunque sus ojos se clavaron en los míos. Observé cómo su larga sombra desaparecía hacia la casa, y de repente me sentí muy sola.

10
Visitantes

Durante los días que vinieron después, Berghof experimentó un cambio dramático en su ambiente calmado. Mientras tomaba el desayuno la mañana siguiente, había una tensión palpable y en la cocina tenía lugar un inusual alboroto y trajín mientras el ayudante descargaba un gran cargamento de provisiones venido del pueblo. Frau Grunders se bebía su té de la mañana a largos tragos, apresurándose y berreándoles a las criadas con las que se cruzaba. Las oí refunfuñar sobre «más trabajo del que nos pagan, solo por complacer a su majestad», pero apurándose igualmente.

Adiviné lo que debía estar pasando, y un dolor nauseabundo se extendió por mis entrañas. Durante las últimas semanas había dedicado poco a pensar en el dueño de la casa como una entidad real; la guerra parecía estar muy lejos y él estaba fuera de mi vista, fuera de mi mente. Y eso me convenía. No había querido visualizarme en un contacto real, qué diría o haría, o cómo actuaría. Una muestra de disidencia clara sería algo estúpido, incluso fatal, y sin embargo nada menos que eso me haría sentir como una traidora, a mi familia y nuestros amigos de antes de la guerra, a todas esas mujeres que sufrían en el campo, a todos esos bebés cuyo nacimiento y muerte caían en la misma fecha.

Le emoción de la casa se reflejaba en Fräulein Braun. Estaba inquieta, entusiasmada e inusualmente caprichosa: no cabía duda de que había estado revisando su armario antes de la llegada, y se estaba arreglado el pelo en un estilo más natural, moviéndose de aquí para allá como una niña incapaz de contener la emoción. Estaba dispuesta a que la auscultara, pero demasiado impaciente como para llevar a cabo las demás revisiones.

—Me siento bien... ¿lo podemos dejar para mañana? —me pidió.

Intenté sonreír, como si entendiera ese anhelo por estar con su amado, pero mi sentimiento era en realidad completamente egoísta; mientras menos tiempo pasara en la casa, tanto mejor para mí. Cuando ya me estaba marchando Frau Grunders me detuvo para sugerirme que durante la siguiente semana hiciera las comidas en mi habitación porque «todos vamos a estar muy ocupados». Para mí, señalaba que la connivencia sobre el bebé de Eva había llegado a su fin. A excepción de Eva, todo Berghof se negaba a aceptar el embarazo. Me preguntaba cómo se sentía Herr Hitler sobre la doble paternidad de un hijo y de una nación entera. Solo podía suponer él que no compartía la misma emoción que la madre del bebé. ¿Y qué significaba eso para el futuro de la criatura y de Eva?

Llegó a última hora de esa tarde, el retumbo ronco de los motores me atrajo a mi porche. Un camión del ejército encabezaba el desfile de coches que subían por el camino, salpicando gravilla mientras avanzaban. Albergaba soldados del ejército regular, que se dispersaron por la valla perimetral con las armas cargadas y prontas.
Los primeros coches escupieron varios oficiales del ejército vestidos de verde, seguidos por oficiales de las SS, que contrastaban enfundados en sus chaquetas color pizarra y botas negras perfectamente lustradas que reflejaban los rayos del atardecer. Fue el quinto o sexto coche el que se detuvo y se quedó parado mientras los oficiales formaban un semicírculo a su alrededor. El grupito me impidió verlo salir, pero sabía que se trataba de él por la sumisión que imperaba fuera del coche y por cómo lo esperaban de pie. No localicé la cabeza rubia con gorra del capitán Stenz entre ellos, y una parte de mí se alegró de que no pudiera verlo inclinando la cabeza y arrastrándose. Me dio un vuelco el estómago, se me secó la boca y quería despegar los ojos, pero de algún modo era incapaz.
Era difícil de asimilar que a unos metros de distancia hubiera un hombre que sostenía tanta parte del mundo en la palma de la mano, y cuyos dedos podían curvarse y aplastarlo todo por capricho.

No solo a mí o a mi familia, sino a cualquiera que él quisiera, en cualquier lugar. No fue la primera vez que sentí lástima por Eva Braun, por su amor ciego y su fe.

Ella estaba, a esas alturas, al final de las escaleras que llevaban al porche. Con el pelo suelto y la cara casi sin rastro de maquillaje, llevaba puesto un vestido azul tradicional fruncido al pecho, que tenía el efecto de esconder su redondez.

Excepcionalmente, Negus y Stasi no estaban a sus pies. Ya me había contado que no se llevaban bien con Blondi, el pastor alemán adorado del Führer; el tamaño y el estatus de Blondi tenían prioridad en Berghof. La mirada expectante del rostro de Eva, como la de una niña con el deseo de complacer, casi me daba lástima.

El Führer subió lentamente las escaleras y le plantó un beso amistoso en la mejilla; muy lejos del abrazo de unos enamorados que hace mucho que no se ven y que ansían estar solos. Se dieron la vuelta y entraron juntos, y la comitiva uniformada los siguió —localicé los rasgos demacrados de Herr Goebbels en el grupo— mientras las tropas rodeaban la casa. La fortaleza estaba completa.

Por primera vez desde mi llegada a Berghof tuve la urgencia desesperada de salir corriendo tan rápido como me permitieran las piernas para alejarme de ese oasis infectado. Esa sensación de intranquilidad, que se había aposentado en el fondo de mi estómago desde su llegada, se había avivado y convertido en un infierno del que quería escapar con todas mis fuerzas, incluso si ello significaba una vida llena de peligros inciertos. Pero no lo hice.

El miedo a las represalias me mantuvo sentada, pegada a la silla, haciendo lo que se me había pedido. Y, no por primera vez, me odié a mí misma por ello.

Tras comer en mi habitación, me quedé sentada hasta tarde en mi porche, leyendo primero y luego simplemente contemplando cómo se desvanecía la luz. La casa estaba más iluminada, y el aire de la montaña arrastraba los sonidos de las risas de los hombres. Allí abajo, cruzando el mundo, miles —millones— de personas estaban sollozando, gritando y muriendo, y lo único que podía oír yo era divertimento. Me fui a la cama y apreté la almohada contra mis orejas, desesperada por bloquear todas las cosas que estaban mal en ese estadio loco llamado vida.

11
La primera dama

Eva envió un mensaje para que la viera la mañana siguiente a las once en la terraza. El alivio me inundó por no tener que entrar en la casa para nada; el Führer celebraba un importante consejo de guerra y Berghof estaría a rebosar de verde y gris durante un tiempo. El día era espléndido, un sol inclemente subía por el cielo mientras bordeaba la casa. Su brillantez acariciaba gran parte del verde que se extendía por debajo, solo roto por algunos lagos azul cobalto. Afortunadamente, la terraza parecía estar casi vacía, aparte de Eva sentada bajo un gran parasol, sorbiendo té. Delante de ella, con una coronilla rubio claro bien visible, había otra mujer. Supuse que era su hermana, Gretl, que había ido a Berghof con su prometido. Parecían estar enfrascadas en una conversación mientras me acercaba.

–Buenos días, Fräulein Braun –me atreví.

–Ah, Fräulein Hoff, buenos días –respondió–. Gracias por atrasar nuestra cita. Ha conocido a Frau... –y mientras le daba la vuelta a la silla vi que era la cabeza de Magda Goebbels, su peinado rubio impecable en cada hebra, su rostro con maquillaje discreto pero con los familiares labios rojos. Hizo un esbozo de sonrisa que quedó muy lejos de ser amistosa.

–Sí. Sí, Frau Goebbels y yo ya nos conocemos.

Me había pillado por sorpresa, era evidente.

–Por favor, siéntese, Fräulein Hoff –dijo Frau Goebbels, tomando el control de inmediato y con aspecto de estar cómoda con ello–. Nosotras... Yo, tengo que pedirle un favor.

Sonreí, todavía ligeramente sorprendida de que pudieran pensar en cualquier cosa como un favor, como si una petición significara que tenía el derecho a rechazarla.

—Primero de todo, quiero agradecerle los cuidados que ha tenido con Fräulein Braun hasta ahora. Ha alabado con vehemencia sus habilidades.

Dio una larga calada a su cigarrillo. Eva se limitó a parecer incómoda, como si fuera una niña de la que estuvieran hablando, mientras que yo me sentía como la esclava preferida, un truco que Frau Goebbels había perfeccionado. Sus ojos se cruzaban con los míos durante medio segundo, y desviaba la mirada tan de repente que me daba la impresión de que yo era importante como para que me prestara atención, pero no lo suficiente como para que la mantuviera.

—Puesto que Eva está en tan buen estado de salud, y no precisa de sus servicios a diario, ¿me pregunto si podemos tomarla prestada unos días? —continuó.

Qué se suponía que tenía que decir: «¿Me lo pensaré?». Dije lo que querían oír.

—Si Fräulein Braun está de acuerdo, entonces iré donde pueda ser más útil.

Esa vez Magda Goebbels sonrió de lado a lado y apagó el cigarrillo. Se giró para centrase en mí, como si me estuviera dando órdenes.

—Una prima mía se está preparando para tener a su bebé. Hace mucho que ha salido de cuentas, pero ha estado actuando..., bueno..., si le soy sincera, creo que ha estado actuando de una manera un tanto difícil, y se niega a salir de la casa e ir a un hospital. Sin embargo, yo no soy su madre, y, por ende, la única influencia que puedo intentar ejercer sobre ella es ofrecerle la ayuda que tengo a mi alcance.

—Frau Goebbels, con el debido respeto, estoy encantada de ayudar a cualquier mujer, pero no soy el tipo de comadrona que fuerza a nadie a un tratamiento que no quiere o necesita.

Sus grandes ojos se posaron en los míos unos segundos, fijos e iracundos. Entonces, los volvió a desviar como era habitual.

—No, no claro —asintió—. Solo queríamos una comadrona con experiencia para que la ayudara en casa. Espero que no sea más de una semana. ¿Es algo razonable, Eva?

Se giró hacia su anfitriona. Era obvio que eso no lo había autorizado el Reich, y era un favor por parte de Eva.

–Por supuesto, ningún problema –asintió con la cabeza Eva como un cachorro obediente.

La casa estaba a una hora de camino, y debía partir la mañana siguiente temprano. Allí de pie, sopesé que mi valía para Frau Goebbels me dotaba un poco de poder de negociación.

–Voy a necesitar a alguien que me ayude durante el parto –dije–. Alguien en quien pueda confiar.

–Apuesto a que habrá alguna criada dispuesta, o alguna sirvienta de confianza –repuso Frau Goebbels con desdén, desviando la mirada.

–Me gustaría que Christa viniera conmigo –dije con convicción–. Es muy capaz y tengo la sensación de que no se bloqueará por el pánico.

–¿Christa? ¿Mi Christa? Pero si apenas la conoce –dijo Frau Goebbels.

–Pero confío en que me ayudará cuando se lo pida –respondí.

Tal vez la señora quería evitar cualquier potencial confrontación, porque Magda Goebbels accedió a mi petición: soltaría a Christa. Quizá ella no lo viera como una concesión, un pequeño triunfo por mi parte, pero yo sí. Volví a mi habitación, aliviada de que me hubieran liberado de esa casa de juegos de guerra, y de que me volvería a encontrar con la única persona en kilómetros a la redonda a la que tal vez un día podría llamar amiga. O de hecho, aliada.

Organicé una cita con Fräulein Braun esa misma tarde para un chequeo prenatal, dado que tal vez no la vería durante una semana. Una parte de mí también quería evaluar su estado de humor ante esos días tan extraños y desconcertantes; no habíamos intercambiado más que unas pocas palabras desde que el Führer había llegado a Berghof. En la casa se habían oído susurros bajos sobre las palabras violentas que salían de los aposentos del Führer, que compartía con Eva. Hice ver que estaba absorta pero mis oídos estaban fijos en el chisme de la criada sobre las lágrimas y súplicas que se filtraban desde la habitación de Eva.

–Dios, perdóname, pero lo que la llamó era cruel –dijo la criada–. No me gustaría estar en su posición, ni siquiera ser la señora de este lugar.

Me perdí más detalles cuando se giraron y se alejaron, pero el significado estaba claro. En su propia guerra doméstica, el bebé la había hecho más débil en vez de más fuerte.

Esa tarde, la puerta de Eva estaba entreabierta y ella estaba frente al tocador, con mala cara ante su propio reflejo. Se la veía agotada. Tenía unas ojeras profusas bajo los ojos y su piel, que normalmente estaba brillante y vibrante, parecía seca y áspera. Con razón se oponía a lo que veía.

–Si me permite que le diga, Fräulein Braun, parece cansada. ¿El bebé la mantiene despierta?

–Un poco –dijo ella–. Una tía mía siempre decía que los bebés toman vida por la noche, y este parece ser que no es ninguna excepción. ¿No es así?

–Sí, aunque no disciernen entre el día y la noche hasta pasado bastante tiempo. Tal vez cuando se queda tumbada el bebé recuerda que necesita moverse. ¿Consigue dormir un poco durante el día?

–En estos momentos no, no mientras... –vaciló y escogió las palabras con cuidado–no mientras hay tanto bullicio en la casa.

Con todo, no habíamos logrado superar el espectro de Adolf Hitler. Estaba claro que estaban involucrados íntimamente –ella era la única mujer que podía deambular constantemente a rienda suelta por Berghof, aparte de Magda Goebbels– y la envidia apenas disimulada de Frau Goebbels bastaba como para hacer patente la relación entre Eva y Adolf. Ella estaba embarazada, y aun así no podía reconocer en voz alta que él era el padre. Por lo que había visto, la jerarquía de las SS apenas reconocía su valía y Eva parecía estar anclada al lugar que él le había creado, que contenía una pieza de su corazón.

Suponiendo, claro, que tuviera uno.

Pasamos por los pasos de una exploración, y escuché el latido desbocado del corazón del bebé. En ese momento fue cuando el rostro de Eva se suavizó y volvió a ser como el de una niña. Era consciente de mi cara arrugada por la concentración cuando empecé, pero pude notar cómo se relajaba cuando los sonidos me llegaron al oído, y la cara de Eva también se llenaba de júbilo cuando le asentí para señalarle que todo estaba bien.

–No estaré muy lejos, y si el bebé no ha llegado dentro de una semana, le pediré al chófer que me vuelva a subir, al menos para un último chequeo –le aseguré.

–Gracias –me dijo, con una gratitud genuina–. Es muy amable por tu parte pensar de antemano. Pero estaré bien.

En realidad, me sentía mal por ella, parecía estar muy sola. Incluso su hermana, Gretl, no había aparecido para esa cumbre de guerra en la montaña. La respuesta que ese sentimiento revolvía en mi interior era difícil de procesar. Eva Braun se juntaba con Adolf Hitler a voluntad. Parecía que lo amaba. ¿De cuánta empatía era merecedora y cuánto peligro estaba arrojando a la cama en la que se estiraba? En medio de todo eso había el bebé, una nueva vida con un corazón que estaba, hasta el momento, libre de cualquier pecado.

Berlín, febrero de 1942

La olla todavía humeaba caliente del fuego de mamá mientras la sostenía apretada contra el pecho y caminaba hacia el puesto de control. Un guardia de expresión aburrida estaba de pie a media calle Friedrichstrasse y arrastró los pies hacia mí. Hizo ademán de parecer superior agarrando la funda de la pistola y echando atrás los hombros. Tenía unos veintiún años, veintidós como mucho. El niñito de alguna familia.

—Buenas tardes —saludé, con una amplia sonrisa.

—Buenas tardes, Fräulein. ¿Sabe que se está acercando a la sección judía?

Echó un vistazo rápido al brazo de mi abrigo, por si acaso se había pasado por alto ver el parche con la estrella amarilla cosido a la manga.

Sin los rasgos rubios típicos arios o la gran estatura de algunas mujeres alemanas, era verdad que mi aspecto resultaba ambiguo y a veces podía despertar sospechas. Me parecía extraño que las reacciones de la gente fueran mostrarse reservada o bien irascible, basándose en el que creían que era mi origen. Yo era yo; yo era Anke, la misma persona delante de todo el mundo. Era triste decir que en la guerra había pocas conjeturas; los judíos que profesaban con orgullo su religión se veían obligados a mostrárselo al mundo, la estrella amarilla burdamente cosida servía no como un talismán de suerte u orgullo, sino como una porra con la que apalizarlos.

—Voy a visitar a mi tía —dije, sacando mi identificación del hospital.

—¿No se ha mudado todavía? —inquirió el soldado—. Hay muchos pisos vacíos en la zona oeste que han dejado los judíos. Podría hacerse con un lugar bonito allí, muy elegante por lo que me han dicho.

–Está mayor, y bueno, ya sabe cómo son los mayores –me reí–. Es muy testaruda y no hay manera de convencerla, y lo menos que puedo hacer es ir a visitarla con algo de cena.

–Parece igual de testaruda que mi abuela. ¿Y qué lleva en la bolsa?

Hizo un gesto con la culata del rifle hacia el gran bolso que colgaba de mi hombro.

–Ah –dije, como si la bolsa fuera algo en lo que no había pensado–. Una de las úlceras de su pierna no tiene buen aspecto, para variar, y como soy la enfermera de la familia, me toca a mí ponerle solución.

El chico arrugó la cara. Era una certeza que cualquier mención a las úlceras prevendría cualquier registro minucioso. Echó un vistazo rápido al interior de la bolsa, como si los contenidos pudieran estar supurando, y me hizo un gesto con el brazo para que siguiera mi camino.

–Que tenga buenas tardes –dije con voz cantarina por encima del hombro.

–Buenas tardes, Fräulein. No se olvide del toque de queda.

Noté cómo los ojos oscuros del guardia me seguían a lo largo de la calle hasta el distrito donde aún quedaba algo de humanidad, y luego su risa cuando su atención se desvió hacia cualquier otra cosa. El alivio hizo que me estremeciera entera.

En la ciudad no había un gueto oficial como tal, pero habían obligado a las familias judías a que salieran de sus casas y negocios de la zona oeste al principio de la guerra y las habían apiñado en un pequeño enclave en la esquina noroeste de la ciudad, un área bien delimitada por las sinagogas quemadas la Noche de los Cristales Rotos. Gracias al enorme éxodo voluntario de familias judías que había tenido lugar cuando el nazismo había tomado el control, la población judía de Berlín no era tan alta como en otras ciudades alemanas. Aquellos que habían tenido más visión se habían desplazado países enteros para escapar de la persecución. Otros habían huido de Berlín después de los fuegos de la Noche de los Cristales Rotos pero estaban todavía al alcance de sus garras.

En los últimos meses habíamos oído rumores de grandes traslados de judíos berlineses a los que enviaban a vivir a unos guetos recién creados al otro lado de la frontera en Polonia, vallados y cercados, superpoblados y en los que convivían con las enfermedades. No era algo que supiera todo el mundo, pero aquellos que tenían relación con el comercio del mercado negro o recibían cartas nos hacían llegar poco a poco esos detalles horripilantes. En unos pocos años, la brillante estrella amarilla se había apagado, y el abanico colorido de culturas de Berlín se había convertido en una paleta opaca sin brillo.

Caminé por la Kaiser Wilhelm Strasse con todo el aplomo que fui capaz de reunir y, asegurándome de que ningún uniforme u hombre desconocido que pudiera ser de la Gestapo estuviera acechando, giré a la izquierda hacia el corazón del distrito judío. El único ojo de Minna apareció por una hendidura en la puerta.

—Soy yo, Anke —susurré.

Abrió y me hizo pasar, cogiendo la olla y guiándome al primer piso, donde nos aguardaba nuestra clínica.

Igual que durante los últimos meses, la habitación era una mezcla de gente mayor y joven, de enfermos y de aquellos que solo estaban cansados, que ya no tenían derecho de acceder a las prestaciones sociales alemanas y se veían obligados a apretujarse en una sala de estar de por sí ya abarrotada a la espera de ayuda.

Siempre tan eficiente, Minna había ordenado la fila situando a aquellos con más urgencia delante. Como auxiliar de enfermería que había sido hasta el momento en que sus habilidades, de la noche a la mañana, habían dejado de ser útiles para el Reich, era una maestra de la organización. La olla se colocó de inmediato sobre una mesa en la cocina improvisada, donde el estofado se serviría a los niños más hambrientos.

Vacié los contenidos de la bolsa y empecé a organizar la estación de trabajo. Me esperaba un cuenco con agua limpia, junto a una pequeña pastilla de jabón y una toalla; nunca dejaba de sorprenderme que en un lugar tan abarrotado y con una potencialidad tan alta de estar sucio, la ropa de cama estuviera siempre impoluta. Una olla con agua ya estaba hirviendo las tijeras y demás instrumentos que tal vez necesitaríamos para las varias dolencias de ese día, con la madre de Minna al frente.

Había traído todo lo que había podido hurtar del hospital en los bolsillos de mi uniforme, que gracias a Dios eran muy profundos. Cada día durante el pasado año, había sido cuidadosa de no llenarlos demasiado, de coger solo una cosa de todo para que el armario de los suministros nunca pareciera que había sido saqueado: apósitos estériles, cremas antisépticas, agujas e hilo quirúrgico, vendas y cualquier cantidad de medicinas que no estuvieran guardadas en el armario oficial. Era muy sigilosa en mis robos.

¿Alguna vez pensaba en ello como robar? Nunca. El Reich había abandonado a su propia gente, buenas familias que habían trabajado duro toda su vida, que habían pagado impuestos y merecían algo más que esa sucia traición. Sería un despido instantáneo –y peor– si me pillaban alguna vez, pero mi propio límite moral nunca vacilaba. Además, si analizábamos la historia del folclore veíamos que estaba lleno de personas dispuestas a distribuir la riqueza. Yo solo era una más dentro de una larga línea y, sospechaba también, una de tantas otras en esta guerra.

Sin perder ni un segundo, Minna acompañó al primer paciente hasta una de las dos sillas, y trabajamos hasta acabar con la hilera de veinte personas o más. Yo me encargaba de las heridas que necesitaban puntos, y dejaba a Minna a cargo de cubrir las heridas, racionando las vendas con el fin de que duraran más.

Hablábamos poco la una con la otra, trabajando laboriosamente. Siempre había una o dos mordeduras de perro por desinfectar y coser, mayormente de hombres jóvenes que se habían topado con una redada nocturna en una parcela y casi los habían atrapado los chuchos, si no sus guardias. Durante el invierno, con el suelo duro por la helada, se veían obligados a traspasar las paredes de las fábricas o almacenes, corriendo por sus vidas.

El resto eran infecciones pulmonares, la mayoría en niños, cuyas costillas sobresalían orgullosas mientras auscultaba sus endebles pechos y el resuello que salía de dentro, una simple membrana de piel entre el mundo y sus frágiles esqueletos. Minna tardó un tiempo en pulverizar las preciadas pastillas de antibiótico, combinar el polvo fino con agua y administrar con una cuchara la mezcla en las bocas de los niños como si fueran polluelos en el nido; una o dos, dependiendo del ruido de su respiración.

Al final quedaban los ancianos y los enfermizos, a algunos los podíamos tratar, otros simplemente necesitaban un lugar al que ir y alguien amigable que los escuchara. Minna y yo administrábamos un buen bálsamo de simpatía y empatía, explorando pies doloridos y moratones de misteriosa procedencia, asintiendo a la par y declarándoles que estaban lo suficientemente bien como para irse a casa. No había más remedio, pero el hecho de tomarnos el tiempo de echar un vistazo a menudo era suficiente tratamiento.

Cuando acabábamos, la madre de Minna aparecía con una taza de té recién hecho. Nunca la había visto sin una tetera en la mano, pequeñas perlas de sudor justo por encima de sus espesas cejas y una sonrisa amable a pesar del triste giro que había dado su vida, su marido perdido en la violencia de la noche de los cristales rotos.

–¿Tienes tiempo para echarle un ojo a Nadia? –me preguntó Minna–. Le quedan solo unas pocas semanas para salir de cuentas y no estoy segura de que el bebé ya se haya dado la vuelta.

Miré mi reloj.

–Si nos damos prisa. El toque de queda es estricto, y si me detienen apuntarán mi nombre.

Me pasó un abrigo que era de su hermana con la estrella amarilla cosida en la manga. Caminamos por la oscuridad hasta una casa similar a dos calles de distancia. A Minna parecía no afectarle su estrella, pero yo sentía ese latido amarillo como una antorcha en el brazo, exaltada por lo que significaba y la profunda injusticia infligida por mis propios compatriotas. ¿Acaso no se suponía que las estrellas estaban designadas para brillar? Esa, por lo que parecía, solo podía llevar a la oscuridad.

Nadia estaba en el segundo piso, en la esquina de una habitación pequeña con el colchón separado por una vieja sábana. Era algo cercano a un lujo, puesto que solo una familia ocupaba aquella habitación, y la compartía con su madre, su padre y dos hermanos pequeños. Nadia había permanecido muda sobre el padre del bebé, pero las sospechas de la familia llevaban a un soldado alemán, uno que creía que su superioridad le daba el derecho a invadir su inocencia. Solo el amor de su familia había ayudado a superar la vergüenza y la rabia a partes iguales.

Se incorporó cuando pasé por debajo de la cortina, claramente contenta de verme. Su barriga se movió por el esfuerzo, haciendo que se riera e hiciera una mueca de dolor al mismo tiempo.

—¿El bebé sigue haciendo gimnasia? —pregunté.

—Nunca para. Espero que esté lleno de vida, ¡aunque tal vez que no sea tan activo cuando salga!

Nadia tenía el rostro animado pero pálido; probablemente estaba anémica. Le pasé a su madre algunos suplementos de hierro, y le dije que los hiciera durar como mínimo una semana, con tanta sopa de ortiga como pudiera conseguir.

—Bueno, ¿vemos cómo está este bebé?

Apoyé la cabeza para oír el latido, consciente de que bajo mis dedos la cabeza del feto todavía estaba enclavada debajo de las costillas de Nadia y no en su pelvis. Durante las últimas cuatro semanas no había mostrado ninguna señal de querer darse la vuelta.

—El latido del bebé tiene un sonido maravilloso —dije con una amplia sonrisa.

A ella se le iluminó el rostro, encantada de estar engendrando un bebé tan rollizo. Puesto que la presión sanguínea de Nadia y la orina eran normales, le dije que volvería a pasarme la semana siguiente; habíamos estimado que saldría de cuentas en algún punto de las próximas tres semanas.

—¿La posición es un problema? —preguntó Minna mientras bajábamos las escaleras.

—Es difícil de saber —respondí—. No parece que sea un bebé grande, y muchos nacen de culo, pero es un camino más difícil.

O bien salen de una, o hay un problema que pronto se convierte en una emergencia. No hay término medio con los bebés que no se dan la vuelta.

—Sabes que no irá al hospital –dijo Minna.

Eso me temía. El hospital judío era el único centro médico abierto para los judíos esos días, pero también era un punto de recogida para el primer transporte hacia los guetos fuera de Berlín. Ya habían circulado rumores y sospechas.

—¿Sabías que el tío de Nadia estaba en el primer transporte que salió? –compartió Minna, con los ojos brillantes en la oscuridad.

—Sí. Y no puedo culparla. Pero sería mejor que al menos estuviera más cerca del hospital. ¿Puedes hablar con ella?

—Lo intentaré.

Llegué a casa antes del toque de queda por los pelos, los mismos chicos jóvenes en el puesto de guardia.

—¿Ha disfrutado del estofado su tía?

—Nunca se harta de ese falso pescado –me reí, exagerando la mentira–. Se podría llegar a pensar que es un plato gourmet por la manera como lo engulle.

—Bueno, sobre gustos no hay nada escrito –dijo uno de ellos–. Buenas noches, Fräulein.

Me giré y me marché andando, no a paso lento pero tampoco demasiado rápido, y podía notar cómo sus ojos aburridos se clavaban en mí, sopesando la pregunta mientras golpeaban el suelo con las botas para combatir el frío.

—¿Te la calzarías? –preguntó uno de ellos.

—No, yo no, demasiado oscura, demasiada apariencia de judía.

—Ya, tal vez tienes razón. ¿Tienes un cigarrillo?

12
Trabajo

Me fui temprano a la mañana siguiente, cuando los rayos del sol empezaban a trepar por la montaña. Sin lugar a dudas, el siempre eficiente sargento Meier pondría al corriente a Frau Grunders de que no me había fugado. El chófer de Berghof, Daniel, me estaba esperando, y mientras entraba en el coche, el sedán negro del capitán Stenz estacionó al lado y salió él. Al verme, adoptó una mirada inquisitiva.

—¿Va a alguna parte, Fräulein Hoff?

Se encorvó para asomarse por mi ventanilla abierta. Con Daniel a mi lado, su voz no era beligerante, solo curiosa. ¿Y tal vez teñida de un poco de arrepentimiento?

—Mmm, sí, me pidieron que ayudara a una familiar de Frau Goebbels. Fräulein Braun ha dado su consentimiento.

—No lo dudo —dijo con una sonrisa amarga y entonces levantó la vista—. Conduce con cuidado, Daniel; necesitamos a Fräulein Hoff de vuelta sana y salva.

Apartó sus largos dedos de la puerta del coche, y los dejó en algún lugar sobre los bolsillos. Mientras nos alejábamos por el camino volví la mirada; una de las manos del capitán se crispó y se elevó un poco en un intento de gesto de despedida. No pude evitar que me dejara perpleja, y aun así curvé los labios en una sonrisa.

Al dejar atrás las puertas, sentí como si liberara la cabeza de un peso físico, como si hubiera estado sujeta por un simple tornillo durante un sinfín de semanas. Hasta entonces, no me había parado a analizar el nivel de opresión; a pesar de toda su belleza y aislamiento, Berghof era una cárcel efectiva, y no solo para mí.

Bajamos zigzagueando por la carretera, y Daniel empezó a hablar. Era un hombre amistoso, de mediana edad, alegre y parecía agradecido por la estabilidad que le habían dado en esos tiempos de guerra horripilantes. Su hijo estaba en la Wehrmacht, y mencionó con insinuaciones las cicatrices que la guerra le había dejado. Me pregunté durante cuánto tiempo más ese mundo irreal en la montaña podía enmascarar lo que estaba ocurriendo, aunque en el pasado mes o así había estado tan ajena a ello como todos. Cruzamos el pueblo de Berchtesgaden y observé los comercios con codicia. Habían pasado como mínimo dos años desde que había echado un vistazo en una tienda de ropa, había comprado alimentos o había tocado dinero. Solo la oportunidad de sentarme en un café y ver el mundo pasar parecía un lujo inalcanzable.

Avanzamos por el barrio pudiente de las clases medias de Berchtesgaden, cómodas tras sus gruesas vallas de tejo y pino. Christa nos estaba esperando cuando alcanzamos el camino de entrada al hogar de los Goebbels y me sentí aliviada al comprobar que no me requerían para una audiencia con la señora. Christa se metió en el coche con impaciencia e iniciamos nuestra huida.

—¡Christa! —La abracé como si fuera una amiga perdida hace mucho tiempo.

—Fräulein Hoff, ¡tienes buen aspecto! —sonrió—. Estoy tan contenta de volver a verte. Y a la vista está que te están tratando bien.

Se echó hacia atrás y supervisó mi figura, que se había llenado desde la última vez que la había visto. No eran solo mis mejillas las que habían crecido durante los pasados meses; mi cuerpo carecía de las curvas naturales que había tenido en Berlín, pero la comida nutritiva y la falta de ejercicio y de trabajo significaban que ya no tenía la apariencia de un esqueleto andante.

—Lo sé. Paso demasiado tiempo sentada y no el suficiente haciendo algo —dije.

—Ya imaginé que tu físico habría cambiado —dijo, señalando con la cabeza hacia la gran bolsa que tenía al lado—. He estado separando algunas prendas más y he traído agujas e hilo; pensé que tal vez tendríamos algo de tiempo libre para poder arreglar algo de ropa para ti.

Entablamos una conversación banal. Estaba desesperada por

saber en qué dirección iba la guerra, pero las lealtades de Daniel eran desconocidas, y como la mayoría de los chóferes con los que me había cruzado, parecía tener bien aguzado el oído. Seguimos conduciendo a través del campo abierto, viendo pocas señales de tropas o conflicto, solo algún camión del ejército ocasional aquí y allá. La vida parecía prácticamente inalterada aquí abajo también.

Al final, llegamos a una pequeña villa, salimos cruzando la carretera principal y accedimos a una pequeña entrada. La casa no era tan majestuosa como la de los Goebbels, pero igualmente imponente, sólida, apartada, y flanqueada por los tres lados por un inmenso jardín bien cuidado, que a su vez estaba rodeado por árboles bien asentados. Dos niños jugaban en el jardín, junto a una mujer joven que no mostraba signos de embarazo.

Una criada nos esperaba en la puerta y nos guio hasta una habitación en la planta baja y luego subimos las escaleras hasta la habitación de la señora. Estaba sorprendida: nadie me había dicho que no se encontraba bien y tenía que estar en cama, y me empecé a·preguntarme a qué situación tendría que enfrentarme. Frau Schmidt había estado llorando, hasta ahí era algo obvio. Sus ojos eran dos moratones rojizos, hundidos y resecos, y apenas levantó la cabeza cuando entramos en la habitación. Las cortinas estaban echadas y el aire cargado de tristeza.

Solo hicieron falta unas pocas palabras para descubrir el motivo de su angustia: Sonia Schmidt estaba de luto. El día que salía de cuentas, había recibido el telegrama al que todos los seres queridos tenían pavor; su marido, con el que llevaba casada diez años, había caído en el norte de África. Con valentía y honores, pero muerto al fin y al cabo. Teniéndose que enfrentar a la perspectiva de que él no solo se perdiera el alumbramiento, sino también el resto de la vida del bebé, su cuerpo se había cerrado por completo y el parto se había retrasado. Su familia la había instado a que fuera al hospital, con la seguridad de que los doctores podrían fácilmente inducirle el parto del tercer bebé que tendría. Pero estaba prácticamente catatónica, casi incapaz de reaccionar, y la familia se había retirado, confundiendo su tristeza real con un comportamiento difícil.

–Los niños todavía no lo saben –dijo entre sollozos–, y yo no sé cómo decirles que su padre jamás regresará a casa. ¿Qué le voy a decir a este bebé?

Ese dilema no me removió nada; parecía llevar una vida más que cómoda, pero lo que estaba viviendo en ese instante habría sido doloroso para cualquier mujer, cualquier ser humano, no importaban las atrocidades que su marido hubiese podido llegar a cometer.

El latido del bebé era normal, se estaba moviendo bien y se había encajado en la pelvis. También tenía la barriga dura; su abdomen se endurecía como un huevo al más mínimo contacto, pero Sonia simplemente se negaba a aceptarlo. El lado físico de un parto era una fuerza poderosa, pero a veces la psicología de una mujer –su pura fuerza de voluntad– podía imponerse incluso a la Madre Naturaleza durante un tiempo. Esa madre simplemente no quería acunar a su bebé, todavía no. Su mera presencia, una creación de su padre, le recordaría su pérdida con intensidad.

La ayudé a ir al baño, puse sábanas limpias y le dije que nos esperaríamos al bebé. No había prisa: estaba sano y robusto, con buen tamaño, y ella necesitaba sentirse bien antes de querer dar a luz. Solo me limité a darle permiso para llorar a su marido, y entonces tener el bebé cuando se sintiera preparada.

–¿Está segura? –Mi miró a través de una niebla de incredulidad–. ¿No hay nada que tenga que hacer?

–En este momento no. Estoy segura de que su bebé vendrá cuando ambos estén listos.

Solo tardó dos días. La espera me parecía unas vacaciones; hacía fresco, pero me arrebujé el abrigo que Christa había traído para mí, y las dos salimos a caminar y hablar. No había ninguna presencia del ejército visible salvo un guardia en la puerta, y cuando nos alejamos un poco más de la casa, Christa me contó un poco de lo que sabía: había obtenido la información de las habladurías en la casa de los Goebbels, las tiendas de Berchtesgaden y las cartas que recibía de su padre.

La guerra iba mal para Alemania: los Aliados habían atacado Italia y estaban en una posición de control, Stalingrado había caído en manos rusas, y partes de Alemania habían sido bombardeadas en ataques continuos por los combatientes británicos, con grandes pérdidas tanto en tierra como en aire. Habían derruido prácticamente Leipzig y Berlín había sido señalado como objetivo varias veces. Me sentí muy ignorante de lo que estaba ocurriendo en el mundo real y enfadada por nuestra posición aislada allí arriba. Me preguntaba cuánto de todo eso discutían los altos mandos alemanes en Berghof y cuánto tiempo más podría permanecer como una fortaleza protegida. Con razón Fräulein Braun se sentía ignorada. Hitler tenía una guerra entera en su mente, una guerra que nosotros –Alemania– podríamos estar perdiendo.

En casa de los Schmidt, las criadas nos mantuvieron a las dos alimentadas y cómodas, aunque les consumían el tiempo los niños y la joven gobernanta. Las manos diestras de Christa me equiparon con varios vestidos nuevos, y nos deleitamos con la libertad de poder hablar, los oídos de los Goebbels y los demás partidarios del régimen de Berghof bien lejos. Incluso nos atrevimos a comentar la vida después de la guerra, lo que tal vez haríamos como mujeres que podrían llegar a alcanzar una posición de poder, con quién nos casaríamos, y qué aspecto tendrían nuestros hijos. Christa estaba llena de vida, antes de que estallara la guerra estuvo a punto de dejar su trabajo e iniciarse como estudiante de moda. Aunque las dos parecíamos sentir que todo dependería del momento oportuno; cuándo convendría bajar y alejarse de aquella montaña hacia un lugar seguro.

Nos reíamos mucho, pero en todos los temas que abordábamos había una cierta aspereza. Sentía cómo las telarañas se despejaban hacia una discusión real. Y entonces, mientras caminábamos, sus rasgos dulces se volvieron inusualmente serios.

–¿Y qué vas a hacer con el bebé?

–¿El bebé? Nacerá pronto, creo –respondí.

–No, me refiero al otro. El de Fräulein Braun.

Me detuve y me giré por completo hacia ella.

–¿Qué quieres decir con qué haré?

De repente, Christa parecía tener muchos años más. Su semblante se endureció y los ojos le brillaban.

–Quiero decir, Anke, que tienes una cierta cantidad de poder sobre lo que está ocurriendo. No te creas que no. ¿Alguna vez te has preguntado cómo tus acciones podrían influenciar en sucesos mucho más allá de Berghof, más allá de Fräulein Braun?

No quería admitirlo, pero lo había sopesado. Durante todas las horas desempleada, mi mente había divagado hacia posibilidades ignotas. Cada fibra de mi yo profesional removería el cielo y la tierra para salvar a cualquier madre o bebé, sin importar qué había ocurrido antes. Pero era consciente de la seriedad de ese embarazo y qué significaría para el Reich tener un heredero. ¿Podía contemplar la opción del sabotaje, como comadrona? Me gustaba pensar que no, pero la verdad es que me había venido a la mente, y solo había una alternativa a una madre feliz y un bebé: quitar al bebé de la ecuación.

–Pues... supongo que sí, poco, pero no creo que llegado el momento... no. En primer lugar sería un suicidio para mí, y una muerte segura para mi familia. Christa, todo esto, lo hago por ellos, por cualquier opción que puedan tener de salvarse. Además, creo que Adolf Hitler ni siquiera se preocupa por este bebé. Cualquier acción que pudiera llevar a cabo podría no afectarle en absoluto.

Me noté sin aliento y eché a andar de nuevo, cualquier cosa menos estar parada y enfrentarme al ambiente tenso que había entre nosotras. Christa me siguió callada a mi lado.

–Creo que te equivocas –dijo al final–. Lo que ocurre en Berghof podría tener un efecto de gran alcance. Eso es lo que oigo, en la casa...

–¿Los Goebbels? ¿Qué dicen? –la interrumpí. Mi desconfianza hacia Magda estaba ya bien arraigada.

–Se llevan como el perro y el gato por ello –dijo Christa–. Puede ser que Hitler no quiera ser padre, pero Goebbels está desesperado por ese bebé, para usarlo como una dosis de moral, como una manera de cambiar el rumbo de la guerra, hacia una «nueva esperanza», lo llama. Pero la señora quiere mantenerlo en secreto para siempre, que Eva sea algún tipo de Rapunzel en los cielos.

Había visto a Christa llena de diversión y sonrisas, incluso de travesuras, pero nunca la había visto tan pasional, tan obcecada. Sus ojos eran dos puntos feroces, rojos de pasión.

—Pero ¿por qué quiere ocultar al bebé?

—Por celos —dijo Christa vehementemente—. Tiene siete ejemplares perfectos de sangre alemana, pero no son los hijos de Adolf Hitler. Habría hecho prácticamente cualquier cosa por ser su mujer, si no hubiese estado casada ya. Y él lo sabe, el señor. Joseph Goebbels lo sabe.

—Entonces, ¿por qué me trajo aquí, para cuidar de Eva?

—No fue cosa de Magda, sino de su marido. Ella quería que a Eva la enviaran a Austria, fuera de la vista, pero Goebbels insistió en que acogerla era la mejor opción. Quiere mantenerlo en secreto, alejada del hospital hasta que él revele el bebé cuando lo considere oportuno.

—¿Estás segura de todo esto? ¿No serán solo chismorreos?

—Lo he oído yo misma —respondió Christa—. No se lo callan, y las paredes no es que sean muy gruesas. Frau Goebbels puede que tenga la apariencia de la mujer alemana perfecta, pero ejerce el poder en esa casa.

Me quedé callada mientras absorbía las revelaciones de Christa. Pensé en Eva, en su estúpida ingenuidad, pero también en su anhelo de tener al bebé en brazos. El hecho de que el bebé fuera de él no debería interponerse. ¿O sí?

—Creo que no puedo hacer otra cosa que preocuparme por ella de la mejor manera que sepa —dije al final—. Es el bebé el que debe jugar sus propias cartas. Si el bebé sobrevive, o no, no será porque yo haya jugado el papel de Dios ni nada por el estilo. Soy comadrona; no tengo ese derecho. Nadie lo tiene.

Christa me miró con un silencio que me perforaba, acusatorio. Eran sus ojos los que decían: «¿Acaso no lo tienes tú?».

—Odio esta guerra, Christa, de verdad odio lo que le ha hecho a Alemania, a los alemanes, a todo el mundo y el dolor que ha causado. Y sí, ese hombre, ese repugnante hombre, es el responsable. Pero no se puede esperar que me pidan a mí rendir cuentas por la dirección que toma toda esta guerra. No cambiará por un nacimiento, por algo tan pequeño.

–¿Puedes estar segura de eso?

Los ojos de Christa brillaron de nuevo.

–¿De dónde ha salido esto, Christa? Nunca te he visto así. ¿Por qué estás de pronto tan enfadada?

–Es mi hermano –dijo. Apenas podía oír su voz, que era como la lava líquida de un volcán que estallaba.

–Sí, lo sé, quedó ciego en la guerra. Es una tragedia y...

–Está muerto. –Sus palabras se hundieron como una piedra en el agua–. Hace dos semanas se colgó en el granero. No podía enfrentarse a una vida en la que dependiera de mi padre. Fue él quien lo encontró, quien tuvo que descolgar a su propio hijo y enterrarlo. Bruno habría cumplido veinticinco años el mes que viene.

–Lo siento mucho –dije–. No lo sabía. ¿Por qué no me lo dijiste? No me diste ninguna pista, parecías tan... normal.

–Porque esto es la guerra, Anke. No quiero pensar que yo estoy sufriendo más que los demás, pero tiene que acabar. Debe detenerse. –Su mirada de granito dio paso a unas lágrimas como puños y volvió a tener un aspecto pequeño y vulnerable. Tiré de ella hacia mí y sollozó todo su dolor en el abrigo que con tanta amabilidad me había arreglado.

–Dios mío, Christa, ¿adónde vamos a llegar? –dije contra su pelo brillante–. ¿Cuándo acabará?

13
Vida y muerte

Después de nuestra segunda noche de completo descanso en la casa, comprobé cómo estaba Sonia. Había pasado tiempo con sus hijos, se había vestido por la tarde y había bajado a tomar el té. Se movía con gemidos y gruñidos espontáneos y sus ojos estaban oscuros y turbados, pero mantenía la compostura por la familia, a pesar de su creciente malestar.

—¿Cuánto tiempo más cree, Anke? ¿Cuánto tiempo para que pueda alumbrar a este bebé y contárselo a mis hijos? —imploraba mientras la exploraba, desesperada por deshacerse de la doble carga que llevaba dentro.

—No lo sé, pero supongo que no tardará demasiado —contesté—. Tienes un aspecto distinto y tu cuerpo está preparado. Tu mente es la que tiene que dejarse ir.

—Lo estoy intentando —dijo ella—. De verdad.

—No te fuerces demasiado y ocurrirá entonces.

La criada me despertó a medianoche. Sonia estaba deambulando por su habitación, enrojecida y agitada. Había llegado el parto, aunque dejé que Christa durmiera hasta que necesitara de verdad su ayuda. El latido del bebé era bueno y Sonia tenía que detenerse y respirar cada tres o cuatro minutos, señal de que debía de estar en la primera etapa del parto, dilatando. Entre medias, sonrió por primera vez desde que la había conocido.

—Ya está aquí, lo sé —dijo entre jadeos—. Es como antes, con los otros dos... —y le sobrevino otra contracción, resoplando con fuerza para alcanzar la cima de la montaña sesenta segundos después antes de poder respirar de nuevo.

Me senté y froté la espalda de Sonia, murmurando palabras de ánimo a la media luz. Durante el tiempo que asistí a los partos en casa en los suburbios de Berlín aprendí a trabajar casi en la oscuridad, a diferencia de la luminosidad de la sala de maternidad, donde lo podíamos ver todo pero no sentir el progreso. Allí estaba en mi zona de confort. En la penumbra, observé la opulencia que resaltaba, los muebles caros, y los pensamientos del último nacimiento en el campo se quedaron prendados en mi mente. Irena y su recién nacido, acunado en papel sucio en vez de la manta gruesa y cuidadosamente tejida que esperaba a aquel recién nacido. Y aun así, despojada de todo menos del camisón, Sonia podría haber sido Irena o cualquier otra mujer que hubiera conocido; incómoda, asustada y con la necesidad de que la reconfortaran. E igual de fuerte.

Pasaron solo unos treinta minutos antes de que el ambiente en la habitación cambiara. Una contracción repentina hizo que Sonia cayera al suelo y gateara como una gata de panza enorme hacia una esquina. Cuando llegó al punto álgido, su cuerpo soltó un bramido distintivo, que pareció sorprenderla incluso a ella. Para mí, sin embargo, era la llamada familiar del parto. Le indiqué a la criada que despertara a Christa y que trajeran agua caliente. Christa llegó a mi lado en cuestión de minutos, preparada y sin un atisbo de nerviosismo. Se entretuvo en una esquina, disponiendo en silencio cualquier equipamiento que pudiéramos necesitar, y luego se sentó y observó; otra que sería una espléndida comadrona.

Sonia rápidamente pareció entrar en trance, en ese medio mundo entre la necesidad de aguantar y el deseo del cuerpo de deshacerse de lo que había crecido durante los intensos meses del embarazo. Con cada contracción, ella respiraba, aullaba y gritaba hasta que terminaban, y entre ellas decía y musitaba cosas a su marido muerto: «Ya viene, Gerd, ya viene, cariño. Ya casi está aquí para ti...».

Murmuré palabras de ánimo, pero no oía mucho más allá de su propio ruido.

Christa sintió la señal y se colocó en silencio al lado de la cabeza de Sonia y esta le agarró los dedos con avaricia, con los ojos cerrados en profunda concentración. Yo me quedé a los pies, notando que no faltaba mucho para que expulsara al bebé. Rompió aguas en la siguiente contracción, pero en vez de un chorro transparente, era una sopa marrón espesa y granulosa; indicios de meconio, el primer movimiento intestinal del bebé. El embarazo se había alargado demasiado y era una señal de peligro, el mecanismo de lucha o huida por la supervivencia del bebé. Si estuviéramos en un hospital o cerca, las comadronas normalmente llamaríamos a un pediatra, pero estábamos a treinta minutos del hospital y un médico local era nuestro único apoyo. Como comadrona, el meconio no me alteró, era una reacción natural y causaba problemas solo si el bebé inhalaba ese fluido sucio cuando estaba saliendo. La mayoría emergía pataleando y llorando sin necesidad de ningún tratamiento, más allá de un buen baño.

Era imposible comprobar el latido del bebé puesto que Sonia estaba arrodillada en el suelo. Empezó a empujar en la siguiente contracción, y su piel empezó a estirarse y moldearse de la manera habitual, con un pequeño mechón de pelo asomándose al cabo de poco. Sonia estaba en ese otro mundo, llamando el nombre de su marido constantemente, mientras Christa intentaba calmar su desasosiego acariciándole la mano y hablándole en susurros a su lado. Mi preocupación principal era ralentizar el progreso de la cabeza; los terceros bebés a menudo salían con un gran empujón, puesto que la madre no podía aguantar más.

—Sonia, solo respira para mí —intenté decirle por encima de sus constantes divagaciones—. Empujones pequeños, con calma.

Durante el minuto siguiente, soltó un alarido cuando la coronilla del bebé emergió y se deslizó por entre la piel en un solo movimiento repentino, trayendo de vuelta a Sonia al momento presente. De golpe, la habitación se sumió en el silencio.

—Maravilloso —la felicité, moviéndome para poner sábanas debajo de ella para la llegada final—. La cabeza del bebé ha salido, ya casi está.

En la mayoría de los partos, hay una pausa de un minuto o dos en la que no ocurre demasiado, solo la cara azulada del bebé que se asoma y hace pucheros, con el cuello sujeto a la apertura de la madre, a veces parpadeando y haciendo un pequeño intento por llorar, pero todavía no es una persona en el mundo, el cordón umbilical sigue siendo la línea de vida para el oxígeno. Con la mayoría de las madres, confirmar que la cabeza había nacido era una manera de incitar un último esfuerzo para que salieran los hombros, en un momento en el que estaban a punto de darse por vencidas. Pero *a posteriori*, vi que era un mensaje erróneo para Sonia, una mujer que casi tenía miedo de conocer a su bebé. Ella tal vez quería conocer a su recién nacido, pero su mente sumida en el miedo no.

Esperamos en silencio. Un minuto dio paso al siguiente sin contracción alguna. El cosquilleo que sentía en el cuello augmentó cuando la cara del bebé se empezó a motear de manchas moradas.

—Sonia, dime cuando notes una contracción —le pedí, intentando templar mi preocupación creciente.

—No viene —dijo ella, lúcida y despierta—. ¿Qué pasa?

—Dame un empujón, uno largo, muy suave —le dije.

Su cuerpo intentó hacer presión, pero el esfuerzo fue patético comparado con la fuerza descomunal e imparable de hacía unos minutos.

—No puedo —gimió—. No tengo fuerza.

En medio segundo me coloqué al lado de Christa y le susurré con urgencia.

—Tenemos que ponerla de pie —ordené, el brillo de mis ojos irradiaba una determinación visible incluso en la penumbra.

Christa lo entendió de inmediato, y ambas tiramos de Sonia que se puso de cuclillas, su peso muerto por la fatiga nos hacía respirar con dificultad, mientras yo guiaba para proteger la cabeza del bebé.

—Christa, ¿puedes sujetarla?

Era una petición atrevida teniendo en cuenta la figura pequeña de Christa, pero una dosis natural de adrenalina le había inyectado una fuerza inconmensurable en los brazos.

—No te preocupes por mí —aseguré.

Mientras sostenía por el pecho a Sonia, me dirigí rápidamente para situarme delante de ella. La cabeza del bebé se distanciaba solo unos centímetros de las sábanas del suelo, y no quería figurarme su color y mucho menos mirar. Tenía que nacer ya.

A Sonia le caía la cabeza lánguida, de vuelta a ese otro mundo.

–¡Sonia! ¡Mírame! –Fijé la vista directamente en la suya y volvió en sí, con los ojos como platos–. Necesito que empujes con fuerza una vez más. Por favor, Sonia. Hazlo por mí, por el bebé.

Con una sola mirada vio que emanaba urgencia por los rasgos de mi rostro; su propia cara se contorsionó y empujó sin la ayuda de una contracción. Los hombros del bebé se movieron un poco mientras ponía una mano a cada lado de su cabeza y tiraba hacia abajo con una tracción firme, pero volvió a retroceder cuando Sonia se quedó sin aire y se detuvo la fuerza. Supe de inmediato cuál era el problema: distocia de hombros. Los hombros del bebé estaban atascados detrás del hueso púbico de la pelvis. Por más que empujara o tiraran, no se movería hasta que lo desatascaran. Era una de las peores pesadillas de las comadronas, puesto que el bebé tenía que salir, y no se podía retroceder y sacarlo por cesárea, ni en el hospital. Teníamos que liberarlo, o moriría a medio nacer.

–¡Christa, ponla de espaldas, ya!

Captó mi tono y de inmediato bajó a Sonia al suelo. La obligué a poner las piernas hacia arriba y atrás, cerca de la cabeza, tanto como pudiera, todos los movimientos con el fin de desencallar los hombros del bebé. Sonia gemía, entrando y saliendo de la realidad, pero afortunadamente no se resistía a los ejercicios de gimnasia forzada.

–Aquí –le dije a Christa, con urgencia contenida. Le agarré la mano izquierda y coloqué la base de su pulgar justo encima del hueso púbico de Sonia y la mano derecha sobre la todavía orgullosa pero distendida barriga–. Ahora frota firmemente la barriga en círculos –le ordené–. Cuando te lo diga, presiona hacia el ombligo con la otra mano. Y... ¿Christa?

–¿Sí? –Sus ojos eran dos brasas.

–Aprieta fuerte.

Volví la atención a la cabeza del bebé que colgaba sin fuerza ni mucha señal de vida. Christa estaba frotando con brío y los gemidos ascendentes de Sonia me decían que se aproximaba una contracción.

–Sonia –dije en voz alta–. ¡Sonia! Tienes que empujar, dame un empujón inmenso.

De alguna manera, a través de su confusión, lo hizo. Metí la mano derecha dentro de su vagina y encontré la parte de delante del hombro derecho del bebé, preparada para darle la vuelta. Al unísono, empujamos y tiramos; la luz reflejaba los tendones del brazo de Christa mientras presionaba hacia abajo y empujaba. Pude notar el esfuerzo de Sonia mientras los hombros del bebé intentaban moverse hacia delante, y mis propios músculos ardían mientras le rotaba los hombros. Después de lo que pareció una eternidad, aunque en realidad habían sido unos pocos segundos, el hombro se liberó, descendió de golpe y agarré con rapidez el brazo del bebé por abajo, arrastrando literalmente ambos hombros a través de la apertura, seguidos por el torso y las piernas. Sonia volvió a gemir y Christa soltó un sonoro soplido de alivio.

El bebé tenía buen tamaño, pero estaba completamente flácido, con la cabeza azul y el cuerpo blanco, algo que nunca era una visión bienvenida para una comadrona. El oxígeno había sido muy limitado durante los últimos cinco minutos y no estaba respirando.

Parecía estar sin vida, y me alegré al ver que los ojos de Sonia estaban clavados en el techo; ninguna madre debería ver algo así. Una vez más Christa, mi brillante Christa, llegó a mi lado rauda con mi estetoscopio y una toalla. Mientras frotaba con vigor para insuflarle vida al bebé, yo ausculté su pulso. Afortunadamente había, pero era débil y lento, menos de sesenta latidos por minuto; teníamos que mover físicamente más oxígeno alrededor del bebé.

Lo hice de la única manera que sabía. Enrollé una sábana pequeña y la coloqué debajo de la cabeza del recién nacido para que estuviera bocarriba y comprobé que no tuviera ningún tapón de meconio en la garganta. No pude ver ningún tipo de detrito, así que cerré mi propia boca sobre su pequeña nariz y labios. Estaban fríos y no auguraban nada bueno. Manteniendo mi propia adrenalina a raya, soplé la vida que pude en el bebé, lenta y continuamente. Miré su pecho y esperé que se elevara, una pequeña señal de que el aire estaba entrando en su caja torácica.

Durante el segundo o tercer soplido vi la elevación mágica de su piel, y entonces me alejé y coloqué dos dedos sobre su pecho y empecé a presionar rápidamente sobre su tierno esternón: uno, dos tres, otro soplido, uno, dos, tres. Repitiéndolo tres o cuatro veces, tal vez más, y Christa sentada a mi lado y murmurando «vamos, bebé; vamos bebé» una y otra vez.

Después de otra eternidad, noté que se movía y me devolvía el aliento. Inhaló, tosió un poco más y empezó a gimotear, bajito al principio y luego con más energía. Me recordó a la sirena antiaérea de Berlín en pleno apogeo. El gemido se convirtió en un llanto, y su cuerpo pasó del blanco al azul y luego a un tranquilizador rosado.

Lo cogí en brazos y comprobé su tono, todavía un poco blando pero mejoraba con cada respiración. En menos de un minuto estaba mostrando su incomodidad por las dos mujeres que lo trasteaban con aullidos.

La cara de Christa lo decía todo. Su amplia sonrisa mostraba alivio y alegría, pero sus ojos reflejaban el terror de los últimos minutos. El llanto saludable del bebé hizo que Sonia volviera a la realidad y se lo colocamos al lado, tapando su cuerpo desnudo bajo su camisón. Sonia lo miró a la cara, congestionada y morada por los esfuerzos del parto, y su boca primero sonrió y después se torció, seguida de lágrimas; de alegría o pena, no sabía decirlo.

–Ay, bebé –dijo–. Ya estás aquí. –Se dirigió a nosotras–. ¿Es niño o niña?

–Niño –dije, algo asustada por si era la respuesta errónea.

–Ah, un chico. –Sonrió–. Eso esperaba. Un chico para Gerd. Un chico para mi hombre.

Estaba hecha un amasijo de emociones, buenas y malas, pero durante ese minuto agradecí que la vida se hubiese impuesto a la muerte.

Tardamos más de dos horas en limpiar e instalar a Sonia en la cama, con el bebé succionando con satisfacción su pecho y sin mostrar efecto alguno de una llegada tan traumática. La criada se ofreció a quedarse con ella y Christa y yo nos retiramos a la cocina.

Siempre he dicho que la primera taza de té tras dar a luz es lo mejor para cualquier madre, sin importar la calidad de la infusión, pero eso también aplica a las comadronas. Nos aferramos a nuestras tazas cada una en una punta de la mesa y Christa no podía reprimir la sonrisa.

—Estás enganchada, ¿verdad? —dije entre risas.

—¿Cómo haces esto una y otra vez? —me respondió—. ¡Es muy intenso!

—Bueno, no siempre es tan dramático. Pero te acabas acostumbrando a lo bueno y a lo malo. De hecho, al final dependes de ello. Conozco algunas comadronas que están bastante satisfechas con hacer todos los cuidados rutinarios y evitar los partos. Para mí, es el culmen del trabajo; es de lo que me alimento. Los partos son como una droga.

Rápidamente, las imágenes del campo me vinieron a la mente.

—Bueno, en aquellos tiempos, antes de la guerra —aclaré.

—¿Y ahora?

—Bueno, digamos que he visto demasiadas tragedias como para pensar en ellas como algo agradable.

Ambas nos sumimos en el silencio, escuchando cómo la casa empezaba a despertarse, pero no quería estropear la efervescencia de Christa. Acababa de ser testigo de su primer parto crucial, uno que no olvidaría jamás. Se la veía viva.

—Pero tengo que admitir que este ha sido uno de los más complicados, aunque solo fueran unos pocos minutos —admití.

Era el turno de Christa de bombardearme a preguntas: por qué había hecho tal cosa, y cuándo, los casos hipotéticos y las consecuencias. Para cuando nos metimos en la cama, estaba exhausta, aunque bañada en el bálsamo de una satisfacción que no había sentido desde las primeras etapas de la guerra, un ungüento que podía disfrutar puesto que aquella madre y su bebé estaban destinados a estar juntos.

Nos quedamos tres días más en la casa de Frau Schmidt, asegurándonos de que el bebé se alimentara bien y ayudando a Sonia con la recuperación. Estaba dolorida por el parto y se movía lentamente, mientras que su humor oscilaba entre una madre contenta y alegre y la viuda plañidera que era. Los niños adoraban a su nuevo hermano, diciéndole inocentemente a su madre cuánto le gustaría a su padre el nuevo bebé –llamado Gerd– cuando volviera a casa. El rostro de Sonia se contrajo, pero no estaba preparada todavía para lidiar con su pena.

Christa y yo nos despedimos de una familia fracturada, aunque la gratitud de Sonia nos hizo sentir que habíamos hecho algo para rellenar algunas de las grietas, ni que fuera durante poco tiempo. Empecé a preguntarme si de verdad era familiar de Magda Goebbels, puesto que era cálida, emotiva y muy cercana. Estaba casada con un oficial nazi, pero de todas maneras tenía un lado humano.

14
Un ascenso renovado

El viaje de vuelta nos originó emociones encontradas a ambas. Christa estaba claramente triste en la casa de los Goebbels, más desde la muerte de su hermano, y desesperada por estar más cerca de su padre. Sin embargo, necesitaban su salario en casa y puestos como el suyo no eran fáciles de encontrar con una guerra extendiéndose. Dentro del coche, cerca del porche de los Goebbels, nos dimos el abrazo de despedida, reacias a soltarnos del vínculo que habíamos creado.

—Intentaré organizar un viaje para ir a verte —dijo, anticipándose a mis pensamientos de nuevo—. Estoy segura de que podré conseguir algo. Ten cuidado, Anke. Mantente a salvo.

El aire en la falda de la montaña estaba taciturno y neblinoso, pero mientras ascendíamos a través de la niebla y salíamos al sol, volvía a embriagarme ese sentimiento: que Berghof existía en otro plano, en un mundo más allá del tallo de judía. El nudo que tenía en el estómago, que se había relajado notablemente en la casa de los Schmidt, empezó en ese momento a apretarse y retorcerse. Ver a Eva no me preocupaba; no la había ni echado de menos ni me molestaba volver a verla, pero deseaba por encima de todo que él se hubiera ido.

Había varios coches en frente de la casa, cuyos conductores fumaban y daban paseos alrededor de los vehículos, con los motores apagados. Algunas personas importantes se marcharían pronto. Cogí mi pequeña bolsa y me dirigí hacia mi chalé, con la mente enfocada solo en darme un baño y revisar el estado de Eva. Debía de tener los ojos fijos en el suelo, porque solo en el último instante los levanté hacia los picos de las montañas y me percaté de que había caído en una trampa.

Lo tenía justo enfrente, caminando hacia mí, con la cabeza también gacha y la estatura inconfundible. La visión de un pastor alemán a su lado confirmó lo que temía. No podía ni correr hacia mi habitación ni darme la vuelta y andar en dirección contraria sin que la aversión resultara obvia. Tal vez notando a otra persona, levantó la cabeza un segundo después de que lo hiciera yo, con sus rasgos distintivos cargados de una leve confusión, pero no alarma. Yo, por supuesto, supe que era el Führer de inmediato, aunque su expresión mostraba algún tipo de reconocimiento hacia mí.

Me paré en seco, sin saber qué hacer. Siempre me había considerado una persona a la que el estatus, la celebridad y la falsa seriedad no le afectaba, y aun así me quedé pasmada. Nuestros ojos se encontraron, los suyos oscuros y firmes; los míos sin lugar a duda como los de un zorro asustado. Y noté que algo tiraba fuerte del nudo en el estómago, como un perro con su correa. El mundo se detuvo durante un segundo o dos, hasta que él rompió el aire estático y asintió, como una manera de decir «buenos días», chasqueó la lengua al perro y devolvió la vista al suelo, prosiguiendo su camino.

Y ese fue mi encuentro con el Führer, ni una sílaba pronunciada; ningún miedo exudado, ningún monstruo visible, ningún brillo diabólico en sus ojos. Un hombre que mostraba una buena educación cotidiana a alguien que no había visto nunca antes.

Me quedé tumbada en la cama durante un rato con el corazón desbocado, conjurando todas las cosas que me habría gustado decirle: sobre mi familia, el campo, el sufrimiento, las mujeres torturadas, los recién nacidos muertos, más sufrimiento... pero no lo hice. Por encima de todo, pensé en cómo mi vida se parecía más a un retorcido cuento de hadas que a cualquier cosa real, entonces sentí un alivio profundo al oír que los motores se alejaban, uno a uno, hacia la distancia.

Dentro de Berghof, era como si el fervor de la Navidad hubiese venido y se hubiese ido; las habitaciones reflejaban un vasto vacío, los sirvientes se movían con destreza y los ruidos de la cocina volvieron a su labor regular en vez de a la perpetua furia de los días anteriores. Frau Grunders había desaparecido, y comí el almuerzo prácticamente sola. Más tarde, informé al sargento Meier y apenas fui capaz de reprimir la tentación de bromearle con un saludo militar. Parecía poco impresionado de verme.

–Ah, Fräulein Hoff, está de vuelta.

Su ojo izquierdo palpitó con un tic nervioso, y me pregunté cómo de perdido se debía de sentir por no estar bajo el brillo que otorgaba la presencia del Führer.

–Eso parece. ¿Hay alguna novedad que tenga que saber antes de reunirme con Fräulein Braun?

–Creo que ha estado bastante atareada con la compañía como para estar pensando en sus revisiones –dijo con un deje de triunfo–. Sé que se ha retirado a su habitación, y me ha pedido si la puedes ver mañana.

Su petulancia hizo que se le levantaran los pelos del bigote, revelando unos dientes amarillos y repugnantes.

–Como desee –dije sin perder tiempo–. Buenos días, sargento Meier.

Entonces, más horas perdidas que pasar pensando. A lo largo de los años, le había dicho a las mujeres impacientes una y otra vez que el embarazo es un juego de espera –podía oírme a mí misma repitiéndolo sin cesar– pero nunca me había parecido así a mí, con un torrente constante de nacimientos y mujeres que precisaban cuidados. Y aun así, esperar a que un bebé creciera, se formara y se nutriera era una tarea meticulosa y eterna. Como toda una vida.

No estaba segura de en qué humor encontraría a Eva la mañana siguiente; vibrante por haber visto a su amado durante unos pocos días, o melancólica por su marcha. Cuando llegué, comprobé que llevaba puesta una sonrisa perenne.

–Ay, Anke, ¡qué alegría verte!

Pero la máscara le cayó pronto y se sumió en la tristeza y el abatimiento. Sí, el bebé se estaba moviendo bien, y sí, se sentía sana, aunque el sueño a veces la evitara. Había ocurrido un cambio en la barriga durante la última semana más o menos, y estaba claro que se había alimentado bien durante la estancia del Führer. Todavía quedaban tres meses, pero el bebé había crecido, junto a la carne de su alrededor. Eva me miraba a la cara atentamente, traduciendo mi expresión, mientras posaba las manos para leer su abdomen.

–¿Está todo como debería? Parece... perpleja.

Esbocé una sonrisa.

–No, todo está bien Fräulein Braun. Es solo que a veces me dejo llevar intentando determinar la posición del bebé. Es bastante pronto pero creo que el bebé está boca abajo. Puede que no se quede ahí, todavía es capaz de dar un giro, pero es buena señal que ya se pueda desplazar hasta la pelvis.

–Bebé listo –dijo ella, y le dio su familiar palmadita.

Me giré para irme.

–¿Necesitará un chequeo mañana?

–Sí, gracias. –Me giré hacia la puerta, y oí su voz otra vez, esa vez débil y demandante–. ¿Anke?

–¿Sí? –Parecía una niña pequeña y vulnerable que me observaba.

–El bebé. Estará... bien, ¿verdad? Lo que puede notar es... ¿normal?

Era como si el mero hecho de pronunciar las palabras pudiera maldecir al bebé. Había tenido que tranquilizar a innumerables mujeres con lo mismo; ya fuera su primer, segundo o quinto hijo. Las mujeres alemanas, ricas o pobres, con estudios o sin, creían en el mito de que el simple hecho de imaginarse la condición del bebé, incluso los pensamientos desagradables, podían tener influencia en su salud y desarrollar discapacidades. Sin tener una ventana en el vientre, nos veíamos forzadas a confiar en la benevolencia de la Madre Naturaleza, y cada vez más no nos gustaban las sorpresas que a veces metía en la mezcla. El Tercer Reich había acelerado ese miedo por mil. Sabía exactamente a qué se refería Eva Braun.

–Todo lo que noto y oigo me lleva a creer que el bebé está sano –le aseguré.

Y era la verdad, al menos por el momento. Como comadrona, había aprendido desde muy temprano que no podías dar promesas absolutas. Una noche de invierno estaba asistiendo a un parto en casa junto a una comadrona de la vieja escuela en las afueras de

Berlín. Me dijo que ya estaba preparada para tomar las riendas y que ella se quedaría en la retaguardia.

La parturienta estaba nerviosa como era habitual, pero parecía tranquilizarse cada vez que le auscultaba el latido y le decía: «el bebé está bien, todo va a salir bien». Sentí una oleada de satisfacción ante mi habilidad para calmarla. Hasta que el bebé salió sin vida, una niña blanca como la cal que se había ahogado con su propio cordón umbilical, la línea de vida bombeando aire hasta los últimos estadios. Entre lágrimas la mujer me miró incrédula. No pronunció palabra, pero no hizo falta. Le había prometido algo que no le podía dar, y fue una lección dura que aprendí.

«Les dices que "el bebé suena bien", que es la verdad en ese momento –me explicó la comadrona después, con palabras amables y cargadas de sabiduría–. La Madre Naturaleza es más grande que cualquiera de nosotras, y solo ella lo sabe». El bebé de Eva Braun parecía estar bien, pero escogí con cuidado las palabras.

–Gracias –dijo Eva, aferrándose a la esperanza–. Ah, y, ¿Anke?

–¿Sí?

–Por favor, llámame Eva. Creo que hemos pasado las formalidades ya.

15
Esperando

La naturaleza se movió a un paso más ligero que el de nuestras vidas durante el siguiente mes. Las flores de la primavera se ocultaban en los capullos y el aire era distintivamente más cálido; la nieve en los picos de enfrente retrocedía hacia las cumbres, como si alguien estuviera enrollando un gorro de lana desde abajo, dejando solo la coronilla caliente. Eva estaba bien, así que me pasé días enteros en la terraza principal a la luz, persiguiendo el sol hacia mi propia pequeña terraza por las tardes, moviendo la silla hasta que finalmente los rayos bajos color mandarina desaparecían por completo y me veía obligada a meterme dentro o sacar la manta y una lámpara.

Devoré el alijo de libros de las estanterías de Frau Grunders; el ama de llaves apenas pronunciaba palabra cuando iba a saquear su salón. Parecía estar casi de duelo desde la partida del Führer, como si su propio hijo se hubiera marchado al frente. La casa entera daba la impresión de estar sumida en la depresión.

El estado de salud de Eva se mantenía estable, pero su humor era inusualmente voluble. Había momentos que estaba animada como una niña con entusiasmo por la vida y su embarazo, hablando sin parar de la ropa para el bebé y las próximas visitas de su hermana, que siempre parecía cancelarlas en el último momento.

—Está muy ocupada con los preparativos de la boda —dijo Eva, dando excusas para su «devota» hermana. Otros días estaba visiblemente deprimida y apenas me hacía caso a mí o al bebé, y parecía acarrear su creciente contorno como si fuera un peso inoportuno.

Las criadas podían predecir su estado de ánimo a través del flujo de cartas; durante los primeros días de la guerra, Hitler le había escrito a Eva casi cada día que estaba ausente. Su humor, y el trato que le daba al personal, era maravilloso y agradable cuando fluía la afección de él en el papel. En los días en los que no había carta –y esos se estaban volviendo cada vez más comunes a medida que la guerra y el embarazo progresaban– entraban en su habitación de puntillas, recelosas de su ladrido y mordedura y a veces las enviaba a freír espárragos con palabras malvadas y un portazo.

Seguí escribiendo mis cartas obligatorias a mis padres, a Franz y a Ilse, aunque se me hacía más difícil poner en palabras los mismos sentimientos una y otra vez. Cada semana, las llevaba al sargento Meier, que se limitaba a asentir mientras las dejaba sobre su escritorio, y que siempre negaba con la cabeza impertérrito cuando le preguntaba si había alguna respuesta.

Para pasar el tiempo, empecé a hacer una lista de deseos de objetos prácticos para el capitán Stenz, si es que reaparecía algún día. Estaba extrañamente preocupada por si lo habían destinado en secreto a otra zona de la guerra y su campo de batalla feroz, mortalmente desprotegido. Me sorprendí al darme cuenta de cuánto tiempo me pasaba mirando hacia la verja con la esperanza de que fuera su coche el que subía haciendo crepitar la gravilla del camino. A pesar del tono oscuro de su uniforme y la amenaza de la insignia con forma de calavera sujeta al cuello, lo veía como a un ser humano, casi como un amigo.

Berlín, febrero de 1942

Nevaba ligeramente mientras me arrebujaba la bufanda alrededor del cuello en la entrada del hospital. Solo eran las tres de la tarde, pero el cielo ya era un techo de lodo oscuro con pequeños tornados de copos bailando en el aire.

A pesar del tiempo, tenía planeado caminar hasta casa después de un turno movido, luego darme un baño calentito, leer un buen libro y dormir; en ese orden.

Él se me acercó mientras bajaba los escalones, la visera ancha de su gorra ajustada baja por encima de la cara. Me sobresalté un momento; fácilmente podía ser de la Gestapo, con el chubasquero con cinturón y zapatos de cuero negro.

–¿Fräulein Hoff?

–¿Sí?

Seguí caminando, determinada a que no percibiera la alarma que mostraba mi rostro.

–Me ha enviado Minna.

–¿Minna? ¿La conoce?

Mantuve la cabeza gacha, pues cualquier atisbo de duda me podía delatar.

–Dice que el trasero sale del mercado, y que tiene que ir inmediatamente.

Levanté la cabeza de golpe y los copos de nieve se posaron sobre mi nariz. Ese era el código que habíamos establecido para cuando Nadia estuviera de parto; era demasiado arriesgado para mí asistir a todos los nacimientos del gueto, pero si no había ninguna mujer en el barrio que se sintiera preparada para enfrentarse a un parto de nalgas, le había dicho que acudiría. Si Minna me había hecho llamar, significaba que necesitaba mi ayuda.

Me detuve.

—Está bien. ¿Cuándo?

—Me dijo que la llevara de inmediato.

—Tardaremos un rato a pie, y el mismo tiempo si cogemos el tren a medio camino.

—Tengo un coche y pases —dijo—. Por aquí.

Vacilé un momento. Una cosa era caminar al lado de un extraño, pero otra muy distinta meterse en un coche con él. Se percató de mi recelo.

—No pasa nada —me aseguró—. No soy de la Gestapo, se lo prometo.

—¿Pero es alemán?

Asomaban mechones rubios por debajo de la gorra y sus rasgos eran indudablemente arios.

—Como usted. —Sonrió, mostrando los dientes blancos y una calidez genuina. Su aliento formaba una nube de vaho en el aire gélido y gris—. Solo estoy intentando ayudar, igual que usted. Hago lo que puedo.

—¿Y su nombre?

—Nada de nombres —respondió—. Es más seguro.

Incluso en esa niebla de desconfianza, llegaba el punto en el que tenía que creer en algunas cosas, en la gente, y mi instinto me dijo que tenía que seguirle. No me quedaba más opción si lo que me había dicho era verdad. Nadia podía pasar por un parto complicado. Complicado y rápido.

Cualesquiera que fueran los pases que tenía, funcionaron a las mil maravillas, y transitamos por los puestos de control con muy pocas preguntas. El coche alcanzó el perímetro del barrio judío, donde aparcamos y anduvimos el resto del camino.

—Cójase de mi brazo, Fräulein —me dijo mientras avanzábamos bajo la nevisca que nos lanzaba copos más grandes y consistentes. La visión de los dos sería más convincente desde lejos: una pareja que volvía a casa caminando a través de la nieve hacia la seguridad y el calor, bordeando el barrio judío y cogidos del brazo.

Seguimos andando, simulando mantener una conversación inocente y nos escabullimos hacia el gueto bajo un manto de nieve. Delante de la puerta de Nadia, el extraño tocó cuatro veces, se detuvo, y llamó dos veces más. Un rostro que reconocí como el hermano de Minna apareció, y entré pasando por su lado.

–Buena suerte, Fräulein –me dijo el hombre, y se dio la vuelta para perderse en la tormenta blanca. Sentí un deje de lástima al verle partir.

La habitación se había despejado de todo el mundo a excepción de Minna y la madre de Nadia.

–Siento haberte llamado así –dijo Minna con verdadero arrepentimiento–. Encontraron muerta esta mañana a la anciana que se había presentado voluntaria.

Una tetera se calentaba al fuego y la ropa de cama estaba retirada. La habitación era lo suficientemente caliente, cada posible contribución de los muebles de la casa había acabado en el montón de leña. Nadia estaba sobre el colchón, a cuatro patas, con la cabeza en las manos y el culo en el aire, cubierto por las bragas, meciéndose como un péndulo perfecto.

Llevaba mi Pinard para auscultar al bebé, pero nada más, aunque habíamos acumulado guantes estériles en la casa y las toallas, que serían inevitables, aguardaban limpias y dobladas. Me senté de cuclillas al lado de Nadia justo cuando le vino una contracción y observé cómo giraba la pelvis mientras sus gruñidos iban en aumento, soplando con fuerza contra las manos. Me resistí a tocarla, ni siquiera le ofrecí un masaje en la espalda, pues era importante en cualquier parto de nalgas dejar que la madre se contoneara y retorciera en reacción a los movimientos internos que hacía el bebé para salir.

Cuando hubo pasado la contracción, me puse al nivel de su cabeza, su flequillo negro húmedo y pegado a la frente.

–Nadia, lo estás haciendo muy bien. El bebé de verdad tiene muchas ganas de venir.

–Eso creo.

Esbozó una sonrisa débil.

–¿Me dejas que lo escuche? Tal vez tengas que moverte un poco...
¿Crees que lo puedes hacer?

Se dejó caer hacia un lado, y me agaché y encontré el latido, todavía
en la parte alta de su abdomen.

–El sonido del bebé está bien –constaté–. Ningún problema.

–¿Qué vas a hacer? –inquirió, mientras las gotas de sudor le caían
hacia los ojos y las ojeras reflejaban su ansiedad.

–¿Yo? Nada, solo observar y esperar.

Pareció sorprenderle que no fuera equipada con alguna herramienta mecánica para extraerle el bebé, pero también era lo
suficientemente joven como para no haber presenciado ningún
nacimiento en su comunidad.

–¿Qué se supone que tengo que hacer? –preguntó.

–Exactamente lo que has estado haciendo, Nadia. Deja que tu
bebé haga lo necesario. No te resistas, limítate a abrirte a cualquier
sensación que tengas dentro.

Nadia asintió, como una niña buena. Para para alguien tan joven,
parecía haber entendido lo que le había dicho, como si esos movimientos ya se estuvieran gestando. Justo en ese instante, se volvió a
poner sobre las rodillas mientras otra contracción le sobrevenía, y
el gruñido se transformó en un leve mugido. Por su tono, calculaba
que no se iba a demorar mucho más.

Minna me acercó una taza de té de bienvenida, y nos retiramos al
fondo de la habitación mientras la madre de Nadia ocupaba el lugar
al lado de su hija, le frotaba los hombros, le murmuraba palabras
de ánimo y le decía que pronto sería madre, y que resistiera, que
siguiera peleando. La nieve caía sobre los cristales mugrientos y la
habitación se oscurecía todavía más a medida que el polvo blanco
tejía una cortina blanca que ocultaba el mundo exterior. Sorbíamos
el té y esperábamos, mientras que los hombres en el piso de abajo
fumaban y sus murmullos cargados de nerviosismo se filtraban por
entre los listones de madera del suelo; ninguna risa ni comentarios
de hombre rudo hasta que se desatara el llanto del bebé.

El tono de Nadia subió y bajó durante la hora siguiente, y yo a intervalos a ella y al bebé. Al final, el gemido más lastimero se abrió paso en el pico de una contracción, seguido por el más breve de los gruñidos, y descendió la montaña del dolor de nuevo.

–¡No puedo hacerlo! –le gritó al aire.

Justo como esperaba, dos piezas del rompecabezas ya estaban en su sitio. Dejé el té y me coloqué a su lado.

–Nadia, tal vez ha llegado el momento de quitarte las bragas. Estamos en un espacio seguro. Solo somos nosotras.

Asintió en las manos y su madre le quitó la tela ligera, húmeda con una mancha de fluido –lo más probable de la rotura de aguas– y en el centro se apreciaba una saludable mancha de sangre mucosa. Pieza número tres.

La siguiente contracción encajó en el número cuatro; en la cima, un gemido brotó de su boca, y un gruñido de oso salió de las entrañas de esa chica inocente, un esfuerzo del cuerpo entero por vaciarse mientras sus nalgas se separaban y la línea púrpura encima de su sacro se movió para señalar que el bebé estaba bajando.

–¡Mama! ¡Anke! ¡Ayudadme!

Amortiguó la angustia hundiendo la cabeza en el colchón y meciéndola hacia delante.

–Nadia, todo esto es normal, está bien –susurré con la boca cerca de su oído–. Creo que estás preparada para empujar al bebé, pero ¿me dejas que examine tu interior, solo para asegurarme?

Volvió a asentir. Minna apareció al instante con agua y guantes. Lo ideal habría sido que Nadia se girara para ponerse sobre la espalda, pero una vez en esa posición, podía ser que no se volviera a mover, y la postura que tenía en ese momento era mejor para el trayecto que tenía que hacer el bebé. Introduje los dedos, primero uno y luego el segundo dentro de su apertura húmeda, resbaladiza por la propia gelatina del cuerpo de una mujer parturienta, y los detuve en seco al notar al bebé, unas nalgas estiradas y duras que ocupaban todo el espacio y actuaban exactamente igual que una cabeza. La misma sensación me había sorprendido más de una vez, así que mi previsión todavía era que saliera primero el culo. Rodeé las partes huesudas pero no localicé la cerviz, algo importante puesto que no teníamos ni idea de lo grande o pequeño que podía ser aquel bebé. Si una pequeña parte de la cerviz permanecía dentro, las nalgas podían escurrirse pero la protuberante cabeza podía quedar atrapada; un escenario peligroso —y casi siempre letal— cuando se trataba de un bebé escuálido.

Retiré la mano y me giré hacia Minna, sonriendo y asintiendo. Le proyecté el alivio a la madre de Nadia, y toda la habitación soltó una exhalación al unísono. Minna alimentó el fuego para tener las manos ocupadas y puso más agua a hervir para preparar té. Me aparté hacia el borde del colchón mientras Nadia sentía toda la fuerza de las órdenes de su cuerpo.

Las nalgas del bebé no tardaron en mostrarse, con unas arrugas delatadoras. Nadia se mecía adelante y atrás sobre las rodillas con inquietud, como si estuviera utilizando una tabla de lavar al otro lado, una auténtica señal de las reacciones en lo profundo de su ser, que nos avisaba que esperáramos. No había opción de auscultar al bebé en ese instante, por la velocidad del parto y la posición. Tuve que contener mi propio aliento y confiar en él.

Le hice señas a Minna para que se acercara, puesto que la madre de Nadia no podía soportar más ver a su hija con tanto dolor y se quedó al lado de la tetera, rodeándose el cuerpo con los brazos.

—¿Cuándo llegará? ¿Cuándo? —Se plañía Nadia.

—Pronto, Nadia, pronto. Puedo ver a tu bebé. Está muy cerca.

Minna empezó a canturrear en voz baja, algo que había oído en partos previos, y los ánimos subieron un poco, hasta que una contracción tomó el control y el grito estridente de Nadia se impuso. En un único movimiento fluido, Nadia se empujó hacia atrás, se puso de cuclillas y Minna la agarró y la sostuvo contra su pecho antes de que cayera de espaldas. El bebé emergió, el trasero por completo y las piernas dobladas hacia arriba con los piececitos sujetos solo por la piel estirada del interior de Nadia. Frente a mí, no pude evitar mirar los hinchados pero inconfundibles genitales purpúreos de un niño.

—¡Maravilloso! —le dije—. Nadia, sigue empujando cuando tu cuerpo te lo diga. Ya casi estás.

El parto estaba progresando con muchas menos complicaciones de lo que había previsto, pero el sudor seguía empapándome el cuello. Solo me limité a sujetar las nalgas con una mano enguantada, preparada para coger al bebé si se liberaba de repente. Nadia jadeó como una leona, preparada para soltar el siguiente rugido al mundo. La siguiente contracción fue muy intensa. Renegó en voz alta y baja con coraje. Alumbrada por luz de la vela más cercana observé ensimismada cómo Nadia cargaba con su cuerpo arriba y abajo; los músculos de sus piernas tensos y húmedos. Los pies del bebé salieron uno a uno y le siguieron los brazos rápidamente, el izquierdo y el derecho, y la barbilla del bebé apareció por la abertura mientras aquella joven pero omnisciente madre se agachó para que el bebé aterrizara sobre el colchón. Se quedó sentado, enrollado sobre su vientre, como si llevara puesto por sombrero a su propia madre. Detrás de Nadia, los ojos abiertos como platos de Minna estaban fijos en los míos en busca de indicaciones, pero me vio visiblemente relajada; si la barbilla había salido, sabía a ciencia cierta que la cabeza no estaba atrapada. La fuerza de Minna mantenía a Nadia erguida y elevada, y la habitación entera estaba sumida en un estado de suspensión.

Mientras esperábamos a otra contracción, el bebé abrió la boca para coger aire y sacudió las piernas, como si estuviera desesperado por inhalar, y tuve que refrenar la voz. Quería decir: «Solo un empujón más, Nadia». El sudor me resbalaba por el cuerpo. Era un momento crucial para ese parto de nalgas, que con el bebé todavía no expulsado del todo, el cordón quedaba atrapado y aplastado contra la piel tersa de la madre. Quería a ese bebé fuera en ese mismo instante, pero sabía que tenía que ser en el momento exacto.

Fue menos de un minuto pero parecieron como diez. Al fin, Nadia abrió los ojos, me miró como si hubiera visto al mismo diablo, y trajo al mundo su bebé con un aullido. Liberado, se dejó caer hacia delante y rodó de lado, adquiriendo vida antes de que tuviera la oportunidad de alcanzarlo con una toalla. El hombrecito era el más ruidoso, pero las mujeres de la habitación se le unieron con su propia algarabía alegre –la suya en un tono de bienvenida, la mía de puro alivio—. Unos segundos después, oímos unos vítores debajo de las tablas, cuando la noticia se filtró a los hombres del piso de abajo.

Se sirvió más té, intercalado con la expulsión y comprobación de la placenta. La lavamos y recogimos, mientras el nuevo residente de aquella pequeña habitación succionaba con ansia el pecho de su madre. El rostro de Nadia estaba sonrojado, con un halo de pelo húmedo alrededor de la cabeza y una sonrisa de oreja a oreja de orgullo y alivio. El bebé, afortunadamente, era oscuro, con una nariz pequeña y ninguna señal de rasgos arios por el momento. La Naturaleza le había dotado con misericordia la apariencia de la madre, siendo la aceptación de la familia la mejor opción que tenía de sobrevivir.

Casi dos horas después del alumbramiento le dije a Minna que estaba lista para irme. Cuando había caído la noche, y con las calles enharinadas, uno de los hombres solía acompañarme hasta el perímetro, donde una salida del gueto bien escondida me sacaba al Berlín del otro lado. Si me paraba una patrulla, lo habitual era tener que lidiar solo con la curiosidad y no con un interrogatorio. Podía sostener con facilidad que me había perdido a causa del tiempo y la oscuridad de la tarde.

Minna bajó las escaleras para ir en busca de uno de los hermanos de Nadia. Oí cómo llamaban a la puerta en la distancia dos pisos por debajo, y me imaginé que la noticia ya se había extendido; las familias irían con los regalos que pudieran conseguir. Pero un ascenso estruendoso por las escaleras de madera desató una alarma repentina, y antes de que tuviera tiempo de bloquear la puerta a cualquier invitado inoportuno, esta se abrió de par en par.

Los hombres que entraron con total confianza en la habitación no es que tuvieran aspecto de ser de la Gestapo. Eran de la Gestapo.

16

Planes

Los acontecimientos brotaron a finales de abril en Berghof. Estaba leyendo en mi porche cuando reconocí la figura esbelta del capitán Stenz que se acercaba. Sentí un pequeño estremecimiento de... ¿era emoción? ¿O simplemente alivio ante la posibilidad de mantener una conversación real? Era la primera vez que lo veía desde la cumbre de guerra, y me parecía que de eso hacía toda una vida.

–Capitán Stenz –lo saludé, intentando ocultar una bienvenida demasiado entusiasta.

–Fräulein Hoff. –Sonrió–. Supuse que la encontraría aquí. ¿Todo bien?

–Según lo previsto.

Sus ojos, del mismo tono turquesa que guardaba en mis recuerdos, brillaron a la luz.

–Vengo de tener un breve encuentro con Fräulein Braun, y parece ser que no hay ningún problema. Los familiares de los Goebbels también están muy agradecidos por su experiencia.

–Hice lo que haría por cualquier mujer y, si le soy sincera, capitán Stenz, fue un cambio de aires alejarme y volver a ejercer de comadrona de nuevo. Sé que ya se lo he dicho antes, pero me siento muy desempleada aquí... bastante inútil.

Él se sentó, se quitó la gorra y se alisó los mechones rubios con la delgada mano mientras clavaba sus pupilas en las mías.

–Pero solo tenerla aquí, su experiencia, es vital para mantenerlo todo en... –midió las palabras con cuidado– equilibrio. –Volvió a sonreír y unos pequeños hoyuelos aparecieron en sus mejillas, algo en la que no me había fijado antes–. No la subestime, Fräulein Hoff. Su contribución. No cabe duda de que me facilita mucho la vida y mi trabajo.

Nunca me agradó hacer que aquella repugnante guerra le resultara más llevadera al partido Nazi, pero él me hizo sentir que aportaba valor de nuevo. En igual medida me odiaba a mí misma por necesitarlo.

Consciente de la reciente emergencia acaecida en la casa de los Schmidt, estaba ansiosa por aclarar los detalles del parto: cuándo se iba a traer el equipamiento, y el alivio para el dolor que sabía que le supondría a Eva tener a una persona de confianza cerca. El capitán Stenz tomó gran cantidad de notas en su libreta de cuero negro, con una escritura clásica y ornamentada, adecuada para un estudiante de arquitectura.

—Y el equipo médico, ¿cuándo cree que debería llegar y tomar su puesto? —preguntó.

Era una pregunta que no había querido abordar. Pero a Eva nunca le permitirían dar a luz en medio de una montaña sin un equipo médico, y puesto que me negaba a tener que realizar un movido viaje de emergencia cuesta abajo, con las consecuencias que ello acarrearía para ella o el bebé, tenía que aceptar su presencia. Dada mi reciente reputación, sin embargo, puse a prueba mi poder de negociación.

—A partir de las treinta y seis semanas sería lo habitual —dije—. Pero quiero enfatizar que se deben quedar fuera de la habitación de parto en todo momento, a menos que se les indique que entren. De hecho, mi preferencia sería que estuvieran fuera del edificio.

—Pero, Fräulein Hoff, ¿no es algo positivo tenerlo todo a mano, solo por si acaso?

Tenía esa expresión familiar de confusión sobre el parto que había visto en innumerables rostros.

Me acomodé en la silla y sonreí.

—Es difícil de explicar. Especialmente cuando hablo con alguien con su historial.

—¿Qué quiere decir? —respondió brusco. A la defensiva.

—Bueno, no sé mucho de arquitectura, pero supongo que cuando diseña un edificio, planea primordialmente que se mantenga en pie, y construye unos cimientos sólidos, como una buena base.

–Sí...

Su tono se suavizó al oír la analogía, aunque claramente inseguro de hacia dónde se dirigía mi razonamiento.

–Y se cercioraría de que su edificio fuera seguro porque lo habría puesto todo en su lugar, basándose en las leyes de la física, de la ciencia.

–Así es.

Todavía se mostraba escéptico. Se arrellanó un poco más en la silla, tal vez notando que estaba jugando.

–Bueno, yo trabajo exactamente de la misma manera, solo que mis cimientos se enraizan en la gente: experiencia, intuición, aprendizaje, protocolos. Ser comadrona es más un arte que una ciencia.

Me recliné hacia atrás, satisfecha con haberme explicado.

–¿Y qué me dice de las sorpresas desagradables, Fräulein Hoff? ¿Qué me dice del hecho de que los bebés son seres humanos y de que el comportamiento humano no siempre se puede predecir? Después de todo, mire esta gue...

Se detuvo abruptamente, antes de que pudiéramos enzarzarnos en un campo de batalla moral. Era un tema recurrente en las charlas, y yo siempre defendía mi fe inquebrantable sobre el poder de los bebés para nacer.

–¿Y me puede decir, capitán Stenz, que cuando se coloca el último ladrillo en lo más alto del edificio, sabe con absoluta certeza, ojo, certeza al cien por cien, que no se derrumbará?

–Bueno, nada en esta vida es seguro al cien por cien, pero...

–¿Entonces qué le hace colocar ese último ladrillo? ¿Si no está completamente seguro, sin duda alguna? –lo interrumpí.

–Supongo que hay una pequeña cantidad de fe... –Y sonrió al decirlo, concediéndome la derrota. Jaque mate–. Pero es fe en la ciencia – matizó de inmediato.

–Sigue siendo fe –repuse–. En mi trabajo, se me permite tener mucha. Y donde la fe escasea, donde la naturaleza se pone en contra, entonces tengo la experiencia y los protocolos.

–¿Y eso significa equipamiento, equipo médico y planes de emergencia?

Volvía a estar confuso.

–Sí, a veces, pero no damos por hecho que algo va a ir mal. Las parturientas a veces pueden dar la impresión de que algo no va bien durante el proceso, de que han perdido el control. Pero no es así. Es el parto el que habla, el viaje que progresa. Y eso es siempre temporal. –Me incliné hacia delante, disfrutando de la charla–. Esa es mi única y sola garantía, capitán Stenz. Que el embarazo y el parto siempre terminan. Los instantes de entre medio, esos son los que nos mantienen alerta. Eso es lo que amo.

El capitán parecía genuinamente entretenido.

–Bien, Fräulein Hoff, si lo que dice es verdad entonces estamos en buenas manos, aunque no pretendo entenderlo. –Se levantó, y me sentí de repente desanimada por su marcha–. No encaja con la manera militar del Reich, del orden, de las normas...

–Dudo que usted encaje –lo interrumpí.

Sonrió con la boca cerrada.

–Tal vez. Pero debo irme y... –sostuvo en alto la libreta con las listas– trabajar en sus peticiones. –Sonrió mientras se daba la vuelta–. Ah, una cosa más, Fräulein Hoff –dijo, volviéndose a girar–. ¿Le tranquilizaron las cartas de su familia?

–¿Cartas? ¿Qué cartas?

El pulso se me aceleró veinte latidos.

Al hombre le subieron los colores, y apretó la boca con firmeza.

–Creía que habían llegado algunas cartas para usted. Discúlpeme un momento. Espere aquí, por favor.

Sin más explicación, el capitán Stenz se dirigió raudo hacia la casa principal, mientras el corazón me martilleaba en la garganta. Pasados unos minutos, volvió, con la piel sonrojada como una cereza por encima del cuello apretado de la chaqueta. Extendió la mano y me ofreció un pequeño fajo de sobres; conté cuatro bordes rápidamente.

–Mis más sinceras disculpas, Fräulein Hoff –dijo–. Solo puedo pensar que la memoria del sargento Meier ya no es lo que debía ser. Puede estar segura de que cualquier correspondencia futura le será entregada lo antes posible.

Le arranqué el fajo de las manos, como una niña pequeña que coge un juguete nuevo, e inmediatamente me las guardé en el pecho, con la intención de abrirlas allí mismo y beberme los sentimientos que contenían. Me retuve, a tiempo de detener mi grosería y agradecer sus esfuerzos. El capitán tenía el cuerpo rígido y tenso, supuse que por un encontronazo enojado con su suboficial.

–Gracias –le dije–. No sabe cuánto significa. De verdad.

Inclinó la cabeza y estuvo a punto de golpear los talones; parecía menos propenso a hacerlo en mi presencia.

–Bien, me despido, Fräulein. Que tenga buenas tardes.

–Igualmente, capitán Stenz –respondí, pero ya me estaba dirigiendo hacia mi habitación. Necesitaba estar en un espacio cerrado, necesitaba respirar todas aquellas palabras y perderme en mi propio mundo.

Me temblaban las manos mientras extendía los cuatro sobres sobre la cama, confeccionados con papel de mala calidad. Dos de las cartas estaban escritas con la letra distintiva de mi padre, aunque algo más enmarañada de lo que recordaba, y dos en la escritura sólida y erguida de mi madre. Sin embargo, no había nada de Franz ni de Ilse y me forcé a no pensar en el motivo.

Con indecisión, saqué cada carta del sobre y examiné la fecha. La primera, de mi padre, tenía fecha de hacía cinco semanas, y la última, de mi madre, de hacía dos. Hasta entonces, ¡estaban vivos! Me tumbé en la cama, con la esperanza de que el colchón absorbiera el pulso nervioso de mi cuerpo, aunque no hizo nada por apaciguar el temblor de mis manos. Las cartas eran solo de una página cada una, como si les hubieran impuesto un número máximo de palabras. Mis ojos se deslizaron por ellas, haciendo que la tinta pareciera un simple borrón.

Papá empezó:

Mi querida Anke:
No te puedes imaginar lo aliviado y encantado que me sentí cuando recibí tu carta, tan inesperada. Parece ser que estás

*bien y gozas de buena salud. Yo estoy con unos compañeros
adorables, y mantenemos los ánimos juntos.*

*No te podrías imaginar lo útil que soy aquí, trabajando todo
el día en mi mesa; casi siento que tengo un trabajo de verdad,
mi querida niña, ¡como tú! Mi pecho está aguantando, incluso
durante el invierno, así que tengo todas las razones para estar
alegre. Podemos ver la luz del sol desde nuestro puesto de
trabajo, pero también estaría bien vislumbrar un horizonte
infinito de vez en cuando. Tal vez algún día.*

*Pienso en ti, mi preciosa, en todos vosotros, y tengo la espe-
ranza de que un día nos podamos volver a reunir; aunque no
sea en casa, pero todos juntos. Por favor, cuídate, sé buena.*

Espero recibir noticias tuyas pronto.

Con todo mi amor,

Papá

La leí de arriba abajo varias veces, examinándola en busca de
mensajes ocultos. Estaba en un campo de hombres –solo usaba
la palabra «compañeros» en un sentido masculino– y no había
mención a mi madre, así que no estaban juntos y, debía suponer
que hacía tiempo que se habían separado. Era obvio que estaba en
un campo de trabajo haciendo algún tipo de tarea en una fábrica,
lo cual me tranquilizó los nervios un poco.

Nuestro código compartido, hablar de horizontes tranquilos o
rocosos, me decía que estaba sobreviviendo, y me suplicaba que
«fuera buena», que siguiera las normas y me mantuviera con vida.
Por encima de todo, el tono de papá era reconfortante; su antigua
tenacidad con la política se había volcado en sobrevivir. No se
había rendido.

La carta siguiente, con la misma fecha, era de mamá. Transmitía
el mismo tipo de mensajes, de estar en un barracón abarrotado de
mujeres «con muchas nuevas hermanas», pero su tono desprendía
soledad, sin su familia, hasta que escribió: «Ilse está bien y te envía
mucho amor. Todavía tengo que reprenderla para que se cuide ese
pecho jadeante que tiene, ¡pero ya conoces a tu hermana! Ambas

estamos trabajando duro, pero también conseguimos descansar».

Así que Ilse estaba viva, ¡y estaban juntas! Parecía casi un milagro, pero entonces recordé la noche en la que nos arrestaron y tenía sentido que lo estuvieran. Separaban automáticamente a los hombres de las mujeres, pero no necesariamente a los familiares.

Era común en mi campo ver a madres con sus hijas acurrucadas una con la otra en las literas, alimentándose mutuamente del calor de sus cuerpos. Las niñas eran lo suficientemente mayores como para trabajar, normalmente adolescentes, con cuerpos como de piedra tallada fruto de acarrear maquinaria pesada por toda la fábrica.

Mientras que papá había elegido las palabras con cuidado para evitar la censura, el estilo naturalmente emotivo de mamá había conllevado algunos tachones negros. Sostuve el papel fino como un pañuelo a la luz con la esperanza de ver qué ponía debajo, pero la mancha negra del Reich era infalible al ojo desnudo.

Las siguientes sendas cartas decían prácticamente lo mismo; igual que yo se esforzaban por decir algo nuevo, y cuando se despidieron la segunda vez, había una súplica enmascarada por tener noticias mías. «Espero que estés bien y estés pasando el tiempo sonriendo», escribió mi padre. «Tal vez volvamos a estar todos juntos algún día», decía mi madre. Estaban famélicos por obtener noticias uno de la otra, y también de Franz. Era mi deber, en las nuevas cartas que pudiera escribir, ser su conducto.

Me sentía animada, aunque no completamente libre del ardor que tenía en el estómago. Me había imaginado que explotaría de la emoción, pero para mi sorpresa no estaba llorando, solo tenía un riachuelo continuo de lágrimas que fluía hasta asentarse en cada una de mis orejas. Dejé que se acumulara, y para cuando me levanté un momento, se había formado una pequeña costra de sal alrededor de cada lóbulo. La habitación estaba en la penumbra, y me recordó que todos seguíamos en la oscuridad.

Fue la tos seca la que me devolvió al presente, un ritmo constante que alternaba la tos seca con la húmeda, con una intensa mucosidad que daba vueltas por los pulmones de algún pobre desafortunado. Me acerqué a la cama, los zapatos del hospital sonaban acompasados al ruido detrás de los biombos: cloc, cloc, tos, cloc, cloc, tos. Bajé la vista y vi varias manchas de sangre en mi delantal blanco níveo. Esas no se irían nunca, pensé brevemente. La matrona estaría muy enfadada.

Aparté el biombo a un lado.

–¿Cómo está hoy, Herr Hoff? –pregunté, palpando el brazo inerte del hombre tumbado en la cama. Tenía el pelo grisáceo alborotado, la barba larga y descuidada y su pijama a rayas salpicado de manchas de sangre por encima de las costillas marcadas y la carne moteada.

–Anda, nuestras manchas combinan –dije en voz baja, mientras contaba su débil pulso.

–Sobreviviendo, enfermera Hoff –consiguió decir, con el pecho hinchado en cada respiración dificultosa y el resuello de los fuelles que se esforzaban por funcionar–. No me puedo quejar.

–Esa es la actitud, Herr Hoff –triné, y me giré para irme–. Solo asegúrese de mantenerse con vida un poco más de tiempo. Hay una guerra en curso, ya sabe.

Sus dedos larguiruchos me cogieron del borde del delantal y me giré, otra bola de baba le subía por la garganta.

–Por favor, quédese –dijo con voz rasposa, suprimiendo el ruido que avecinaba la muerte–. Quédese conmigo.

Sus dedos se cerraron al aire, intentando encontrar un contacto.

Otra voz se elevó por encima de la cortina, una súplica urgente.

–¡Enfermera! ¡Enfermera!

Me dirigí sin demora a la sala, donde los rayos blancos de la luz del sol descoloraban las paredes de yeso, y ajusté la vista en busca de la figura que me llamaba. El contraste era dramático: un halo de luz, en medio de lo que era una cabeza, berreando como un corderillo asustado.

–Anke, Anke –decía un cuerpo carcomido que se fundía en una mirada fija y unos pantalones a rayas que se conectaban con el suelo.

Me encaminé hacia la figura, cuya mirada estaba clavada en las baldosas prístinas y limpias. Una mancha roja estaba serpenteando hacia mis zapatos negros austeros, reptando como un reptil saboreando el aire.

—Ay, no. Más sangre no. —Suspiré—. Menudo desastre.

Seguí la fuente del río escarlata hasta llegar a unos pies descalzos, y echando la vista arriba, un leve pulso se apreciaba en un tobillo mientras la sangre continuaba fluyendo desde el interior del camisón. Dos manos emergieron del halo, con las palmas y los dedos ensangrentados, como un niño travieso que hubiese metido las manos en un bote de pintura.

—Anke, Anke.

El grito monótono continuó. Fue solo entonces cuando levanté la vista, hacia la niebla marfil y descubrí que era el rostro de Eva, con los ojos fijos en los míos.

—El bebé, el bebé —dijo una, dos y tres veces, mirando hacia abajo con pena hacia el charco de sangre—. ¿Qué le pasa al bebé?

Detrás de la cortina, el aire se enturbió con una tos flemosa, y una voz viajó por encima del biombo.

—Enfermera Hoff, vuelva, por favor quédese.

Mis zapatos giraron sobre el viscoso color burdeos, con una oreja atenta a cada una de las súplicas, estirada hacia las necesidades de un anciano moribundo, y atraída en la dirección contraria por los patéticos berridos causados por el sufrimiento de Eva. ¿Quién de los dos me necesitaba más? Noté mi propia ansiedad acelerarse y me llevé una mano al pecho cuando mi corazón se partió en dos literalmente.

Me desperté, y esa vez era sudor, no lágrimas, lo que me empapaba la cara, y un jadeo profundo iba acompasado a mi acelerado corazón. La habitación estaba iluminada, con el resplandor de la mañana, con un ambiente fresco, y me quedé tumbada un rato, aliviada de que ya fuera de día y tranquilizando conscientemente mi respiración. No estaba acostumbrada a las pesadillas; en el campo, a algunas mujeres las asaltaba un continuo metraje aterrorizador en sus sueños, pero yo, por suerte, solo había padecido unas pocas, y sorprendentemente ninguna desde que abandoné el campo.

Mientras limpiaba las manchas de sal, las imágenes del sueño me sobrevolaban como un distante negativo de una fotografía, mostrándose en ningún momento con claridad. Esas cartas habían despertado algo en mi interior, pero de algún modo estaba aliviada. Experimentaba las emociones adecuadas. Todavía me podía sentir como yo misma. Como un ser humano.

17
Un fragmento de vida

Poca gente hablaba en el comedor de los sirvientes la mañana siguiente y, una vez más, comí completamente sola. El sargento Meier me interceptó en el camino hacia la habitación de Eva; tenía su propio jueguecito en el que salía de la nada para asustarme.

–Buenos días, sargento Meier. ¿Le puedo decir que parece usted un poco cansado? ¿Está bien?

Automáticamente, se palmeó el rostro céreo y el bigote se le erizó. Misión cumplida.

–Estoy perfectamente bien –respondió–. Vine para decirle que Fräulein Braun ha solicitado que la examine más tarde. No se siente demasiado bien y está durmiendo.

–Bueno, tal vez debería verla ahora, si se encuentra indispuesta.

–Creo que sería mejor que...

–Creo que esa es mi decisión, sargento, puesto que yo soy la profesional sanitaria.

Se sorprendió ante mi intento de abuso de autoridad, pero se mantuvo firme.

–Me ha dado órdenes explícitas de que la dejen en paz. Podrá verla cuando vuelva de su viaje.

–¿Viaje?

El pensamiento de una salida repentina me originó un pequeño pánico, pero al menos había mencionado la vuelta. Era extraño cómo la cima de la montaña se balanceaba entre una prisión y un refugio.

–Fräulein Braun estaba planeando ir de compras a Berchtesgaden para comprar suministros para el bebé. No desea retrasarlo y ha pedido que vaya usted en su lugar. Ha dejado por escrito los detalles, pero dice que use su experiencia si nota que la falta algo.

Me pasó un papelito, grueso y caro, y entreví de ocho a diez artículos apuntados.

—¿Y con quién voy a ir?

Me negaba a aceptar que el sargento Meier fuera mi compañero de compras, rastreando cada uno de mis movimientos y metiendo con calzador una cháchara incómoda.

—Me alegra poder acompañar a Fräulein Hoff esta mañana. —El capitán Stenz se acercó por atrás—. Tengo una reunión por la tarde; Berchtesgaden me viene de paso. Sargento Meier, estoy seguro de que puede organizar que un conductor recoja a Fräulein Hoff después.

La cabeza engominada se agachó, sonaron los talones y el sargento Meier desapareció.

Atípico en mí, me quedé perpleja y en silencio.

—¿Vamos? —El capitán Stenz hizo un gesto hacia el pasillo—. ¿Necesita recoger algo de su habitación?

Solté una media risa.

—¿Quiere decir, un bolso quizá, capitán Stenz? ¿Y qué narices pondría en él?

No tenía intención de estallar, mucho menos con él, pero era una reacción natural a mi rabia resentida, la subversión inherente a una presa. Su expresión impávida no mostraba ni irritación ni divertimiento, una señal de su bien pulida diplomacia.

—Estaba pensando más bien en una chaqueta, pero si no la necesita, entonces tal vez podríamos irnos ya.

Su coche tenía algunos años y era cómodo, impregnado con el olor del cuero envejecido y su propio aroma, una colonia suave que todavía no podía identificar.

—Gracias, Rainer —le dijo al conductor, y partimos.

Miré la lista de Eva, formada por los recuerdos de los paseos de ida y venida a la casa del té: camisones y muselina, pañuelos y mantas. Había garabateado al pie con lápiz, tal vez en un pensamiento tardío, la palabra «sonajero».

—Me alivia bastante que Fräulein Braun no vaya a viajar hoy —dijo el capitán mientras el coche avanzaba, y noté cómo el corazón me daba un vuelco. Fijamos las miradas, me hundí rápidamente en esos dos pozos azules–. Bueno, Herr Goebbels insiste en que no la vean en público, por más que su... condición se pueda ocultar. Solo entonces puso una expresión extraña.

Condujimos hasta el centro del pueblo y bajamos del coche hacia un día brillante de primavera, con el bullicio local en el aire y el trajín constante de personas que no se entretenían en dedicarle ni al coche ni a su uniforme una segunda mirada.

–¿Conoce bien el pueblo, capitán? –pregunté mientras miraba alrededor en busca de las tiendas que podíamos menester.

–Bien no –respondió–. Tal vez tengamos que guiarnos por instinto.

Esbozó una sonrisa, esa juguetona de nuevo, y estaba visiblemente más relajado desde que había bajado del coche. Era yo, ¿o su uniforme hecho de simple material actuaba como una camisa de fuerza que retenía al hombre real que había dentro?

Me dirigí hacia la plaza del pueblo, donde una fuente marcaba el centro, sintiendo que podíamos dispersarnos hacia las calles laterales llenas de tiendas si lo necesitábamos. El pueblo era el típico de Baviera, con casas con postigos y gabletes mostrando cestos acabados de plantar y salpicando de color las maderas blancas y negras. Unas montañas talladas se asomaban por entre los edificios, con un cielo azul claro como telón de fondo. Igual que en Berghof, era difícil imaginar en aquel lugar que había una guerra en marcha. Solo las numerosas esvásticas, con sus cantos duros y afilados recortadas contra la exhibición floral, nos recordaban que ese era un país del Reich, infinitamente orgulloso de su chico local.

–Tal vez podríamos dirigirnos al vendedor de telas más cercano, y allí preguntar cuáles son las mejores tiendas para la ropa de bebé –propuse.

–Si eso es lo que haría una pareja de embarazados, entonces me inclino hacia su sabiduría, Fräulein Hoff.

Su expresión era de pura travesura.

Mientras exhibía la suntuosa colección de telas de la tienda, el rechoncho tendero tenía una sonrisa de oreja a oreja y hablaba sobre la «llegada» y cómo su propia esposa había usada aquella tela en particular para hacer pañuelos, y si esperábamos un niño o una niña. Entreví un centelleo divertido en los ojos del capitán Stenz.

—Ah, no —dije rápidamente—, no es para mí, es... es para mi hermana. No se encuentra demasiado bien.

—Oh, cuánto lamento oír eso —dijo el hombre—. Pero sabe que estará encantada con la calidad del material.

Detrás de mí, el silencio del capitán Stenz solo hizo que reforzar la mentira, y sacó un manojo de billetes para pagar. Se puso el paquete bajo el brazo, para que no se lo enviaran. Sin señales de Eva durante los últimos meses, el pueblo no se había percatado de su embarazo. Las lenguas sueltas no se toleraban en la casa, y sus residentes sabían demasiado bien los riesgos que conllevaban los cuchicheos. El manto de secretismo de los Goebbels parecía extenderse firmemente.

En una tienda cercana en la que vendían ropa para niño, casi disfruté escogiendo varios modelitos y camisones para dormir de color blanco níveo como los ángeles. La ironía no se me escapaba, ni el aumento de la culpa ante tanto lujo y hedonismo, pues conocía mujeres en el campo que sacaban trapos del suelo mugriento como método para mantener a sus bebés calientes. Vivos. Algo que solo podía catalogar como supervivencia. ¿Podía o debía haber rechazado ir? ¿Un pequeño acto de desafío, pero uno que le recordara, al enemigo, dónde estaban mis sentimientos? En vez de eso había accedido y —si era completamente honesta— estaba disfrutando de la experiencia de salir, de tener algún tipo de libertad más allá de las vallas de Berghof. Aun así, la vergüenza siempre ardía con intensidad, como un núcleo de fuego que me lamía las entrañas.

Mientras el capitán Stenz estaba pagando la cuenta, mis ojos barrieron las estanterías bien surtidas y se posaron sobre un sonajero de madera. Toqué el mango liso y magníficamente tallado;

horas de una vida humana dedicadas a esa baratija, tan alejada de las máquinas de armas, feas y frías, de los bancos de trabajo de los campos, de las duras porras.

Recordé a Ira el carpintero llamando con indecisión a la puerta del barracón un día –le dejaban entrar en la sección femenina para hacer reparaciones– y pasándome tres versiones del sonajero que tenía en la mano en ese momento, simples y ásperos, pero imbuidos con su talento y su altruismo. Lo veía sentado en su propio barracón oscuro, forzando sus ojos viejos y acuosos mientras tallaba por el placer de los demás. No le revelé que cada bebé no viviría lo suficiente como para sostener el sencillo juguete, que lo más probable era que estuvieran muertos antes de que ni siquiera pudieran sonreír. Su valor residía en el recuerdo que constituía para sus madres, una evocación tangible de un bebé cuyas pequeñas palmas podrían algún día haber agarrado la madera. Los recuerdos, cuando eran tan breves, se podían desvanecer con el tiempo, pero el juguete prevalecería.

–Fräulein Hoff, ¿se encuentra bien?

El capitán Stenz se acercó a mi lado mientras una gruesa lágrima me corría por la cara.

–¿Perdón? Ah, sí. Solo me estaba acordando de algo.

Me la sequé y le dediqué una sonrisa tímida.

–¿Quiere comprar esto?

Hizo un gesto hacia el sonajero.

–Mmm, no, creo que no. Fräulein Braun es mejor escogiendo esas cosas.

Hubo un silencio incómodo mientras me medio giraba para deshacerme de la otra lágrima que él no había visto, y el capitán arrastró los pies.

–Tal vez, si hemos terminado con las tiendas, podríamos ir a por un refrigerio. ¿Le apetece un café?

Me lo quedé mirando en un silencio incrédulo. ¿Acababa de decir café? ¿Juntos?

–Bueno, si prefiere volver...

–¡No, no! Es solo que no esperaba... nada más.

Me dedicó una sonrisa; la diplomática, con la que solo estiraba los labios y no mostraba ningún diente.

—Me parece completamente adecuado que lleve a mi compañera a tomar algo —dijo—. Después de todo, soy un capitán, y ese rango conlleva algunos beneficios.

Se estaba metiendo conmigo.

—¿Y a muchas prisioneras las tratan con tanta deferencia?

—Es usted una empleada de Berghof, Fräulein Hoff, y como tal, es perfectamente adecuado.

—Bueno, tal vez empleada es un poco extremo, pero gracias. Y por favor, llámeme Anke. Creo que después de ir a comprar pañuelos para nuestro bebé, habremos superado las cordialidades.

Se rio, y me sentí por primera vez relajada desde hacía no sé cuánto tiempo. La brisa soplaba por entre las calles soleadas, y durante un momento, me olvidé de que una guerra tenía lugar.

El capitán Stenz me guio decidido hacia una cafetería en la plaza, tradicional y ornamentada, con sillas y mesas en el exterior. Se sentó bajo un parasol y se quitó la gorra y los guantes. Para cualquier otra persona, su espalda estaba recta y su ademán casaba con un oficial de las SS, pero yo estaba lo suficientemente cerca como para ver cómo sus músculos se relajaban en la silla y oír un leve suspiro.

—¿Café? —me preguntó—. Conozco lo suficiente Berchtesgaden como para saber que aquí tienen café de verdad. Nada de imitaciones.

Café real. La última taza que me había tomado lleno de un fluido espeso y fuerte, y rematado con leche de verdad... ¿Cuándo había sido? ¿En Berlín, con papá, mientras se desataba la guerra? Cuando el amargor del café se había equiparado a nuestro estado de ánimo. Desde entonces, el racionamiento nos trajo el infame Ersatzkaffee, unas tazas que hacían que mi padre retorciera la boca y se enfureciera por la guerra, el Reich y el mundo entero. «¡Café hecho con bellotas!» descargaba sobre mi pobre madre. «¡Ahora ya sí que nos hemos vuelto todos locos!». Para los alemanes, el café de calidad significaba estabilidad, intercambio, amistad, el mundo en el lugar que le corresponde. Ese polvo falso del Ersatzkaffee señalaba que el universo estaba girando fuera de control; insípido, débil y adulterado.

–Una taza de café sería maravilloso.

Una vez más, entendió lo que quería decir. Pidió las bebidas a una camarera que no tardó en flirtear al ver su uniforme y nos sentamos de cara a la escena que nos ofrecía la plaza, con personas que se paseaban y se limitaban a seguir con sus vidas. El turquesa de sus ojos parecía más profundo bajo el parasol, mientras observaba a la distancia y contemplaba la paz. Pero yo tenía demasiada curiosidad como para permitir un silencio prolongado.

–¿Se me permite conocer su nombre, capitán Stenz?

–Oh... Es Dieter –lo dijo como si él mismo lo hubiera olvidado.

–Tengo un tío que se llama Dieter, aquí mismo en Baviera –apunté–, aunque es un granjero. –Me reí para mí misma–. No me lo puedo imaginar para nada en uniforme. De hecho, ni siquiera con un traje.

–¿Es el hermano de tu padre?

–Así es. Aunque nadie lo diría... no se parecen en nada. Mi tío Dieter no está nunca tan feliz como cuando lo rodean sus damiselas, su querido rebaño. Y a mi padre no le sentaría nada bien estar metido hasta los tobillos en el barro, él se defiende con los libros. Pero por extraño que parezca, se avienen.

–¿Está casado, tu tío?

–Solo con el rebaño –respondí–. Y tu padre, ¿a qué se dedica?

–Es ingeniero aeronáutico. Crecí entre motores. Hasta que fui adolescente pensaba que todos los padres olían a aceite de motor.

Sus ojos desprendían una luz de afecto real.

–¿Y aun así escogiste los edificios?

–Sí, pero creo que todo se basa en construir, en poner las piezas en su sitio. Desmonté tantos motores que pude ver el valor de unos buenos cimientos. Además, mi hermano es el ingeniero, uno mucho mejor de lo que yo habría sido. –Apretó los labios, medio sonriendo ante el recuerdo–. En la Luftwaffe... en algún puesto de alto rango en diseño de motores, creo. Estoy agradecido de que sea demasiado importante como para que lo designaran como piloto.

Sentí que estábamos en la misma página, la charla no era tensa ni nos embargaba la vergüenza. Mi curiosidad se disparó.

–¿Es de ahí de donde vinieron las expectativas? De imitarlo, quiero decir.

Se giró y me miró directamente a los ojos, con los suyos atravesándome, como si no se pudiera creer que me hubiese atrevido a ser tan directa. Y con todo no había rastro de enfado.

–Algo así –respondió, y enfocó la mirada azul hacia otro lado.

La camarera nos ahorró otro silencio incómodo llegando con el café. El olor casi me tumba: intenso y penetrante, la promesa de su sabor se elevaba mientras el aroma a moca rompía la superficie fina de leche espumosa, evocando imágenes y recuerdos de la vida real antes de la guerra. Normal. Segura. Me quedé sentada absorta por su belleza durante al menos un minuto, mirando cómo las pequeñas burbujas estallaban mientras la brisa las acariciaba.

–¿No te gusta? –dijo él, que ya estaba dando sorbos a su taza.

–Sí, sí, claro –respondí–. Es solo que ha pasado mucho tiempo. Lo estoy saboreando. –Entonces sonreí, para hacerle saber que lo estaba disfrutando y no regodeándome en la tristeza–. Mi padre no me perdonaría nunca que no disfrutara de la experiencia por completo.

El primer sorbo cumplió con cada promesa, amargo y denso, pasando por encima de mis papilas gustativas y bajando por mi garganta como una seda pesada, y creo que suspiré sonoramente. El capitán se giró y sonrió de nuevo al oír el sonido. Por más lujos de comida que tuviera Berghof, el café que había allí no podía competir con ese; Frau Grunders no bebía café y las provisiones para los sirvientes eran, por supuesto, de poca calidad.

Hablamos un poco de nuestra niñez –la suya cerca de Stuttgart– y me inquirió sobre Berlín. Nuestros recuerdos se quedaban en terreno seguro: antes de la guerra y los años de escuela y adolescencia. En ese momento no me importaba hablar de mi vida allí, no estaba demasiado enfadada ni resentida por lo de mi familia como para no hablar de ellos. Aunque mi padre estuviera viviendo privado de libertad, posiblemente bajo la amenaza de muerte y el del capitán Stenz pudiera seguir contribuyendo al esfuerzo de la guerra. Si hablábamos de mis padres, de Franz y de Ilse, al menos significaba que estaban vivos, en el mundo. Sentía que había algo de esperanza mientras sus personalidades estuvieran coloreadas, como partes del paisaje, en vez de ensombrecidas y pálidas, como si fueran de un tiempo pasado.

Dieter no parecía tener ningún tipo de prisa, y se pidió un segundo café. Justo me acababa el último preciado trago cuando el chófer apareció, con la cara roja y resollando. El capitán Stenz se irguió y la chaqueta gris se tensó.

—Rainer, ¿qué ocurre?

—Disculpe la intromisión, capitán, pero necesitan a Fräulein Hoff de vuelta en Berghof, de inmediato.

Había llegado mi turno de prepararme. Solo podía significar una cosa. Eva.

—¿Se encuentra mal?

No podía esperar que él supiera si se había adelantado el parto. A las treinta y dos semanas, eso podía ser un problema.

—Mis órdenes son venirla a buscar de inmediato. A Daniel lo han enviado en busca del doctor, pero puede que tarde un tiempo.

—Nos iremos ahora.

El capitán Stenz volvía a ser el diligente oficial de las SS. Sacó algunos billetes y los dejó encima de la mesa. Entonces siguió a Rainer, sus largas piernas tenían que frenarse para que yo pudiera seguir el paso.

Mi mente daba vueltas con las diferentes posibilidades. ¿Por qué no había insistido en verla esa mañana? ¿Por qué había cedido al sargento Meier? Tal vez hubiera visto algo. Si el bebé decidía salir en ese momento, tendríamos que apañárnoslas para que la ayuda llegara a tiempo. Lo estaríamos dando todo en una mala situación, y ni eso no era lo suficientemente bueno para el Reich.

18
Calmando el fuego

Rainer condujo a toda velocidad, forzando el motor rechinante, pero el viaje se me antojaba dolorosamente lento y pasaron cuarenta minutos antes de poder salir del coche y subir corriendo las escaleras. Frau Grunders abrió la puerta, con mi pequeña bolsa que contenía el equipamiento en los brazos y la mirada férrea fija.

Eva estaba en su habitación y solo la cabeza se asomaba por entre las mantas. Brillante por el sudor, estaba caliente al tacto y tenía el color de la sopa de remolacha que servían en la cocina. Los párpados le pesaban y tenía que esforzarme por mantenerlos abiertos.

—Eva, Eva —dije en voz baja, y luego más alto—. ¿Puedes oírme?

Levantó un poco la cabeza con un quejido y por fin abrió los ojos, pestañeando varias veces antes de que pareciera reconocerme.

—¿Anke? Me alegra verte. No me encuentro bien. Dime que el bebé está bien.

Le costaba mucho hablar, arrastraba las palabras y perdía la conciencia por momentos. Frau Grunders se había quedado en la puerta, y le pedí algunas toallas frías y que me ayudara a mover a Eva. Se fue de inmediato, y la criada apareció casi al instante.

Juntas, Lena y yo retiramos las mantas y colocamos a Eva de lado. Aunque su piel irradiaba el calor de las brasas, estaba temblando como si estuviera sumergida en un baño helado y gimiendo para que la volviéramos a cubrir con las mantas. Tenía el pulso desbocado a ciento veinte latidos por minuto, con las venas luchando por hacer correr la sangre alrededor de su infectado cuerpo. No cabía duda de que se trataba de fiebre de causa desconocida, aunque tenía mis sospechas.

Bajo constreñimiento, ayudamos a Eva a ir al baño, donde la convencí para que me diera una muestra de orina mientras estaba sentada, bien tapada y semiconsciente. De vuelta a la habitación, abrimos las ventanas y Lena le aplicó las toallas frías en la cabeza y el pecho mientras yo me puse a trabajar en el aparador, poniendo bajo la llama la muestra. Estaba cargada de proteína –una infección urinaria, como había sospechado, muy común en las mujeres embarazadas y de tratamiento fácil en los primeros estadios, pero un peligro mucho mayor si no se detectaba a tiempo–. Si llegaba a los riñones, la irritación intensa podía causar un espasmo en el útero y propiciar un parto prematuro. A las treinta y dos semanas y sin la supervisión de un especialista, el bebé tendría pocas oportunidades de sobrevivir.

Eva seguía gimiendo suavemente, mostrando menos angustia ahora pero agarrándose la barriga mientras arrugaba la frente. Esperaba que la contracción de sus músculos faciales no fuera a la par con nada de más abajo.

–El bebé –no paraba de decir–. Salva al bebé, Anke.

Automáticamente, se quedó completamente quieta cuando le puse el Pinar sobre la barriga y me acerqué lo suficiente como para notar las olas de calor que desprendía su piel. El latido del bebé era fuerte y estable, con buen ritmo, pero oí cómo se aceleraba ligeramente con la oreja pegada a la trompeta de madera; el conjunto de los músculos de la barriga que se juntaban. Se estaba contrayendo.

–El latido del bebé está bien, Eva, constante y fuerte. Solo tenemos que enfriarte.

Soltó un gemido como muestra de haberme entendido. No había ningún motivo para contarle que se estaba gestando una contracción. Si llegara a ser lo suficientemente intenso, ya me lo haría saber.

Le dije a Lena que siguiera enfriándola con las toallas y que le diera cucharadas de agua helada en la boca, y me fui en busca de noticias. A medio pasillo apareció el capitán Stenz con el rostro tirante por la preocupación, por primera vez desde que le conocía.

–¿Cómo está Fräulein?

Su voz estaba cargada de angustia.

Le expliqué lo de la infección y la necesidad de que un doctor la visitara de inmediato.

—Pero tenemos que asegurarnos de que traigan antibióticos, y los medios para administrarlos de inmediato. ¿El doctor ya ha salido del hospital?

—Llamaré para comprobarlo. Enviaré al motorista más rápido como refuerzo. ¿Crees que el bebé está en peligro?

—De momento no, pero si empieza a estar de parto como tal, entonces lo estará. Lo sabremos durante las próximas horas, pero no nos podemos arriesgar a moverla ahora.

—Se lo diré al doctor. —Mientras me giraba, me agarró del brazo—. ¿Anke?

—¿Sí?

—Estoy contento de que seas tú. La que está aquí arriba, con ella. Con todo lo que sabes.

—Veremos si nos sirve —le dije—. Vamos a necesitar la suerte de nuestro lado, también.

19

Una espera alerta

Me quedé sentada al lado de Eva después de eso, examinando su rostro mientras se movía inquietamente en un duermevela, e instintivamente posando la palma sobre su abdomen mientras su cara se retorcía por el malestar. La barriga estaba caliente al tacto y a veces dura y rígida, aunque se suavizaba tras unos sesenta segundos aproximadamente hasta convertirse en un cascarón tierno bajo mi mano. No pude evitar que la imagen de un huevo de dragón me viniera a la mente, proveniente de las ilustraciones de un libro de cuentos desgastado, una de mis historias favoritas que mi madre me leía en la cama. Extrañamente, durante todos los años que había sido comadrona no había pensado en ello ni una vez, no había relacionado ningún parto o bebé con esa fiera imagen. Hasta ese instante.

Los momentos en los que la barriga de Eva se endurecía eran cada vez más seguidos, de uno cada quince minutos a uno cada diez, y luego se situaron a cada siete u ocho, escalando peligrosamente hacia el parto. Como con cualquier mujer, era difícil medir el nivel de dolor, pero observaba la boca y los ojos de Eva con atención con cada contracción, buscando la contorsión de sus facciones. Hasta el momento, el dial del dolor estaba estático. ¿Una pequeña dosis de suerte que nos regalaba la Naturaleza, quizá? Su piel permanecía pálida, pero había perdido el rubor violento que tenía antes y solo quedaba una leve línea de sal alrededor de su pelo.

Fue entonces cuando me percaté de ello, mientras le acomodaba el fino camisón: había una alteración en la piel en la parte baja del cuello. A primera vista creía que era una salpicadura de agua, e intenté secarla, pero pronto me di cuenta de que era parte de ella, estaba fija. La piel se le levantaba como una quemadura antigua con manchitas rosadas en forma de estrella que rodeaban una grieta circular pequeña, como un cráter de volcán minúsculo. Casi como si la hubieran quemado con un objeto puntiagudo o –y mi imaginación voló muy alto sobre eso– como si la hubieran apuñalado, o incluso disparado. Mientras Eva estaba semiinconsciente, no pude evitar rozar el área con las yemas de los dedos, y Eva se retorció irritada, obligándome a apartar la mano, como a un niño al que sorprenden con en el tarro de las galletas.

El reloj marcó en alto el pasar de los minutos sobre la chimenea hasta que al fin el crujido de la gravilla fuera señaló la llegada de alguien. El doctor era un médico local de mediana edad que se había especializado en obstetricia durante los días que trabajaba en un hospital, y aceptó de inmediato el uso de antibióticos. Trabajamos juntos para colocarle una vía intravenosa en el brazo a Eva y un catéter en la vejiga, para monitorizar su orina.

Con la medicina serpenteando hacia las venas de Eva, Lena me relevó de la vigilancia durante media hora para darme un descanso, y me dirigí hacia el despacho. El doctor estaba apalancado nervioso en una silla de cuero delante del escritorio cuando llegué. Tanto él como el capitán Stenz me dedicaron una mirada interrogativa llena de angustia.

–Está durmiendo, no ha empeorado –dije rápidamente–. Puedo asegurar que en la última media hora las contracciones han remitido y Fräulein no parece estar sintiendo dolor. La temperatura le está bajando. Es buena señal.

Dos pares de hombros se relajaron visiblemente.

–El doctor Heisler me dice que los antibióticos deberían surtir efecto con rapidez, y sabremos mucho más sobre la condición de Fräulein Braun por la mañana –añadió el capitán Stenz.

–Yo también opino lo mismo –concedí–. Pero solo para asegurarnos, pasaré la noche en su habitación, y les informaré a los dos durante el desayuno.

El doctor se volvió a mover incómodo en el sitio, con el sudor perlándole la frente.

–Puedo organizar que la trasladen al hospital local lo antes po-

160

sible, incluso esta misma tarde de ser necesario. Y una habitación privada, por supuesto. Completa privacidad.

El capitán Stenz me miró, sus rasgos me invitaban a expresar mi opinión.

—Bueno, estoy de acuerdo que el doctor debería examinar su estado por la mañana —dije—. Pero si la orina de Fräulein está clara, y su estado mejora, no veo ninguna razón como para no cuidarla en casa, como estaba planeado.

—¿Doctor?

El capitán Stenz estaba volviendo a jugar a la diplomacia, pero sus expectativas estaban claras.

El doctor Heisler midió sus palabras con cautela.

—En una situación habitual, pecaría de precavido, pero estaré encantado de examinar a Fräulein en casa, si el consenso general es que se quede aquí.

—Gracias, doctor, su experiencia es más que bienvenida —dijo el capitán Stenz, llevando el juego de palabras a su fin.

De repente me sentí irritada. ¿Por qué no se podían limitar a decir lo que querían? ¿Qué necesidad había de envolver cada diálogo en etiqueta y formalidades? Cuando todos los presentes sabían que el significado real era sucio y feo, una amenaza siniestra a la única cosa que se podía poseer de verdad en esa guerra: la vida. El doctor se iría, sin alardear ni presumir de ser afortunado de tener bajo su cuidado a la amada del Führer, sino más bien mirando por encima del hombro a diario y rezando cada noche para que ella y el bebé sobrevivieran, y que no abriera la puerta de casa una noche para descubrir a la Gestapo buscando represalias. Esa era la Alemania en la que vivíamos.

Más que nada, no podía descifrar por qué estaba tan enfurecida con el capitán Stenz por formar parte de ello. Después de todo, era miembro de las SS, uno de los elegidos, uno de los chicos de Hitler. Mujer estúpida. Estúpida Anke. ¿Por qué había estado tan cegada? ¿Por qué había expuesto una parte de mí a alguien que no podía ser nada más que mi vigilante o mi captor? Después de años creando una carcasa para protegerme desde que empezó la guerra, había bajado la guardia un poco por él. Había expuesto un corazón que ya estaba herido. Y con todo, esperaba más de Dieter, dadas las conversaciones que habíamos mantenido hasta el momento; desde la primera vez que nos vimos no lo había visto como parte del cuervo negro del nazismo. En ese momento me preguntaba: ¿Acaso era simplemente muy bueno poniéndose una fachada, una máscara a causa de esa chaqueta? Si ese era el caso, ¿era para mí o para el régimen nazi? El sentimiento escocía, como un picor que no tenía ninguna esperanza de rascar.

Berlín, febrero de 1942

La nieve caía copiosamente, pero al menos el coche estaba caliente con nuestros cuerpos, dos de ellos en la parte trasera a cada uno de mis flancos y un chófer en frente. Dijeron pocas palabras bajo las viseras de sus gorras con la mirada fija al frente. Razoné para mis adentros hacia dónde exactamente nos dirigíamos.

El imponente edificio situado en el número 8 de la calle Prinz-Albrecht tenía la misma fachada de ladrillo y mortero que cuando funcionaba como galería de arte a principios de la década de 1930, pero desde entonces se había cubierto con una capa oscura. Era un secreto a voces que miles habían sido succionados a través de las puertas ornamentadas, o peor aún, por la entrada trasera, absorbidos hacia sus entrañas. El cuartel general de la Gestapo no era lugar alguno para una visita de recreo.

En el coche, temblaba incontrolablemente, cada arteria me palpitaba y el estómago me daba vueltas. Tal vez gracias a mi trabajo fui capaz de limitarlo a una contracción nerviosa del meñique de la mano izquierda, manteniéndolo apretado y envuelto con la otra mano, mientras pensaba en mi familia y en todas las cosas que no les había dicho.

¿Cuándo había sido la última vez que le había dicho a mamá que la quería? ¿Que había pasado un día con Ilse? ¿O que había tenido una conversación con Franz? La guerra nos había anegado a todos, y había llegado el momento de que me tragara a mí, tal vez para siempre.

Nos aproximamos a la elegante entrada principal; la Gestapo ocultaba muchos secretos, pero que interrogaban a los disidentes no era uno de ellos. No sentían ningún reparo por deshacerse de los oponentes del Reich. El amplio vestíbulo de mármol y los pasillos estaban iluminados tenuemente. Anduvimos por varios pasadizos largos rebosantes de puertas antes de subir varios pisos por una escalera de piedra hasta que mis pantorrillas empezaron a doler por el ascenso. En aquel lugar el edificio se presentaba mucho menos ornamentado; estaba descuidado y en general desordenado. Al fin, nos detuvimos delante de una puerta lisa con el número 9 rayado en la madera destartalada. Mi acompañante la abrió y me dijo: «Aquí dentro».

La habitación estaba oscura y helada, con una mesa desnuda y una pequeña ventana en lo alto de la pared, fuera de mi alcance. La habían dejado abierta, a propósito, imaginé. Me froté los brazos instintivamente. Me había cambiado el uniforme por una blusa fina antes de salir del hospital; mi rebeca y el abrigo se habían quedado en casa de Nadia, y ellos –el equipo de detenciones– no me había permitido coger ninguna de las dos cosas antes de que los acompañaran fuera. El frío por sí mismo era un método de tortura eficaz, razoné. Esa palabra, «tortura», se iba proyectando por delante de mis ojos, y por más que lo intentara, no podía quitármela de encima; una mancha de aceite fea y negra con un significado que hacía que todo el cuerpo me temblara de pavor.

Al menos había una cama con un colchón sin sábana. Pero nada más, ni una jarra con agua ni un cuenco, ni orinal. De repente me di cuenta de lo sedienta que estaba y de tener que vaciar la vejiga al mismo tiempo. El sudor del parto de Nadia se me había secado y podía oler el hedor que emanaba mi cuerpo. Ese baño que me había prometido a mí misma parecía una fantasía distante. Si no conseguía un lavabo pronto tal vez me viera obligada a aliviarme en la esquina de la habitación, para luego vivir con la pestilencia. Tal vez era eso lo que querían, parte del ritual. Romperte mediante tu propia repugnancia.

Sentí una oleada repentina de cansancio y me acurruqué en la cama, mirando al brillo apagado de la nieve que cuajaba, la cual proyectaba un cuadrado en el techo. Agudicé los oídos para sentir los sonidos de Berlín: coches, tranvías, risas o conversaciones elevadas que me convencieran de que el mundo exterior seguía con normalidad, y que no estaba completamente congelado. Pero allí arriba, parecía que la Gestapo tenía también el monopolio del ruido. Me aovillé, sintiéndome total y completamente sola.

Después del turno de la mañana y el parto de Nadia, el miedo debió ceder terreno al cansancio, porque me desperté cuando dos hombres entraron en la habitación.

—Fräulein, levántese... rápido.

Todavía era de noche, y solo podía distinguir sus figuras gracias a la luz del pasillo. Me incorporé y me puse los zapatos, mientras ellos arrastraban los pies impacientes. Serpenteamos por más pasillos, bajamos varios pisos, y volvimos a la antigua galería de arte, para detenernos delante de otra puerta amenazante.

Al menos en aquella habitación hacía más calor, con una sola bombilla eléctrica, pero sin ventana. Me guiaron hasta una silla colocada a una mesa de madera, con otra vacía enfrente. Alguien se uniría a mí. Pero ¿quién? ¿Y qué iban a hacer?

Los rumores de las creativas torturas de la Gestapo circulaban constantemente por Berlín, y era difícil saber qué era verdad y qué ficción o simple miedo cultivado. Todo parecía despreciablemente inhumano.

Me dejaron sola durante no sé cuánto tiempo, puesto que me habían arrebatado el reloj. Sopesé que eso era parte del plan: suspender mi mente en un limbo donde no pudiera identificar ni mi propio cansancio, ni la sed o el hambre. Y sentía todas esas cosas, ya que me había saltado la cena y la última bebida que había tomado había sido el té de Minna. Pensé en su rostro aterrorizado y apesadumbrado mientras el sonido de las botas invadía el espacio seguro que habíamos creado, vocalizando «lo siento» mientras miraba hacia atrás. Estaba completamente segura de que no había delatado la noticia del nacimiento; su pena radicaba en haberme expuesto a aquella situación peligrosa.

Evité que los horrores de mi inminente futuro me atenazaran echando la vista hacia atrás: contando el número de bebés que había visto llegar al mundo y los partos en casa que había disfrutado, algo en el mundo que dejaría tras de mí si me sacaban de aquel edificio dentro de una caja. Un legado del que mis padres pudieran estar orgullosos. Ay, Dios mío, mamá y papá... ¡Estarían muertos de preocupación!

Él entró, golpeó los talones, dejó caer un archivador sobre el escritorio y se sentó justo enfrente de mí. Abrió el archivador, pasó algunas páginas y levantó la vista, con una débil sonrisa. Era medianamente amigable, no la asquerosa sonrisa de superioridad que estaba esperando.

—Fräulein —dijo formalmente.

Era rubio, pero con un deje rojizo en el pelo, y un bigote pequeño y áspero, más ancho y fino que el del Führer, le otorgaba un aire de estrella del cine. Sus ojos eran de un azul acuoso brillante y parecía, con el uniforme marrón, de un zorro humanizado.

Me quedé sentada en silencio y algo me dijo que no mostrara mi desesperación. O que al menos lo intentara.

Con las manos extendidas sobre la mesa, empezó a decir:

—¿Sabes dónde te encuentras?

—En el cuartel general de la Gestapo.

—¿Sabes por qué estás aquí?

Hojeaba las páginas, y entreví mi foto de personal del hospital.

—Me imagino que porque estaba ayudando a una mujer a dar a luz. En el barrio judío.

Para mi sorpresa, no me tembló la voz. «Habla con suavidad, Anke» me recordé a mí misma. «No te confrontes».

—¿Es un hábito que sueles tener?

Su tono era el de un maestro que lidiaba con un alumno ligeramente irritante.

—No es un hábito.

—¿Pero ya lo habías hecho antes?

—¿Qué dice mi informe?

Sonrió, disfrutando del juego, tal vez porque sabía que no podía perder.

—Dice que te gusta ayudar a los judíos.

—Me gusta ayudar a la gente. A la gente que necesita ayuda. Es verdad que algunas de las personas son judías.

«Ten cuidado, Anke. Controla la furia, sé lista».

Sacó un paquete de cigarrillos del bolsillo y me ofreció uno. Fumaba solo ocasionalmente, pero me vi extremadamente tentada, excepto que pensé que solo me acrecentaría la sed. Negué con la cabeza. Se encendió uno, soltó una nube de humo hacia la bombilla y se recostó.

—Por lo que parece toda tu familia, tu familia alemana, Fräulein, no está segura a quién deben lealtad. Si al Reich, o a tus amigos judíos.

Me sobresalté al oír mentar a mi familia. Estaba claro que me habían estado observando, siguiendo mis movimientos en el gueto. ¿Acaso alguien de allí nos había traicionado? Como mucho, me podían haber espiado en el hospital, pero ¿en casa?

—Esto no tiene nada que ver con mi familia —dije abruptamente, con una desesperación evidente.

—Siento no tenerlo tan claro —replicó. Estaba desvelando su carta ganadora con una mirada maliciosa en los ojos—. Además de la asociación de tu padre con dos prominentes líderes de la comunidad judía, también están las visitas de tu madre a diferentes familias judías para llevarles comida.

Eso me cogió por sorpresa; sabía que habían estado en contacto con varias familias —antiguos compañero de la universidad de mi padre— pero ninguno de los dos me comentó que hubiesen hablado en persona.

—Tal vez tuvieran hambre —dije.

—Tal vez sea eso. —Antes habíamos estado de cháchara, pero en ese instante su voz se tornó fría como el hielo—. Pero quizás hay familias alemanas que también necesitan ayuda. Hemos notificado —consultó las notas escritas— tres ocasiones en las que tu familia no ha cumplido con la contribución requerida del guiso de domingo, y dos veces no ha aportado a los fondos de las prestaciones sociales alemanas.

Era cierto. Sabía que mi madre odiaba la orden que requería que cada familia proveyera una olla de comida para que pasaran a recogerla cada semana, supuestamente para distribuirlas entre las familias alemanas que padecían necesidad, pero era ampliamente conocido que se la apropiaban las tropas que ya estaban bien alimentadas.

–Estoy segura de que ha sido un descuido. –La defendí–. A veces es olvidadiza.

–Mmm, tal vez sea eso. Pero dime, Fräulein, ¿también has sido olvidadiza cuando has omitido informar en... –hizo otro ademán de buscar en el informe– tres ocasiones en que los bebés han nacido con discapacidades en el hospital? En oposición directa a la directiva que recibiste, muy claramente, por parte de sus superiores. Puedo citarte la fecha si lo deseas.

Me quedé inexpresiva.

No podía negarlo. Había colaborado dos veces con otras comadronas para salvar a los bebés de la separación y un futuro incierto. Una vez, con un bebé visiblemente ciego, con ojos vidriosos y opacos de cataratas, actué completamente sola. Sentada allí, recordando la mirada vacía y ciega del bebé, que de todas maneras me había parecido que me suplicaba, no me arrepentía de mis acciones, solo de a dónde me habían llevado.

–¿Qué harán conmigo? –pregunté llanamente–. ¿Al menos puedo contactar con mi familia? Estarán muertos de preocupación.

–Tu familia está bien y en buenas manos, de eso estoy seguro –dijo como si nada.

–¿Qué quiere decir, en buenas manos? No tienen nada que ver con mis acciones, con lo que he hecho. –Mi voz se teñía de pánico.

El hombre cerró el documento y puso las manos encima con el azul de sus ojos centellando con... ¿Acaso era divertimiento? ¿Emoción?

–Dada tu experiencia, Fräulein, y tu profesión, me sorprende tu ingenuidad –dijo calmadamente–. No te pienses que esas acciones contra el Reich quedarán impunes.

Vio la mirada de puro terror que me cruzaba el rostro y disfrutó con ser su artífice.

–Ah, no te preocupes, Fräulein Hoff, no habrá ninguna reprimenda física, estoy seguro de que no tienes nada de valor que contarnos. Lo sabemos todo sobre ti. Pero tu presencia en Berlín es, digamos, una incomodidad para el poder del Reich. La lealtad es clave y no podemos confiar en que tu familia reivindique esa lealtad. ¿Ha oído hablar del Decreto contra los enemigos públicos, o parásitos nacionales, como nos gusta llamarlos a nosotros? –Esbozaba una sonrisa real, con su propio humor nazi–. Bueno, pues tú formas parte de esa pandilla, un parásito. ¿Y qué hacemos con los parásitos?

–Me imagino que aplastarlos.

–Oh, nada tan inhumano, Fräulein. –Removió los papeles a modo de conclusión–. Pero sí que tenemos que evitar que infecten a los demás con su veneno. Los ponemos en un tarro, es una barrera efectiva y a veces el veneno se disipa.

–Castigadme a mí, pero no a mi familia –dije en una última súplica mientras se ponía en pie.

–Me temo que no es decisión mía, Fräulein. Has plantado tus propias semillas, ¿y cómo es el dicho? Uno recoge lo que siembra. –Esa vez sus ojos y la línea que formaba su boca exudaban un aire de superioridad. Un trabajo sencillo para él esa noche. Una tarea simple que encima le daba un subidón de emoción–. Buenas noches, Fräulein.

Dejaron que me pusiera nerviosa durante un buen rato, cultivando mis propias imaginaciones lúgubres, entonces me llevaron de vuelta a la misma habitación. Todavía hacía frío, pero con la luz de un nuevo día filtrándose por la ventana. Había una jarra de agua en el suelo, junto a un vaso desportillado y un pedazo de pan. Me llevé ambos a la boca hambrienta, y me tumbé de nuevo en la cama.

No había manera de apartar la escena imaginada en mi cabeza: cómo llamaban a la puerta de la casa de mis padres, cómo entraban empujando a un lado a mi madre, Ilse bajando las escaleras corriendo llena de curiosidad y de mi padre con la cara lívida. Una imagen demasiado vívida.

No podía detener su parpadeo, picoteándome la conciencia, sabiendo que era yo la que nos había puesto a todos bajo la temida mirada del Führer. Yo, cuya simple idea sobre la justicia nos había expuesto a todos a la merced del peor tipo de castigo, por parte de aquellos que carecían de sentido de la justicia.

¿Qué había hecho?

20
La fuerza de Eva

La noche se me hizo larga y el sueño intermitente, aunque Eva durmió profundamente, murmurando de vez en cuando. Frau Grunders había dispuesto un catre para mí en la habitación, después de haber rechazado que lo colocara en la habitación contigua, con la puerta abierta. La cama –la de él– no se me ofreció, y me sentí agradecida por ello. Por más absurdo que pareciera, no podía soportar la idea de compartir el mismo aire que el Führer, cualquier molécula reminiscente de su interior maligno, algo que pudiéramos acabar teniendo en común. Ya había tocado suficientes aspectos de mi vida, y no quería más partes de él.

Comprobé el pulso del bebé antes de meterme bajo la colcha, y otra vez por la mañana. Se mostraba impertérrito, latiendo felizmente y retorciéndose irritado bajo mi mano.

–Solo quédate ahí un poco más, pollito –me descubrí diciendo mientras Eva dormía con el cuerpo inerte por el cansancio. Su temperatura había vuelto a un rango normal, y la orina era clara. Los antibióticos casi se habían acabado y yo estaba feliz de apartarme de su lado por un breve tiempo.

Fui a buscar algo de desayuno, y salí al día brillante y precioso de primavera; el familiar paso de tortuga al salir de la caverna de un turno de noche, cuando los rayos del sol te sorprendían de improviso. Había dormido, pero me había despertado prácticamente a cada hora para colocar una mano en la frente de Eva, y consecuentemente tenía los ojos medio enrollados. Me llevé el plato a mi porche, en busca de un pedazo de soledad y privacidad. Sin embargo, no me importó cuando el capitán Stenz se acercó por el camino, con la mirada deslizándose naturalmente hacia la vista de la cima.

–Buenos días –dijo radiante.

—Buenos días, capitán Stenz.

—Dieter, por favor. Creía que habíamos acordado que no nos trataríamos con formalismos cuando no fuera necesario. Estoy contento de verte aquí fuera, supongo que eso significa que no hay de qué preocuparse.

—Sí, creo que lo peor ya ha pasado para Fräulein Braun. Parece ser que la fiebre ha remitido y el bebé está bien.

—Me alegra... y me alivia. Para todos.

Nos sentamos saboreando la gloriosa vista durante un momento o dos, hasta que una nueva curiosidad me hizo un agujero en la garganta.

—Dieter, ¿sabes algo de unas heridas que tiene Fräulein Braun?

—¿Unas heridas?

—Anoche vi algo en su cuello, una herida, algo como... no estoy segura. Parecía una herida de bala.

—Ah.

Puso una expresión similar a la que tenía durante nuestro primer encuentro hacía meses, como si se hubiese ido de la lengua otra vez.

—Parece que supieras de lo que estoy hablando.

—Bueno, digamos que Fräulein Braun no siempre ha estado tan satisfecha como lo está ahora.

Tardé varios segundos en absorber el significado.

—¿Me estás diciendo que se disparó? ¿Y sobrevivió?

Mis ojos ya no estaban medio cerrados.

—Se sospecha que se apuntó al corazón, pero afortunadamente falló. De eso hace mucho tiempo, antes de la guerra —respondió él—. Supuso una declaración, un grito que pedía ayuda. No fue la única vez.

—¿Un grito para quién?

Me miró inquisitivamente.

—A él, por supuesto.

—Pero ella lo quiere, por lo que sé. Lo idealiza.

—¿Y no es el amor complejo? ¿Estás segura de que él le devuelve el afecto?

Me quedé meditando la pregunta y todas las conversaciones que había mantenido con Eva me volvieron a la mente: sus cambios de humor y la necesidad de tener contacto. La añoranza era intensa por su parte, desesperada a veces. Y aun así ella era la única mujer en Berghof, la señora designada. Eso tenía que significar algo, seguro.

–Pero está embarazada –constaté, y supe al instante que estaba siendo una ingenua.

–Todos los hombres tienen necesidades –contrapuso él–. No siempre significa amor. O compromiso. Pero ahora… ahora Eva tal vez sienta que tiene la última carta ganadora, más poderosa que cualquier amenaza.

–¿Y funcionará?

Dieter se acercó y examinó a izquierda y derecha para comprobar que no pasara ninguna patrulla.

–No la trata lo bien que debería. De hecho, a ninguna mujer.

–¿Qué quieres decir? –pregunté–. ¿Es cruel con ella? Nunca he visto ninguna prueba de ello.

–La crueldad se manifiesta de muchas maneras –dijo Dieter sin rodeos–. El Führer siente desprecio, un desprecio profundo, por las mujeres inteligentes. Yo mismo lo he visto. Míralo así, Anke, tú y él nunca os llevaríais bien. En absoluto.

Consiguió esbozar una débil sonrisa, y la interpreté como secundando el cumplido que pretendía ser. Recogió los guantes y se alejó, con los ojos puestos en las vistas.

21
Recuperación y reflexión

No le pude dedicar el tiempo que merecía a aquella última revelación, pues me ordenaron que me reuniera con el doctor Heisler para darle mi informe. Examinó a Eva brevemente y se declaró listo para marcharse –su rostro profundamente aliviado– y me dijo que lo telefoneara más tarde. Volvería si había cualquier signo de recaída, pero esperaba que no fuera así. De verdad lo esperaba.

Eva se despertó por la tarde, soñolienta y con la necesidad de que le explicaran lo que había ocurrido en las últimas veinticuatro horas. Sus ojos azules mostraban alarma mientras se lo contaba, pero una vez hube auscultado al bebé, con varios miembros respondiendo a mi tacto, se calmó. El alivio en su rostro era evidente; no por ella misma, sino por el bebé. Por toda su estupidez e ignorancia y su exasperante estrechez de miras sobre la vida fuera de Berghof, Eva permaneció como el día que la conocí por primera vez, abnegada en cuanto a lo que la vida de su bebé concernía. Me cogió de la mano mientras le recolocaba las sábanas.

–Gracias, Anke. Gracias por cuidar de nosotros. Y a Lena también. Estamos agradecidos.

El plural era ambiguo, no pude evitar preguntarme: ¿se refería a ella y al bebé, o al padre ausente? ¿Acaso le importaba a él?

Desconectada de los tubos, Eva estaba lo suficientemente bien como para salir de la cama y meterse en el baño, y su aspecto se iluminó de inmediato cuando se hubo lavado el pelo y puesto un poco de maquillaje. Aproveché la ocasión para bañarme yo también y estaba en mi porche con la brisa de la tarde haciéndome cosquillas en las raíces del cabello mojado cuando el capitán Stenz apareció de nuevo. Aquello empezaba a ser un hábito.

–Buenas tardes, Anke.

Se sentó de inmediato, cualquier formalidad desvanecida.

–Buenas tardes, Dieter. Me sorprende verte de nuevo aquí tan pronto. Creía que tendrías reuniones con las que ponerte al día.

–Carecen de importancia comparado con los eventos de aquí arriba –explicó–. Mi prioridad sigue siendo el fluido desarrollo de... bueno... como he dicho, de los eventos de aquí arriba.

–¿Quieres decir el embarazo? ¿El bebé de Eva? ¿El bebé del Führer? ¿A eso te refieres?

Me fastidiaba que no hablara claramente conmigo.

–Sí, a eso me refería –respondió, con las cejas arqueadas–. ¿Por qué estás tan molesta?

–Bueno, entonces, ¿por qué no puedes decirlo? –Mi voz era apremiante, aunque no la levanté–. ¿Por qué siempre empleas las insinuaciones precavidas, la capa y la daga, como en una tragedia de Shakespeare? ¿Acaso es eso lo que os enseñan como oficiales... que si lo inferís, no supone algo tan malo como la cruda realidad? Ese pobre bebé, es como si estuviera escondido antes incluso de haber nacido.

Me pasé los dedos por entre los mechones húmedos de mi pelo, dejando que la frustración volara. Al capitán se le cayó el alma a los pies. Durante un segundo fue como un niño pequeño herido, al que me había limitado a tachar como uno de ellos, con su chaqueta de tejido oscuro, en vez de dirigirme al hombre de debajo.

Se levantó mientras la sangre le abandonaba el rostro.

–Creo...

–¿Qué crees, Dieter? ¿Qué piensas en realidad? Dímelo.

Las venas de su cuello palpitaban orgullosas, como si las palabras estuvieran forcejeando por salir adelante. La diplomacia impuesta las echó hacia atrás.

–No creo que comprenda lo complicada que es esta situación, Fräulein Hoff. La cuerda floja sobre la que va a caminar este bebé.

Parecía que se había ido de la lengua y deseaba poder succionar esa última frase.

–¿Qué quieres decir? –pregunté de inmediato. Pero ya se estaba dando la vuelta.

—Buenos días tenga, Fräulein Hoff.

Me estaba dando la espalda, y vi sus hombros cuadrados y tensos.

—¡Dieter, vuelve! Lo siento, no quería...

Pero mis palabras se perdieron en la brisa.

Pasé la noche de nuevo en un duermevela, incluso en la comodidad de mi propia cama. Las últimas palabras de Dieter no paraban de darme vueltas por la cabeza. ¿Creía que el bebé ya estaba bajo amenaza? Pobre cosilla, dando volteretas inocentemente por el interior de su madre, destinado a que lo sacaran de un empujón del fuego para caer en las brasas una vez naciera, siendo ya un peón, un demonio, un ángel, y aun así nada más que carne y sangre. Como su padre. Muy parecido a los bebés del campo, mucho mejor dentro, a salvo durante la gestación.

También pensé en la herida en el cuello de Eva, en el momento en el que se había sentido tan desesperada por el amor de su hombre que se había apuntado una pistola al corazón. Con mala puntería, pero ceñida a su piel de todos modos, decidida a causar daño y posiblemente la muerte. ¿Tan profundo era su anhelo por la atención del otro? Estaba segura de que quería ser madre –había visto suficiente indiferencia en la Lebensborn como para saber que ella sí que tenía sentimientos profundos– pero no podía obviar que quizá ese bebé también podía ser su billete hacia el corazón de él, que tanto le había costado ganar, al matrimonio y posiblemente a su lugar como madre de Alemania.

Dieter tenía razón; por más injusto que pareciera, ese bebé era algo más que simple carne y sangre, y yo había sido una necia por pensar que podíamos tratarlo como cualquier otro nacimiento de tantos miles. Tal vez necesitaríamos más que las habilidades de una comadrona para asegurar el futuro de todos.

22
Nuevos demonios

Eva tuvo una visita la mañana siguiente. Magda Goebbels apareció en Berghof cargada de flores y chocolate «para la paciente», la oí decir. Me convocó debidamente a la terraza y me interrogó sobre el progreso del embarazo.

En esas visitas, Eva actuaba como una niña asustada en presencia de una tía autoritaria, mientras Magda hablaba con entusiasmo sobre lo aliviada que estaba de que todo se hubiera puesto en su sitio y que el bebé estuviera sano.

Pensé que las palabras de falsa alegría se le iban a atorar en el fino cuello blanco, al ver a Eva con tan buen aspecto y que el bebé no había sufrido ningún daño. Su deseo hecho pedazos.

Pero la visita no estuvo carente de júbilo. Poco después, la figura esbelta de Christa rodeó la casa y caminó por la senda hacia mi porche.

—¡Anke!

Nos abrazamos como compañeras perdidas hacía mucho.

—¿Cómo has encontrado una excusa para hacer el camino hasta aquí arriba?

—Arándanos rojos —dijo con una gran sonrisa—. Convencí a la señora de que eran buenos para evitar futuras infecciones, y dudo que le quedara más opción que acceder.

—Bueno, lo son, y estoy encantada. He estado desesperada por tener algo de compañía, alguien con quien hablar.

Christa me puso al día de la política en casa de los Goebbels. Con los Aliados en una posición fuerte, Joseph estaba esparciendo su mal humor en una familia que de por sí ya estaba tensa, donde había que andar por los suelos de madera con pies de plomo. Las conversaciones que mantenían el marido con su esposa eran amargas y tensas a medida que Joseph se desesperaba porque se completara su nueva herramienta de propaganda.

—Por la manera como habla de ello, estoy segura de que piensa en este bebé como algún tipo de tanque nuevo o avión –se burló Christa.

De repente, pasó la vista por nuestro alrededor y localizó a un soldado solitario haciendo ronda por el perímetro. El guardia era joven, estaba aburrido y fácilmente influenciable por la cara bonita de Christa, garantizándole con el uniforme de criada de que ninguna de las dos se iba a tomar un descanso pronto.

—Vamos a bajar por el camino para recoger algunas flores para la señora.

Lanzó la sonrisa más dulce que pudo en dirección al soldado, y él asintió, observando su figura vivaz mientras ella tiraba de mí hacia el camino que llevaba a la casa del té. Me sentí extrañamente fuera de mi zona de confort, sin Eva ni permiso.

—¿Por qué hemos venido aquí? –le pregunté mientras frenábamos a un ritmo de paseo.

—Bueno, nunca se sabe –respondió Christa–. Empiezo a pensar que las paredes tienen orejas de verdad.

Miró hacia las ramas que teníamos sobre la cabeza con suspicacia.

—¿Por qué? ¿Qué ocurre?

—Me han contactado.

Me miró directamente, con una mezcla de miedo y emoción en los ojos.

—¿Qué quieres decir que te han contactado? ¿Quién?

—No estoy del todo segura. Era alemana y me dijo que lo sabían. Lo del bebé.

Me detuve en seco e intenté digerir lo que acaba de decir.

—¿Cómo lo saben? ¿Y quiénes son?

—Saben que es el bebé del Führer y más o menos cuándo nacerá; pero quiénes son no me lo dejaron claro. Estoy segura de que no son amigos del Reich.

—¿La Resistencia, tal vez? ¿Espías aliados? Solo hacía suposiciones, puesto que mi conocimiento de la oposición dentro de Alemania estaba limitado a lo que había podido oír en el campo. Una buena porción de las residentes eran alemanas, encarceladas a causa de su rechazo a seguir al Führer. Era completamente plausible que esa gente actuara desde dentro de nuestro propio país.

–¿Qué querían? De ti, quiero decir.

–Información –respondió Christa, tirando de mi brazo de nuevo para seguir andando. Hablaba en un tono liviano, más que en susurros, como si estuviéramos manteniendo una conversación anodina sobre el tiempo–. De algún modo sabían que tenía contacto con la comadrona, pero no me dijeron tu nombre.

–¿Les dijiste algo? ¿Te amenazaron?

–No dije nada, pero no sentí que estuviera en peligro. Estaba caminando por el pueblo cuando una mujer se puso a mi lado y empezó a hablar. Podría haberme detenido y gritar, pedir ayuda, pero no lo hice. Es extraño, Anke, y no tengo ni la experiencia ni las razones para creerlo, pero tuve la sensación de que eran amigos de Alemania. No enemigos.

La idea de que a Christa y a mí nos hubieran empujado a una escena de profundas intrigas policiales hizo que me sintiera mareada. La vida en Berghof se hacía más surrealista por momentos.

–Que sean amigos o enemigos de nuestro líder, tiene que ver con si son amigos del bebé –dije al final–. Ya sabes, Christa, que no he cambiado de parecer, estoy aquí para asegurar un camino seguro para la madre y el recién nacido. Puede que no simpatice con Eva, o no apruebe su elección de compañero, pero eso no me incumbe.

Esa vez fue Christa la que se quedó quieta.

–Lo sé, Anke, y lo respeto. Estoy tan confundida como tú. Soy una criada, no una mensajera o una espía. Solo quiero que esta guerra se acabe para poder volver junto a mi padre.

Suspiré sonoramente.

–Yo también. –Recogimos distraídamente algunas flores silvestres, para tener algo que justificara nuestra excursión–. ¿Y cómo acabó el encuentro?

–La mujer se limitó a decirme que estarían en contacto. Entonces se alejó. ¿Qué crees que deberíamos hacer?

No me cabía ninguna duda en ese aspecto. La información maduraba como un buen brandy. Ganaba valor mientras más tiempo la conservaras; eso lo había aprendido en el campo. Hacerlo salir a la luz podía tener consecuencias nefastas para todos.

–No decir nada, mantenernos calladas. No se lo has dicho a nadie más, ¿verdad?

–No, claro que no.

–Pues así se queda. Seguimos como hasta ahora como si nada hubiera ocurrido. No confiamos en nadie, excepto en nosotras.

Me miró con un rostro inocente; tenía probablemente la misma edad que mi hermana, Ilse, tal vez incluso más joven, y aun así ocultaba una mente mucho más sabia que sus años.

–Solo nosotras –afirmó.

Ese momento me pareció un buen momento para preguntarlo.

–Llevo tiempo dándole vueltas, después del bebé de Sonia, y ahora estoy más convencida de que necesito tu ayuda –le expuse–. En el parto de Eva, quiero decir. Alguien en quien pueda confiar, alguien que me conozca. ¿Te pido demasiado?

Los labios de Christa se ensancharon mientras me ponía una mano en el brazo.

–Para mí sería un honor y me emociona que me eligieras a mí. Estoy aterrorizada, que lo sepas, pero no hay nada como un parto para darle luz a la vida. Eso lo he aprendido. –Su rostro se ensombreció parcialmente–. ¿Crees que me permitirán asistir?

–Bueno, de momento no he manchado mi reputación. A Eva es fácil persuadirla, y lo que Fräulein quiere, parece ser capaz de obtenerlo. Y el capitán Stenz, bueno, ha sido razonable hasta ahora.

Me miró con los ojos entornados, sorprendida de que estuviera ensalzando las virtudes de un oficial de las SS. Yo, de entre todas las personas.

Decidimos que la comunicación entre la cima y la falda de la montaña era nuestra mayor barrera. Si volvían a contactar con Christa yo necesitaba saberlo, pero sus viajes hasta Berghof eran inusuales. Implicar a alguien más, aunque de manera inocente, era peligroso y no sabíamos de qué pie cojeaba Daniel, el conductor. Los repartos de la comida entraban por la cocina, y no podía asegurar que los pudiera interceptar a tiempo.

Christa tuvo la brillante idea de arreglar algunas prendas de bebé, con un buen motivo para enviarme los paquetes directamente a mí. Solo nos quedaba esperar que me llegaran sin que nadie los inspeccionara.

Volvimos andando al complejo cuando Magda Goebbels se estaba despidiendo en los escalones. Christa me pasó las flores y se apresuró hacia el coche.

—Ah, ahí estás —dijo Magda en un tono reprobatorio mientras esperaba que le abrieran la puerta del coche. Me vio mientras se giraba—. Fräulein Hoff, confío en que no nos veremos hasta que llegue el gran día. Al menos eso espero. —Me dedicó la media sonrisa, cuidadosamente elaborada—. Por favor hágame saber si podemos ayudar de algún modo.

Se metió elegantemente en el asiento y desapareció. Perfecto; había ofrecido su ayuda, y sacaría ventaja de ello solicitando a Christa. Dos podían jugar al juego de la propaganda.

De vuelta a mi porche, pensé en aquel último giro de los acontecimientos. No me sorprendería que Goebbels y su mente calculadora estuvieran detrás del contacto con Christa, probando su lealtad y usándola como mediadora, para observar nuestras reacciones. Pero estar en complot con los Goebbels planteaba sus propios peligros, y me estremecí al pensar en sus posibles intenciones.

No podía confiar en Dieter; no lo conocía lo suficiente como para adivinar sus pensamientos verdaderos. Por supuesto, sentía afinidad por cualquier grupo que conspirara contra Hitler y sus atroces ideas, pero si de verdad se trataba de un grupo de resistencia, ¿podía confiar en sus motivaciones en lo que a un recién nacido se refería?

El riesgo era elevado y podía ser que no fueran mucho mejores que Goebbels al intentar usar al bebé de Eva como un peón, o peor, ver su pérdida como un daño colateral. No, decidí que el mejor plan era mantenerme callada y esperar que el ministro de propaganda tuviera algo más en mente que mi deshonestidad, o que había un grupo de resistencia al que podíamos ignorar con más facilidad.

23
Crianza

Eva recuperó las fuerzas durante la semana siguiente, una prueba de su físico antes del embarazo, resistente y resiliente. Tal vez confiada por lo que había superado, empezamos a hablar sobre el parto. Sentadas en el ancho porche, o caminando con Stasi y Negus hacia la casa del té, intenté narrarle la duración y la intensidad promedios de un primer parto, sin hacer hincapié en el cansancio o la agonía visible de algunas mujeres.

¿Cómo podía describir una contracción, lo que se sentía mientras una red de músculos se apretaba para crear un sentimiento que para alguien de fuera parecía la peor de las patologías, pero que era perfectamente natural?

Las comadronas se las veían y se las deseaban, con o sin su propia experiencia, para dibujar el retrato. Tuve cuidado de sazonar mi conversación con aspectos positivos, consciente de que Eva podía optar por una cesárea en cualquier punto, durante el intenso pico del viaje, y los doctores estarían dispuestos a complacerla, ansiosos por asegurar la vida del bebé del Führer a cualquier precio.

La tendencia natural de Eva de ver el mundo teñido de rosa era una ventaja distintiva; no parecía estar demasiado confiada, pero también estaba resguardada del mundo real, lo suficiente como para que no se hubiera visto infectada plenamente por el miedo endogámico de Alemania al parto, o para verse expuesta a historias escalofriantes de cuchicheos con buenas intenciones.

Cuando le expliqué la calma innata de Christa durante el parto de Sonia, me gané a Eva fácilmente. Sabía que no despertaba ninguna simpatía entre las criadas de Berghof, muchas de las cuales habían sufrido sus abusos durante sus ataques de ira causados por su soledad y el abandono del Führer. Envió una carta a Frau Goebbels de inmediato y mandaron a Daniel a recoger a Christa unos días más tarde. Las dos se llevaron bien enseguida. Mientras tomábamos el té en el balcón, Christa era de repente mucho más que una criada, y la expresión de Eva reflejaba lo que había estado anhelando durante los pasados meses en su exilio: compañía y amigas. Era raro que la hubiera encontrado en una prisionera y una criada.

Recostada en el asiento, me di cuenta de algo intrínseco de las dos que, a pesar de los verdaderos sentimientos de Christa por la guerra, creaba una unión que yo no tenía con Eva. Tal vez fuera su crianza tradicional, que no estaba salpicada ni confundida con el liberalismo de mis padres, lo cual las hacía a ambas de alguna manera más alemanas. Estaba satisfecha de que tuvieran conexión; me permitiría retirarme al papel de espectadora hasta que llegara el día y concentrarme en hacer que el viaje clínico fuera suave. Eso y mantener a los depredadores a raya.

Eva estaba animada en general, alentada por varias cartas que llevaban la marca del Führer y una visita, al fin, de su hermana Gretl. Como la futura esposa de un oficial de la SS a favor de Hitler, la hermana pequeña de Eva representaba el papel a la perfección, haciendo la cuesta de la carretera en un sedán negro y saliendo elegantemente del coche, con los labios pintados de un rojo intenso y la mano firmemente agarrada al brazo del prístino chófer; las habladurías de la cocina decían que Gretl tenía una reputación por flirtear con oficiales de varios rangos.

Gretl llegó cargada de cajas y regalos para su nuevo sobrino o sobrina, y las dos se pasaron chismorreando durante horas con una taza de té en el salón, o tumbadas en la terraza bajo los parasoles haciendo planes para «después de la guerra», y para cuando «mamá y papá vengan para quedarse». También planearon la celebración para las cercanas nupcias de Gretl en Berghof, programadas para principios de junio e inalteradas; aunque Eva saliera de cuentas sobre esas fechas.

No sabía si Eva se creía de verdad las palabras sobre la felicidad de la familia que le decía Gretl no sabía decirlo, pero cuando me llamaron para presentarme a Gretl como «mi indispensable comadrona», Eva tenía el aspecto más alegre que le había visto en semanas, como si de verdad se estuviera preparando para una dichosa domesticidad en la cima del mundo.

La ausencia del capitán Stenz era lo que me incomodaba más. Con los preparativos por hacer, me preocupaba que hubiese cortado el fino hilo de amistad que habíamos tejido. Me sentaba en mi porche cada mañana con la esperanza de que apareciera su coche, de ver su figura alta dirigiéndose a largos pasos hacia mí, la cabeza rubia medio girada.

Eva estaba de treinta y cuatro semanas y se movía con la característica pesadez cuando él reapareció. Eva y Gretl habían ido en coche hasta el lago a unos kilómetros de Berghof y yo estaba esperando su retorno. Irónicamente, estaba absorta en la escritura de una carta para el capitán, en la que le recordaba el equipamiento que habíamos convenido, mientras una sombra se plantó en medio del papel.

–Fräulein Hoff, buenos días –dijo.

–¡Oh! Oh, capitán Stenz, creía... creía que no volvería a visitarnos. Mi tono de voz era alto y sonaba ridículamente frívolo.

–¿Por qué no? Esta es mi principal preocupación en estos momentos.

–Bueno, después de... ya sabe, después de cómo...

–¿Se refiere a nuestras palabras enojadas?

Tenía puesta una media sonrisa.

–Bueno, sí, supongo.

–Fräulein... ¿Puedo asumir que todavía puedo llamarla Anke? Tengo una cantidad de encuentros cada día mucho más amargos que nuestra conversación. Aunque ninguno de esos me ha dado motivo para preocuparme de la misma manera.

–¿Preocuparte por qué?

–De haber perdido tu confianza... si es que puedo asumir que tenga un poco de ella... o tu amistad.

–Confío en que seas... humano –dije–. Y nos considero amigos, a pesar de las circunstancias.

–Bueno, es todo cuanto puedo pedir. –Sonrió–. Dadas las circunstancias.

Se sentó y retomamos los planes para el parto. Aunque todavía era incierto, era poco probable que el Führer estuviera en la casa, me dijo, pero el equipo médico llegaría a las treinta y seis semanas, y prepararían una habitación con el equipo anestésico, los aparatos para esterilizar y todo lo necesario para poner en marcha un quirófano improvisado. Estaría al cargo un médico experimentado y un estudiante. Yo haría el papel de enfermera anestesista, de ser necesario, como había hecho durante mi aprendizaje. Ya me lo había imaginado, pero no pude evitar que mi rostro desprendiera preocupación.

–Pero he insistido en preocupar a Fräulein lo menos posible y que se queden en una casa abajo de la montaña, hasta que vaya de parto –añadió Dieter rápidamente–. Supongo que no querrías que estuvieran pululando por aquí durante días o semanas sin fin.

–Supones bien –admití, relajándome un poco–. ¿Y cuando esté de parto?

–Bueno, es decisión tuya cuándo avisarme. Entonces harán la subida hasta Berghof y se posicionarán, discretamente, en una de las habitaciones del complejo, al menos hasta que los llames. Eso es todo cuanto puedo hacer, Anke. No tengo el control total, como ya sabes.

–Lo entiendo. Y a los Goebbels, ¿cuándo se les informará?

–Herr Goebbels ha pedido que se le informe cuando Fräulein Braun rompa aguas. Me imagino que vendrá aquí lo antes posible, para presencial el feliz evento.

El desdén de Dieter era evidente.

–No cabe duda de que Magda ya tiene el discursito de enhorabuena preparado –dije, con el sarcasmo desatado.

–En efecto –convino él.

Un breve silencio dio fin al asunto, y Dieter se quitó la gorra, la señal de que dejaba de ser un miembro de las SS por completo. Desapareció durante unos minutos dentro de la casa, y volvió con un aspecto muy satisfecho consigo mismo.

–Le he pedido a Frau Grunders si podemos tomar la cena aquí fuera. No creo que le haya sorprendido demasiado, pero le he insistido en que tenemos muchas cosas que comentar.

Sonrió como un niño travieso.

Mi rostro debió de reflejar perplejidad en vez del placer interior que estaba sintiendo, porque de repente se alarmó.

–¿Me he tomado demasiadas libertades? ¿Debería comer dentro?

–No... ¡No! Solo me ha sorprendido... Una sorpresa agradable, pensar que podré mantener una conversación real durante la comida. Hace mucho de eso.

Si dejábamos de lado los breves días con Christa en casa de los Schmidt, no había comido acompañada durante los últimos dos años. La comida en el campo había sido como inhalar migajas de supervivencia, algo que no consideraba como compartir una comida, y comer en el salón de los sirvientes era estrictamente un acto cotidiano; necesario y sombrío.

Lena nos trajo la comida y la colocó sobre la mesa con una sonrisa pícara.

–Se está haciendo de noche... ¿Tal vez le gustaría que trajese una vela, Fräulein Hoff? –dijo, y le dediqué una mirada intensa en respuesta a su humor.

–No, gracias, Lena –respondí–. Podemos ver perfectamente. Llevaré los platos dentro cuando hayamos acabado.

Recolocamos los platos en la pequeña mesa y Dieter sirvió dos vasos de la jarrita de cerveza.

–Frau Grunders puede que sea un hueso duro de roer –dijo–, pero debo admitir que gestiona una buena cocina. Esto es mucho mejor que cualquier bocado que haya probado en el cuartel.

Se dispuso a empezar por el guiso de pollo, pero parecía estar inequívocamente incómodo en la pequeña mesa, sus largos brazos en una posición extraña y los pliegues de la chaqueta rozando los platos. Las distintivas marcas en las solapas de la chaqueta capturaban la poca luz que quedaba y los puños trenzados tocaban su plato.

Me recliné en la silla, mirándolo.

–Dieter, ¿quieres quitarte la chaqueta?

Yo solo llevaba puesta una blusa holgada, y la tarde todavía era cálida. Tenía el cuello rojizo donde se encontraba con las solapas. Se quedó parado, con el tenedor lleno.

–¿Te importa? –dijo, y entonces se echó a reír–. Bueno, claro que no, ¡puesto que me lo has propuesto tú!

–No, no me importa en absoluto.

Empezó a desbotonarse la línea de plata de la parte delantera. Sentía recelo por mirar, pero aun así no podía despegar los ojos de él. Con cada botón libre, había una liberación de tensión palpable que se elevaba al aire. Debajo, su camisa era blanca y estaba arrugada solo donde tocaba la chaqueta, sin duda completamente lisa antes de que se la pusiera encima. ¿Quién le planchaba la ropa cada mañana? No llevaba ningún anillo de casado, y nunca me había hablado de ninguna esposa. Ni siquiera parecía casado, si es que era posible apreciar ese atributo en los extraños.

Tenía los hombros anchos, pero al perder la chaqueta menguó algo de su corpulencia; los tirantes anchos y negros tiraban del tejido de la camisa en su pecho. Intenté imaginármelo solo en pantalones, con los tirantes colgando a los lados; quería verlo en mi mente trabajando en el jardín junto a su padre en un día caluroso de verano, acarreando un motor a pulso.

–¿Anke?

–¿Qué? Ah, lo siento... Me he quedado en las nubes.

Bien podíamos estar sentados fuera de un buen restaurante en una tarde de primavera, rodeados por el ambiente de la ciudad y el parloteo embriagador de los berlineses, en vez del trino de los pájaros que empezaban a acurrucarse en los nidos para pasar la noche. Parecía una cena real, y la conversación fluía, sobre la vida y la familia, mi trabajo y sus estudios. Inexplicablemente nos las apañamos para evitar el monolito de la guerra y los nazis, y me dio la esperanza de que debajo del terreno del horror y de las capas de desconfianza, podíamos actuar como personas juntos, despojados de cualquier lealtad a un lado o a otro.

Con los platos rebañados, se reclinó en la silla, y esa vez su suspiro fue patente, echando hacia atrás la cabeza hacia el cielo y soltando el estrés del día en forma de vapor. Me fijé en su prominente nuez de Adán, cubierta tan a menudo por el cuello de la chaqueta. Se movió mientras tragaba y algo en mi interior –una cuerda tensa en lo profundo de mi pelvis– se alteró, y me sentí como la colegiala que había sido hacía años, corrompida por pensamientos culpables.

Sacó un paquete de cigarrillos del bolsillo y lo levantó para ofrecerme uno. Lo cogí y lo sostuve descolocada entre los dedos, desenrollando el papel desconocido y observando el tabaco debajo de la cubierta traslúcida. No había fumado un cigarrillo desde Berlín; la comida era una moneda de cambio de mucho más valor en el campo. Y en Berghof, era bien sabido que el Führer odiaba el tabaco. Había visto a Eva dándose el gusto a escondidas mientras caminaba hacia la casa del té, pero sabía que nunca lo haría a plena vista. Yo había fumado ocasionalmente en casa, nunca dentro, pero a veces cuando había salido de noche. Todos se entregaban a ello por aquel entonces; era parte del mural social, llevártelo a los labios y combinarlo con un vaso de vino o cerveza con palabras y risas rellenando los silencios.

Nuestras caras de repente estaban muy cerca mientras me ofrecía fuego, un mechón o dos de pelo casi tocándose. Podía oler su piel, un aroma más intenso del aura general que lo envolvía. Me di cuenta, también, de que su mano temblaba ligeramente mientras sostenía el mechero. La primera calada me hizo toser violentamente y Dieter rio de buena manera.

–¿Hace mucho?

–Bastante.

El sabor era el de los buenos cigarrillos alemanes, placentero, a diferencia del amargor de los que se fumaban por pura necesidad. Como con el café, decidí disfrutarlo y saborearlo, a sabiendas que sería el último durante un tiempo.

La oscuridad cayó y trajo consigo el silencio. Ambos nos quedamos mirando cómo se aposentaba la noche acompañada por las estrellas durante al menos diez minutos, mirando cómo el cielo azul marino consumía nuestras volutas de humo.

–Nunca concibo que sea posible que el aire sea tan claro –dijo el capitán al final–. Tan libre de cargas.

–¿Por qué? ¿Porque vives en el mundo real la mayor parte del tiempo, allí abajo? –le reprendí en broma.

Se quedó meditando durante varios segundos.

–Por toda la mugre que se arroja. –De repente se puso serio–. Hay tanta que no puedo entender cómo cada partícula del mundo no está cargada de porquería.

No respondí. Como en aquel primer día en Berghof, no tenía nada que añadir.

Una brisa repentina cortó el aire de la tarde y empecé a moverme y a temblar. Vi en su cara que me habría ofrecido su chaqueta, pero sus rasgos sopesaron la gravedad de una oferta así, y se limitó a decir:

–Creo que es hora de entrar.

Llevamos los platos dentro juntos, deteniéndonos torpemente en la puerta de la cocina.

–Bueno, buenas noches, Fräulein Hoff –dijo.

–Buenas noches, capitán Stenz. Doy por hecho que continuaremos con los asuntos otro día.

–Por supuesto.

Y desapareció por el pasillo hacia la habitación que fuera que ocupaba en Berghof.

Me tumbé en la cama, incapaz de no darle vueltas. Como con cada experiencia placentera de los últimos meses, la mesuré con cuidado, con unos voluminosos pesos que se peleaban el uno con el otro sobre los platillos de una balanza imaginaria, como la que tenía mi madre en la cocina. Cuando era una adolescente, habría considerado una velada así como mi derecho a experimentar, y como una mujer de clase media alemana, como una parte de la transición hacia el matrimonio y los hijos.

Pero por aquel entonces, todo lo que hacía que me olvidara del campo o de la guerra, ni que fuera durante un segundo, me inyectaba un remordimiento tan fuerte que hacía que quisiera purgarme físicamente, arrancarlo de mi ser, como un cable insertado en lo profundo de mi cerebro, y desengancharlo de mi alma. Todavía peor era el gozo que sentía con la compañía de un nazi, aunque fuera solo de nombre y tal vez no de naturaleza. ¿Acaso era una colaboradora? ¿Una de esas mujeres a las que habíamos detestado tanto en el campo? Me odiaba porque me gustara, por querer su compañía. ¿Y si me equivocaba respecto a él? ¿Y si era cómplice de la crueldad de primera mano? Valoré la posibilidad de que estuviera jugando conmigo para su propio divertimiento; un gato que atrapa pero que no puede acabar de matar al ratón.

De repente, incluso la vida en aquel pueblo que rozaba el cielo parecía demasiado complicada.

24

Un interés creciente

Volví a encontrarme con Dieter la mañana siguiente, de camino a desayunar.

Me daba la espalda, hacia el vasto aire entre nosotros y la próxima montaña, así que era difícil saber si había estado esperando a que le pasara por el lado. Un pensamiento se abrió camino en mi mente: ¿era eso lo que quería? ¿Que me buscara?

—Buenos días —dije mientras él se daba la vuelta bruscamente—. Ay, perdón, no quería asustarte.

—No... Es... Buenos días, Anke. Espero que hayas pasado buena noche.

—Muy buena, gracias.

Se le escapó una pequeña sonrisa mientras sus ojos volvían de nuevo al paisaje. Los segundos pasaron, aunque no de una manera incómoda, más bien como un espacio convenido. Casi continúo mi camino sin mediar más palabras, pero me di cuenta de que no quería hacerlo.

—¿Estás buscando algo en concreto? —le pregunté al final.

—¡No! No, simplemente observo los cambios —replicó con los ojos todavía fijos—. Siempre me sorprende cómo la naturaleza está en constante cambio, incluso cuando no tendría por qué hacerlo.

—¿No es un alivio? —pregunté—. ¿Qué el mundo siga su curso?

—Mmm, quizá. —Giró la cabeza para mirarme, con el semblante serio—. Y aun así a veces desearía poder ver un edificio en esta tierra virgen, algo sólido. Inamovible.

Reí de buena gana.

—Entonces, ¿crees que los edificios tienen más integridad que las personas o la naturaleza? Seguro que no.

Puso los ojos como platos, las pupilas negras y pequeñas en el brillo de la mañana, envueltas en un mar de azul. Entonces sonrió, siguiendo el chiste.

—¿Y me llevarías la contraria si te dijera que sí? A veces creo que así es.

—Bueno, tendrías que demostrármelo antes de ponerme de tu lado —contesté, provocándole ligeramente.

—¿Alguna vez has estado en Nueva York? —preguntó.

—No, todavía no, aunque me gustaría.

—Cuando vayas, tienes que ver el edificio Chrysler en Manhattan. —Sus ojos se encendieron de golpe ante el recuerdo de sus viajes anteriores a la guerra—. Es una construcción de gran belleza; alto, brillante, imbuido con el amor de su diseñador, sin dejar de ser funcional. Por encima de todo, no tiembla. Cada lado mantiene su belleza, sea cual sea el tiempo. —Sonrió—. Permanece sólido, día sí y día también. Eso me parece reconfortante.

Volvió a mirar a las vistas, con los labios haciendo un mohín.

—No hay sorpresas desagradables aguardando en las esquinas.

Otra pausa, con los alegatos concluidos.

—Entonces debo decir que veo tu punto de vista —concedí—. Aunque todavía apuesto mis propias esperanzas en la naturaleza humana; puede que sea lábil, pero tiene un buen historial de triunfo.

—Cada una tiene su parte buena y mala —añadió él tristemente—. Ahora puedo ver que el cambio no siempre es malo. —Me miró directamente mientras hablaba, con intención. Entonces el rostro se le iluminó al instante—. ¡Vaya! Parece que me has vuelto a persuadir.

Sonreí de oreja a oreja mientras giraba la cabeza.

—De igual manera, Nueva York y el edificio Chrysler están ahora los primeros en mi lista —dije por encima del hombro—. Que tenga buenos días, capitán Stenz.

Era extraño cómo era capaz de pensar, hablar e imaginar un futuro más allá de ese mundo cuando él estaba presente.

Dieter se fue poco después del desayuno y Gretl partió más tarde ese mismo día. La futura esposa se marchó siguiendo su estilo característico, incluso atreviéndose a flirtear con el inamovible Daniel mientras la ayudaba a entrar en el coche. Eva se despidió de ella entre lágrimas, exhibiendo los delatadores andares de pato de los últimos estadios de un embarazo mientras se sobrecogía ante la perspectiva de más tiempo de aburrimiento y soledad.

Daniel volvió con un paquete, claramente de parte de Christa, sin rastro de haber sido registrado. Dentro había una docena de pañuelos cosidos a la perfección, un sombrero de punto y varios trapos que podíamos usar para el parto. Entre las telas había un pequeño set de costura e hilo, y una nota que decía: «Por si necesitas hacer algún ajuste».

Christa no habría perdido la oportunidad de ponerse en contacto, y cogí cada pieza con cuidado, con los ojos cerrados, como la abuela ciega que una vez vi durante un parto. Había estado cosiendo prendas de bebé, palpando cada sección en busca de imperdibles olvidados, dejando que las yemas de sus dedos recorrieran la tela y asegurándose de que fuera seguro y suave para su nieto. Por encima de sus pupilas muertas, las cejas le bailaban con el ritmo del trabajo, arriba y abajo, cosiendo mientras los sonidos oscilaban. Las acciones de la anciana casaban exactamente con las mías, con la fuerza de las contracciones, la desesperación y la necesidad, y no tardé en desviar los ojos de la parturienta a ella, forzando los oídos para sentir los cambios como hacía aquella mujer.

Cerré los ojos y palpé cada pañuelo, notando el refuerzo acolchado, manipulando el mismo material que Dieter y yo habíamos traído del pueblo. En el décimo o undécimo pañuelo, noté un leve crujido. Buscando en el delicado cosido con la aguja, saqué con cuidado un papelito hacia la apertura. Era fino como papel de tabaco, pero por el peso parecía contrabando. Aquello era yo, nosotras, saltándonos las normas. Con consecuencias.

Nunca había sido una rebelde decidida, ni en la escuela ni en el hospital, pero en el campo había aprendido a sobrepasar las barreras y había hallado una gran satisfacción en engañar a los guardias, asegurándome aquella zanahoria extra o patata para alguien que realmente lo necesitara. No me había perdido ni un segundo de sueño por abusar de su supuesta confianza. Allí arriba, me reservaba el mismo odio por el Reich. ¿Lealtad hacia Eva como madre? Todavía no estaba segura. Pero con el bienestar de Christa, con su vida, sabía que no podía andarme con juegos. Le quedaba demasiado futuro por delante. ¿Había sido mi falta de juicio lo que la había metido en aquello? Pasar notas entre los pupitres era algo bastante inocente en la escuela, como mucho podía acabar con una reprimenda de la directora, pero en aquella guerra nos acabaría matando. Tiesas.

Desenrollé la nota con gran arrepentimiento y leí su escritura joven.

«Me han vuelto a contactar. Me hicieron una oferta. Tenemos que hablar».

Solté un largo suspiro. Ignorar los intereses de ese otro grupo parecía ser más difícil de lo que había imaginado. ¿Por qué me había creído que podía ser algo simple, un intercambio directo? La guerra era como una criatura marina, un pulpo de incontables tentáculos, absorbiendo todo aquel que intentara esconderse en la calma del lecho marino. Ayudar a alumbrar al bebé de Eva de manera segura se estaba convirtiendo rápidamente en el menor de nuestros problemas.

No me arriesgué a escribir una respuesta. En vez de eso, le presenté la idea a Eva de que otro encuentro con Christa sería beneficioso, para repasar el plan del parto. En un golpe de suerte, un paquete de equipamiento llegó para mí en el momento adecuado a través del sargento Meier. Se jactó de su autoridad, haciendo gran alarde de que había tenido que revisar los contenidos necesariamente.

—Por la seguridad de Fräulein, ya lo entiende. Se da cuenta de que le confiamos instrumentos que normalmente no se ceden a...

—¿Prisioneras? —propuse.

—Sí, bueno. Por favor, háganos el favor de honrar esa confianza.

No hubo nada que pudiera detener mi sarcasmo.

—Sargento Meier, si estuviera pensando en escapar, sería lo suficiente creativa como para hacerlo sin un par de tijeras umbilicales o de sutura ni parches quirúrgicos. Además, si este equipamiento es de la misma calidad que al que estaba acostumbrada en el hospital, esas hojas no estarán lo suficientemente afiladas como para cortar el papel, mucho menos el alambre de espinos que me rodea.

Sin aliento por mi muestra de pura temeridad, el sargento revolvió algunos papeles para enmascarar su furia. No cabía duda de que anhelaba desenfundar la pistola que llevaba colgada al lado, quitar el seguro virgen y dispararme allí mismo, por mi clara disidencia. Y para su placer. En vez de eso, se limitó a sudar.

—Entonces, ¿me los puedo llevar, sargento Meier? ¿O los va a esterilizar para mí, para tenerlos preparados?

—No, no, puede llevárselos —respondió, queriéndome fuera de su vista.

Christa llegó tres días después, y tras acabar con nuestras tareas con Eva, nos ganamos el permiso para pasear hasta la casa del té, donde Christa decía haber descubierto algo de manzanilla y quería recogerla y secarla para hacer una infusión para el parto. Su consideración hizo que a Eva se le empañaran los ojos y me golpeó la culpa por nuestro engaño.

—Entonces, dime, ¿cómo te encontraron esta vez? —pregunté tan pronto como consideramos que estábamos fuera del alcance del oído humano.

—Había una nota en la pila de la colada en casa de los Goebbels. Alguien que conoce mi rutina diaria la puso allí, estoy segura. Pero no recuerdo a nadie inusual que viniera a la casa ese día.

—¿Qué ponía?

—Que la seguridad del trofeo de Hitler también era su prioridad. Estaban ansiosos por que no se convirtiera en un icono y una joya en la corona de Hitler.

—Eso es muy literal —observé—. ¿Algo más?

Christa se detuvo y de pronto adoptó un aspecto grave.

—Dicen que pueden llevarnos a un lugar seguro, Anke. A nuestras familias también. Mencionaron a mi padre y a tu familia en los campos. Dicen que tienen el poder de sacarnos de Alemania.

—¿A cambio de qué?

–De alertarlos cuando el parto empiece, y cuando el bebé haya nacido.

–¿Ya está? ¿Nada más?

–Solo eso.

–¿Y cómo se supone que nos vamos a comunicar con ellos si decidimos hacerlo?

–Dejando una luz en la ventana de la bodega si aceptamos.

Seguí andando, con los pies pesados, deseando que la casa del té no estuviera tan alejada. Quería quedarme en su bonito balcón, observar la lejanía hacia la expansión hasta Austria y esperar que el paisaje me diera respuestas. De repente me encontraba muy cansada; las ramas veteadas sobre nuestras cabezas, y el día parecían tranquilos, pero me sentía agotada de vivir al borde del precipicio de aquellas montañas distantes, del sentimiento de que cada decisión podía ser la que me llevara al giro equivocado y a una muerte inevitable.

–¿Anke? ¿Qué deberíamos hacer? –Christa se había puesto a mi lado–. ¿Crees que pueden mantenernos a salvo?

Me quedé parada y la miré directamente a los ojos, con las comisuras arrugadas por la preocupación.

–No, Christa, no lo creo.

Parecía desconsolada, abatida.

–Pero ¿por qué? Si tienen la suficiente influencia como para encontrarnos aquí arriba, para ponerse en contacto con nosotras directamente, seguramente tengan influencia también en otros sitios. Seguramente podríamos...

Le cogí las manos con firmeza, solo a un paso de sacudírselas, como una madre con un hijo histérico.

–¡Christa! ¡Piensa! Tu padre está a cientos de kilómetros, mi familia esparcida por dos o tres campos. Aunque tuvieran a algunos alemanes de alto rango como amigos, les haría falta más que eso para sacarnos a todos. Es un sueño imposible y saben que la guerra nos hace estar lo suficientemente desesperadas como para creer en esos ideales, confían en eso.

Sus pestañas cayeron y los hombros se hundieron.

–Lo siento –añadí–. Pero para ellos somos prescindibles, y merecemos no serlo.

Christa suspiró.

–No, soy yo la que debería disculparse. Sé que mi guerra ha sido fácil comparada con la de otras personas, nada que ver con tu sufrimiento, pero solo quiero que se acabe. Alejarme de aquí.

–Lo sé –dije–. Yo también. Lo que no acabo de comprender es si creen que pueden llegar hasta el bebé, ¿por qué no van a por Hitler? ¿No sería más efectivo?

–Creo que sería casi imposible –contestó Christa–. En las pocas ocasiones que ha estado en casa de los Goebbels, es como si llevara una armadura de gente pegada al cuerpo. Nadie podría acercarse lo suficiente. Además, el Führer se convertiría en un mártir al instante, y alguien ocuparía su lugar, tal vez Himmler. Tiene la misma determinación, puede que más. Joseph no deja de hablar sobre la «máquina» nazi; necesita el bebé para alimentar a esa máquina.

Miré a Christa y la comprensión en sus rasgos delicados. Era toda una suerte que el Reich no supiera la espía tan efectiva que tenían dentro de su propia guarida.

Intenté distender el ambiente.

–Tal vez me equivoque, pero creo que nuestra mejor opción de salir de aquí, de sobrevivir a esto, es quedarnos juntas, solo nuestro pequeño equipo. Lo que estamos haciendo no es colaboración –tuve que decirlo en voz alta para obligarme a creérmelo–, es lo que haríamos por cualquier mujer que lo necesitara, con un bebé en camino. Para mantenernos con vida, a todas nosotras.

Si lo decía las suficientes veces, ¿me haría más a la idea y la tenaza que apretaba mis entrañas sería menos fuerte?

Acordamos no hacer nada; nada de lámparas de espía en la bodega ni coquetear con la resistencia. Christa y yo nos preocuparíamos por Eva y su bebé, y esperábamos que la buena fortuna nos sonriera de alguna manera. No era un plan muy sólido, pero era el único que teníamos.

25

Nuevas llegadas

A diferencia de la mayoría de los bebés, los refuerzos llegaron ante de lo planeado a Berghof.

El capitán Stenz vino a verme una mañana temprano, mientras yo estaba sudando a causa de una gran olla de agua en la cocina, esterilizando los instrumentos que necesitaríamos para el parto.

–Fräulein Hoff. –Entró con un par de zancadas con la gorra en la mano–. Qué trabajo tan abrasador.

Me giré al oír el sonido de su voz.

–¡Capitán Stenz! –No pude evitar que me aflorara una sonrisa–. Sí, nunca ha sido mi trabajo favorito, aunque sea necesario.

Me sequé el sudor de la frente y me pregunté si tenía el mismo aspecto rojizo y achicharrado de las criadas que hacían la colada. Removió los pies durante un segundo, y entonces agachó la vista al suelo. Como disculpándose.

–He venido a decirle que el equipo médico viene detrás de mí.

–¿Tan pronto?

–Tenía la esperanza de tener un par más de días, y de comunicarlo con antelación, pero el doctor está dispuesto a instalarse. Solo he conseguido salir antes para poder avisarla.

–Bueno, gracias por eso, el menos –dije–. Será mejor que vaya a asearme. Puedo intentar dar una buena primera impresión.

Me agarró del brazo mientras pasaba por su lado.

–Tiene buen aspecto. Muy bueno, si me lo permite.

Sus ojos eran de ese fabuloso azul, incluso entre el vapor. Pero puse una cara que cuestionaba tanto su visión como su juicio.

–Bueno, vale, está bien, tal vez un poco de acicalamiento para las altas esferas –bromeó el capitán–. Pero no necesita demasiado más.

–Gracias por su confianza, capitán Stenz, y tal vez también por exagerar un poco. Me iré a cambiar.

El personal sanitario llegó en un único coche antes de que transcurriera una hora, seguido por un pequeño camión: más equipamiento del que incluso había imaginado. El capitán Stenz lideraba el grupo de bienvenida, con el sargento Meier a su izquierda, rígido y sudando por el sol de las primeras horas de la tarde. Yo me quedé bien rezagada, consciente de la jerarquía y la necesidad de mantener la posición de Dieter como el hombre que mantenía a su personal en orden. Mi objetivo era llamar la menor atención posible, para que nos dejaran en paz.

Las esperanzas de que la interferencia fuera mínima se estrellaron contra el suelo en el momento en que el doctor Koenig salió del coche, con el verde grisáceo de su uniforme de las fuerzas armadas mostrando pocas arrugas, y la cruz nazi colgada con orgullo sobre su amplio pecho. Parecía ser un militar primero y un médico segundo, un hombre nacido con un rostro presuntuoso y tres líneas marcadas por encima de las espesas cejas.

–Bienvenido, doctor Koenig –dijo Dieter, con un saludo que hizo que me estremeciera por dentro.

–Gracias, capitán Stenz –contestó–. Heil Hitler.

Levantaron la mano para saludar, y le presentó al sargento Meier, junto al ayudante del doctor, Langer, un hombre algo más joven vestido en uniforme verde de oficial militar. Sus pequeñas pupilas barrieron todo el terreno mientras salía del coche, como un pájaro de ojillos pequeños y malvados que hubiese oteado un gusano.

Lo reconocí al instante. Era difícil olvidarlo, no tanto por su apariencia, que podría haber sido modelada por Joseph Goebbels, sino por la manera como había abrazado el «aprendizaje» durante el breve periodo de tiempo que estuvo en el campo. Si no recordaba mal, su especialidad en ginecología era eliminar a los bebés más que producirlos; nuevas maneras de esterilizar a las mujeres, a las que se acercaba de buena gana. Había oído historias del bloque del hospital sobre sus prácticas y había sido testigo del sangriento destrozo que dejaba más de una vez. Su partida del campo después de un mes fue todo un alivio entre las mujeres.

Se me hundió el corazón.

No estaba segura de qué esperaba, pero la relativa comodidad de los últimos meses –me atrevería incluso a decir la práctica libertad– me había llevado a una falsa sensación de seguridad. No me cabía duda de que el Reich se aseguraría de proveer a los doctores competentes disponibles para la señora del Führer, a los mejores en su campo, pero creía que serían civiles obligados a llevar a cabo esa tarea. Me sorprendió mi propia ingenuidad; ese era un bebé político, y por ende el nacimiento una maniobra política, carente de humanidad.

–¿Fräulein Hoff? –Dieter me estaba llamando y avancé hasta el círculo–. Doctor Koenig, le presento a la comadrona Anke Hoff, extrabajadora del Hospital Central de Berlín y la comadrona solicitada por Fräulein Braun.

–Fräulein Hoff. –Asintió diligentemente–. Espero que podamos trabajar juntos. Yo mismo estuve en el Central hace poco... ¿Cuándo estuvo usted allí? ¿En el ala de maternidad?

Sus músculos faciales eran una sonrisa fina enmascarada, diplomática y peligrosa. Sabía mi historia, y me estaba provocando.

–Hace algunos años –respondí, sin sentirme avergonzada–. He estado cometida al trabajo de la guerra desde entonces. Pero mi práctica se ha mantenido actualizada.

Las líneas de su frente, como el dibujo zafio de las olas de un niño, se alisaron cuando su estado de ánimo allanó la piel rosada.

–Ya veo –dijo, como manera de zanjar la conversación.

–¿Pasamos? –Dieter jugaba a ser el anfitrión perfecto–. Fräulein Braun nos espera dentro con algo de té, creo.

Los hombres subieron las escaleras de la casa, y yo vacilé, sin saber si seguirlos o no, de repente desubicada en un entorno tan familiar. Al llevarse al grupo, Dieter miró hacia atrás y me hizo señas para que los siguiera, pero el doctor vio sus intenciones.

–Estaremos bien, Fräulein. Estoy seguro de que podemos reunir todos los detalles necesarios de Fräulein Braun.

Me habían despachado, y me di la vuelta y me alejé rápidamente, sin querer atisbar la expresión de Dieter, por si acaso era de indiferencia, o peor aún, de acuerdo.

26
El buen doctor

Inquieta, leí la misma página de un libro al menos diez veces. En el hospital, estaba acostumbrada a que me despacharan los doctores, hombres que presumían de su conocimiento y de sí mismos. De igual modo, había algunos que daban crédito a nuestras habilidades; que nosotras, como comadronas, podíamos persuadir a los bebés para que llegaran al mundo con paciencia, sacando las fuerzas de la madre en vez de limitarnos a gritarles que empujaran. Y me habían consentido demasiado en Berghof, dejándome con mis propios asuntos durante tanto tiempo aunque halagada porque Eva me hubiera elegido a mí. Era un lujo al que me había acostumbrado como una necia, como a las sábanas limpias y la buena comida.

Durante la cena, oí sus tonos graves en el comedor del piso superior; a los hombres, aunque no a Eva. Probablemente se habría retirado pronto para leer de nuevo sus cartas. Oí la voz de Dieter, los murmullos serviles de Meier y un estallido de carcajadas del doctor Koenig. La voz gruñona del doctor Langer conseguía teñirse de un deje siniestro y oscuro sin necesidad de elevarla, así que parecía estar ausente.

Hallé el consuelo en mi habitación y mis cartas; solo una más de mamá y papá se habían filtrado la semana anterior. Las esquinas de la página estaban ya desgastadas de mi manoseo constante, como si cada carta fuera la piel suave de mamá o la barba sedosa de papá. Volví a beberme las letras.

«Ilse y yo nos hemos unido a una coral y lo estoy disfrutando mucho —escribió en su estilo animado de diario personal—. Ilse se ríe de mí diciendo que soy incapaz de afinar, pero creo que seguiré cuando acabe la guerra. ¡Ha sido muy inspirador!».

Tuve que sonreír ante su optimismo forzado, aunque fuera solo era para mi beneficio. Papá, por naturaleza, era más filosófico. «Mi corazón está constantemente hinchado por la naturaleza del ser humano y su tenacidad cuando poco tenemos por ver más allá del horizonte –escribió con una letra cada vez más enmarañada–. Sus pequeños actos de bondad hacia mí hacen que se me empañen los ojos, aunque ya sabes, mi querida Anke, que no hace falta mucho para que lloriquee por la belleza y la monstruosidad de la humanidad».

Tantos mensajes en unas pocas y simples frases: atrapados enfrente de la radio durante esos días antes de que nos apresaran a todos, papá y yo habíamos hablado sobre las infinitas posibilidades que nos quedaban a nosotros y a Alemania, a veces ambos con los ojos húmedos. Siempre, siempre, sin embargo, él terminaba con la opinión: «La humanidad triunfará, Anke. Puedes estar segura de eso». En sus palabras garabateadas, estaba encontrando la manera de que sus valores perduraran. Supe entonces que su manera de pensar, y la de miles como él –encarcelados o libres–, expulsarían a los abusones como Koenig. Solo teníamos que esperar. Y sobrevivir.

Todavía seguía despierta cuando hacia la medianoche el coche del equipo médico se fue, camino de su base en la falda de la montaña. Pero estarían de vuelta, merodeando, de eso no cabía duda. Me sentía impaciente por calibrar la opinión de Eva sobre la situación; siempre me había dado la impresión de que solo íbamos a estar nosotras dos durante el parto, y también Christa. Pero su mente voluble se podía influenciar con facilidad; cualquier sugerencia del Führer a favor de los doctores y podía ceder. La imagen de intentar ejercer como comadrona con la presencia autoritaria del doctor Koenig en la habitación hizo que un sudor frío me recorriera el cuerpo. ¿Y Dieter? Sabía que él lo entendía, pero incluso como miembro de las SS tenía limitaciones. Deprimida, me sumí en un sueño intranquilo.

Era obvio que el doctor quería ponerse manos a la obra. Estuvo de vuelta antes del desayuno, supervisando la transformación de una gran habitación de invitados en el mismo piso que el dormitorio de

Eva. Habían traído una mesa de operaciones, luces portátiles y una máquina de anestesia –incautada de algún hospital de campaña que la necesitaba, sin duda– además de un despliegue de instrumentos. Las criadas habían estado despiertas desde primera hora frotando el suelo y las paredes, y las cortinas se reemplazaron por persianas.

Arrugué la nariz por el olor pungente a carbólico.

Avancé sigilosamente por el pasillo hacia la habitación de Eva casi pasando de puntillas por delante del nuevo quirófano.

–Fräulein Hoff, ¿podemos hablar un momento?

Me tensé al oír el sonido de la voz del doctor Koenig.

–Cómo no, doctor.

Me hizo señas hacia el despacho vacío del sargento Meier.

–Por favor, siéntese.

Ocupando su lugar detrás del escritorio, se sentó como si la silla estuviera moldeada a su ancha forma.

–Bien, Fräulein, parece ser que le ha causado bastante impresión a Fräulein Braun –dijo con los dedos entrelazados y puestos sobre la barriga–. Me ha dicho que usted ha ideado un plan, que estipula que como doctores –hizo hincapié en la última palabra– debemos permanecer en el edificio pero fuera de la sala de partos, hasta que solicite nuestra ayuda.

–Creo que eso es lo que Fräulein desea –dije, con el contacto visual solícito pero mínimo–. Me guío, por supuesto, por sus deseos.

–En ese caso, creo que es prudente que ambos seamos claros en nuestras áreas de práctica.

En otras palabras, mis limitaciones como comadrona, y su capacidad de hacer lo que fuese en el nombre de la medicina.

–Por supuesto –afirmé.

La lista que recitó era predecible, pero limitante: cualquier retraso en el parto más allá de un número concreto de horas, cualquier fallo en los latidos del bebé, sangrado, fluido decolorado una vez hubiese roto aguas, cambios en la presión de la sangre, pulso o temperatura. Eva debería ser un caso único para poder evitar sus grandes manos dominándola. Debía informarle del progreso del parto personalmente cada hora.

Asentí a cada petición, sabiendo que sin su presencia o la del doctor Langer en la habitación, solo yo podía evaluar los hechos clínicos. Tenía la suficiente experiencia como para detectar las señales de peligro real, e ignorar todas esas áreas grises que abarcaban la normalidad.

–¿Fräulein? –Parecía molesto porque no le mostraba ningún signo de veneración–. ¿Está segura de su papel y de cuándo pasar el mando?

–Sí, doctor, lo estoy –respondí–. Aunque tengo total confianza que Fräulein Braun sobrellevará el parto y dará a luz a su bebé sin necesitar nuestro apoyo en gran medida.

Gruñó, desacreditando que una mujer pudiera dar a luz sin su experta ayuda.

–¿Es todo? Fräulein Braun me está esperando.

Me moví para ponerme en pie.

–Espero sus informes a diario –dijo mientras me iba.

–Por supuesto. Buenos días, doctor Koenig.

Aguanté la respiración hasta que llegué a la mitad del pasillo, y solté un gran suspiro mientras el doctor Langer salía del quirófano. Se detuvo, se acordó de golpear los talones y asintió; sus pequeñitas pupilas se clavaron en mi rostro. Durante un segundo me preocupé por si me reconocía, pero mi apariencia tenía tan poco que ver con la chica esquelética del campo que no creí que fuera posible. Tenía una cabeza visible llena de cabello y una piel rosada me cubría las mejillas, en vez del gris mortecino, y brillo en los ojos. Había dejado de ser una sombra.

–Fräulein –dijo quedamente, y siguió su camino.

Eva estaba bastante animada, como si la mera llegada de los doctores señalara que el bebé venía de camino. Su complexión era la de la mujer deportiva más sana que pudiera haber, con un cabello espeso y brillante que le caía por encima de los hombros.

–Buenos días, Anke –me saludó–. El bebé está muy despierto hoy. Llevo desvelada desde la madrugada. Vimos cómo salía el sol juntos.

Tenía una sonrisa de oreja a oreja de satisfacción, y se sostenía la panza con ambas manos.

—Qué maravilla... un bebé revoltoso es un bebé feliz, como decimos.

Brillaba con la presteza de una mujer que estaba a punto de entrar en otro reino, en otra vida. Con un aspecto de lo más saludable.

Me entretuve con el chequeo, pues estaba ansiosa porque me contara detalles.

—Entonces, ¿ha conocido a los doctores Koenig y Langer? —pregunté.

Se tumbó automáticamente en la cama, y me incliné para auscultar al bebé.

—Así es.

Casi contuvo la respiración, como hacía cada vez que le informaba sobre el estado del feto.

—El bebé tiene un sonido espléndido. Hoy es como un tren, en vez de un caballo al galope; adorable y estable.

Ella se rio, como siempre hacía.

—Anke, ¿qué piensas de los doctores?

Me quedé callada adrede.

—Creo que están haciendo el trabajo para el que los enviaron, para asegurar tu seguridad y la del bebé.

—Pero no tienen por qué estar muy cerca, ¿verdad? ¿Si todo va bien?

—No, si no quieres que lo estén. —Me senté en la cama y la miré de frente, hinchando las mejillas teatralmente para transmitir una preocupación genuina—. Puedo mantenerlos alejados, pero solo si dejas claro que es elección tuya. Yo soy comadrona, Eva... No estamos por encima de los doctores. Pero tú sí.

Sus facciones rollizas se relajaron de golpe.

—Qué bien. Ya sabes que haría lo que hiciera falta para asegurarme de que el bebé está a salvo, pero siento que puedo hacerlo, contigo y con Christa. De verdad lo siento. Solo hace falta que este pequeñajo se comporte. —Habló hacia su estómago, y, en el momento justo, el bebé hizo que su abdomen ondeara—. No tengo miedo,

¿sabes? –añadió mientras me daba la vuelta para irme–. No tengo miedo de dar a luz, de todo lo que comporta. –Sonrió, como si se estuviera convenciendo a sí misma–. Es solo que después...

–Lo sé –la corté–. Lo sé.

No hacía falta decir nada más. Todas teníamos miedo de lo que podía venir después.

Busqué a Dieter en el despacho del sargento Meier, su subsecretario perceptiblemente ausente toda la mañana.

–¿Interrumpo? –le pregunté, cuando vi su semblante preocupado.

–Ah, no, entra... Eres un alivio bienvenido de las frustraciones de la correspondencia. A veces pienso que la balanza de esta guerra se decantará según las máquinas de escribir en vez del campo de batalla.

Me ofreció la silla enfrente de él.

Le dije lo que me había comentado Eva, y esperé al inevitable y largo suspiro.

–Ya me lo esperaba –respondió–. Estaba muy callada durante la cena anoche, y no creo que ninguno de nuestros ilustres médicos militares diera una muy buena impresión. El doctor Koenig se mostró muy optimista y altivo, y el doctor Langer quedó como un ratoncito en comparación. –Juntó las manos en una postura que parecía una plegaria y levantó la barbilla–. Pero dudo que el doctor Koenig se tome a buenas que le pasen por encima, ya seas tú como comadrona o cualquier otra mujer. Tendré que dejárselo caer, digamos, creativamente.

Se sumió en sus pensamientos y parecía que se había olvidado de mi presencia, hasta que forcé un tosido.

–Dieter, ¿puedo preguntarte algo más? ¿Quién está al mando aquí? ¿Herr Goebbels, Magda o los doctores? No entiendo por qué no tenemos una directiva del mismo Führer, puesto que es su propio hijo.

Una luz turquesa se estrechó debajo de sus pestañas rubias.

–Yo tampoco estoy del todo seguro, más allá de que sé que el Führer no ha ocultado nunca el hecho de que no quiere tener hijos. Por lo que he podido descubrir a Eva la trata con desprecio, pero le tiene cariño a su manera. La tolera, al igual que a cualquier mujer. Pero no lo suficiente como para estar presente. —Las palabras siguientes salieron a hurtadillas de su boca, con los dientes apretados, casi por accidente–. Está demasiado ocupado siendo el padre de Alemania. No, este es el bebé de los Goebbels, la pequeña estrella de Joseph.

Más tarde esa noche, trazando las motas de luz en mi sombrío techo, tenía mucho en lo que pensar. Dar a luz era, por naturaleza, una serie de incógnitas, pero tenía sus propias certezas. Había un patrón, un guion de parto, pero también era como las obras que solía ver en un pequeño teatro al lado de Alexanderplatz, donde el drama podía dar un giro brusco en cada representación, lábil y fluido. Me encantaba que fuera experimental y errático; había sido divertido caer por el acantilado de la expectativa, sentada en el filo de la butaca.

Como comadrona, era la adrenalina natural la que me llevaba a empezar cada nuevo capítulo con ojos frescos. Antes de la guerra, la siguiente escena se habría configurado firmemente, cuando las amorosas madres se llevaban a casa a sus recién nacidos, bebés que partían para ser amados en miles de vidas diferentes. En el campo, ese guion estaba prácticamente despedazado, y aun así, de una manera odiosa, me había acostumbrado incluso a eso. En ese momento solo quedaba un horizonte de incertidumbre. El bebé nacería —eso era seguro— pero en lo que a la narrativa posterior concernía, solo podía esperar que Eva tuviera un papel importante en algún lugar del detallado drama escrito de los Goebbels.

¿Y el destino de mi familia? Tal vez fueran papeles secundarios. Se podían tachar con facilidad.

27

La sala de coser

Dieter estuvo desaparecido el resto del día, y yo me entretuve revisando las notas para el doctor Koenig. Por la tarde, Eva me pidió que la acompañara a dar un paseo hasta la casa del té, una mala excusa para sonsacarme más historias de partos, algo que no me importaba compartir. Le gustaban especialmente los cuentos sobre los alumbramientos en casa, y hurgué en mi memoria –las partes buenas– pasando por alto con naturalidad si eran alemanas, checas, húngaras o judías.

Bajo la percepción constreñida de Eva, todos los bebés eran regordetes, rosados y de ojos azules, y el rostro se le iluminaba cuando el parto alcanzaba su fin. Le encantaba saber cómo eran las mujeres cuando daban a luz; qué decían, a quién llamaban, y las ocasionales demandas graciosas que hacían.

–¿Crees que yo seré así, Anke? Ay, ¡espero no gemir demasiado!

Se agarró la barriga como para decir: «Esos seremos nosotros pronto». No podía culparla de sus ganas de avanzar, intrépida en su pequeño universo propio.

En cuanto a mí, libraba una batalla diaria con impaciencia, allí arriba en el cielo estático. Lena vino a mi rescate a primera hora del día siguiente, preguntándome si quería que se hicieran trapos con algunas sábanas para el parto. Podía confeccionarlos con facilidad en la antigua máquina de coser de la anterior ama de llaves.

¡Una máquina! El prospecto de tener algo que hacer me hizo sonreír. Daniel sacó la lata de aceite y le dio un buen repaso al polvoriento cacharro, y uno de los muchachos de la cocina la cargó hasta la mesita dentro de mi chalé. Rozaba lo arcaico, pero me era completamente familiar; mi abuela tenía una casi idéntica, que le legó a mi madre y quedó expuesta en el pequeño comedor de la casa de mis padres. Tuve una pequeña visión de ella inclinándose sobre la mesa, murmurando y maldiciendo en voz baja cuando el hilo se atascaba con frecuencia en la bobina, y me obligué a tragarme la imagen.

La pena para otro día.

Una brisa empezó a correr mientras extendía la tela. Lena me trajo la caja de coser de la cocina que contenía todo tipo de hilos y agujas, y varios pares de cizallas; si el sargento Meier me hubiese visto, ¡su perfecto cabello engominado se habría caído al suelo del espanto! Yo no era costurera, a pesar de mi experiencia, y nada comparada con Christa, pero podía hacer un dobladillo y una costura decentes, y esas eran las únicas habilidades que necesitaba. Y tenía todo el tiempo del mundo.

Al poco me descubrí tarareando con el pedal, y sintiéndome bastante... ¿Era «feliz» una emoción demasiado intensa? ¿Puede que fuera alegre o satisfecha? Vivía, sin estar bajo la amenaza inminente de muerte, y tal vez mi familia tenía también alguna oportunidad. Había motivos para ser optimista.

28

Liberación

Corté y di puntadas durante toda la comida; Lena vino a ver cómo iba y me trajo un sándwich, angelito. Para cuando empezó a caer el sol tenía una pila ordenada de trapos con dobladillo, que luego herviría, preparados para el parto. Mis ojos estaban cansados y doloridos mientras limpiaba los hilos, y no vi a la figura que se acercaba hacia mi porche. Su rostro en el umbral me asustó.

—¡Dieter!

—Lo siento, no pretendía...

—No, no, es solo que no te esperaba —lo dije como una esposa que le da la bienvenida a su marido que viene del trabajo, y me di cuenta de lo frívola que era en su presencia.

—Veo que has estado ocupada —dijo él, mirando los restos de tela.

—Al fin he encontrado una tarea con la que mantenerme ocupada. Acepto cualquier trabajo de buen agrado por nimio que sea. Aunque no puedo garantizar buenos resultados.

Sonreí como una chica de una tienda que vende mercancía de baja calidad y sonaba ridícula, aunque era incapaz de controlarlo.

—Bueno, me alegra verte... satisfecha. Si puedo decir eso. —Se mantuvo en el umbral, con un aspecto cansado—. Anke, ¿te gustaría acompañarme a tomar algo? No me iría nada mal una copa.

Adopté ese posado sorprendido de nuevo, pero lo oculté, por su bien.

—No me hago cargo del efecto que pueda tener en mí... Tal vez me quede dormida... Pero sí, me gustaría.

Desapareció en la oscuridad de la última hora de la tarde, y volvió tras unos minutos con una botella de brandy. Brandy caro.

—¿Servirá?

Lo sostuvo en alto, con dos vasos.

Nos sentamos en el porche mientras dábamos sorbos. El líquido me ardía en la lengua, y como con la primera calada del cigarrillo, casi lo escupo entre tosidos. Gradualmente, sin embargo, se fue convirtiendo en una delicia, y me acordé del júbilo del buen alcohol en una agradable noche fuera.

La tarde estaba tranquila, la brisa había menguado y no había nadie a la vista. Los guardias estarían cenando y el resto del personal de la casa se había retirado puertas adentro. De algún modo se sentía... vacío. Un resplandor distante procedente de los picos de las montañas nevadas centelleó a través de la extensión de azul y solo se oía el crujido suave de los árboles que nos rodeaban.

–Y bien, ¿cómo le va al bueno del doctor Koenig? –dije al aire.

Él se rio.

–¿Tan obvio es?

–Bueno, tienes aspecto de haber trabajado duro en tu papel de diplomático.

Suspiró y dio un largo trago.

–Eso ni se le acerca. Me he tenido que pasar toda una tarde y un día entero con él y ese... doctor Langer, escuchando cuentos sobre la escuela médica y como los desagradecidos ciudadanos del Reich le deben la vida a sus habilidosas manos. Todo ellos, por lo que parece. Me llevó mucho rato aplacarlo por lo de Eva.

Podía ser a causa del alcohol, no lo sabía, pero de repente estaba molesta. Una ínfima burbuja de irritación en algún lugar de mi interior se hinchó hasta convertirse en una gran pompa de odio por como los individuos gordos, pomposos y de poco talento como el doctor Koenig necesitaban que les acariciaran el ego, para que pudieran dejar en paz a los demás.

–¿De verdad tenías que hacerlo? –Intenté ocultar el tono de mi voz.

Stenz tenía los ojos cerrados con la cara proyectada hacia el cielo que se apagaba.

–Sabes que sí, Anke. Es lo que hago... Mi propósito. –Lo dijo perezosamente, como si el alcohol lo estuviera adormeciendo.

–¿Has pensando en no hacerlo?

Esa vez un golpe directo. No quería discutir, pero al igual que mi flirteo, estaba fuera de mi control.

Se incorporó con los ojos abiertos.

–¿Qué quieres decir?

–¿Acaso sabes, Dieter, sabes de verdad lo que está ocurriendo en tu país... en nuestro país? ¿En Polonia, Hungría, en este glorioso Tercer Reich?

Sus rasgos se enrojecieron mientras se ponía en pie y miró alrededor para asegurarse de que de verdad estuviéramos solos.

–¡Claro que lo sé! ¿Crees que soy un ignorante? O peor... ¿un monstruo?

–No, pero...

–Como ya te dije, era lo que se esperaba que hiciera. No me quedaba otra que unirme, no fue una invitación. –Su voz no era más que un murmuro amargo–. Todos hemos hecho sacrificios, Anke.

No pude contenerme.

–¿Y están tus padres en un campo de trabajo, rodeados por la muerte y la destrucción, viendo cómo día sí y día también se enfrentan a la crueldad humana? ¿O es su vida acomodada la que temen perder... un sirviente o dos, o la comida abundante en la mesa?

Notaba mi propia voz caliente por la furia y el brandy.

–¡No! –Escupió él y puso unos ojos como platos, observando si su mal humor había trascendido. Volvió a tomar el control, una turbulencia leve–. Ahora eres tú la que está siendo una ingenua, Anke. ¿De verdad te crees que te puedes deshacer de un uniforme como el mío a voluntad? Aparte de la vergüenza para mis padres, los pondría en riesgo real, a todos ellos, si hubiera la más mínima duda de mi lealtad. Los oficiales de las SS no se pueden permitir el lujo de salir por piernas y retirarse. Son proclives a los accidentes de coche y los suicidios. Sus familias mueren en sus casas en llamas. –Tragó saliva con dificultad–. Más a menudo de lo que crees.

Una pausa desagradable se extendió entre los dos mientras absorbía la realidad de sus palabras.

Dieter se sentó, desplomado y con un aspecto absolutamente agotado mientras se pasaba una mano por el pelo.

—Yo también soy un prisionero más o menos —dijo en voz baja—. Tal vez no haya visto lo mismo que tú, ni haya sufrido como otras personas, pero sé lo que está ocurriendo. Tengo orejas y ojos, y a veces desearía deshacerme de ellos.

Justo en ese instante, le creí. Por qué, no sabía decirlo; sentado allí, portando esa chaqueta tan plomiza como un cielo tormentoso y más oscura que el infierno, con esas horribles calaveras en el cuello reflejando la poca luz que teníamos. Pero le creí.

—Entonces, ¿cómo vives? —pregunté.

Respiró hondo.

—Hago todo lo que puedo para limitar mi efectividad sin levantar sospechas. Si parezco inútil se limitarán a reemplazarme por otro que sea más competente; agresivamente competente. Así que hago papeleo y a veces lo dirijo en la dirección equivocada, despacio. Un error de tecleo aquí, un informe perdido por allí, para que un nombre se caiga de una lista, perdido en el proceso.

Me miró con los ojos entornados a la luz mortecina.

—No pretendo corromper los cimientos, Anke. No soy tan valiente, pero puedo debilitar los andamios ni que sea un poco. Solo lo suficiente como para perder tiempo y recursos y que no puedan hacer un daño real. No es demasiado, pero es todo lo que puedo hacer.

Dieter se inclinó en la silla, mirando al cielo y vacío de palabras, y vi cómo la luz de la luna se reflejaba en el contorno de sus ojos y en la arruga de desasosiego en la comisura de su boca. El aire estaba muy, muy calmado; la vida totalmente suspendida. Al cabo de unos segundos, una leve brisa se levantó y me trajo el coraje, un empujoncito. Me acerqué a él, tocando su mejilla con delicadeza mientras inclinaba la cabeza y presionaba los labios contra su boca suave, primero con amabilidad, y luego con voracidad. Lo tomé por sorpresa, pero al instante cedió, atrayendo mis labios a los suyos, y nos quedamos prácticamente inmóviles; solo latían los músculos más pequeños. ¿Fueron segundos? ¿Diez o más? ¿Quién sabe? La eternidad no sabe del tiempo.

Yo fui la que se apartó primero, observándolo con inquietud para evaluar su expresión. No era una de sorpresa o disgusto, sino de alivio, y –me atreví a pensar– de placer. Clavé mis pupilas en las suyas, ambos escaneando y juzgando. Con los ojos fijos, se levantó y me cogió de la mano, conduciéndome al chalé, como una chica a la que invitaban a la pista de baile para un último vals. Todo mi ser cedió, y dejé que me guiara.

No mediamos palabra. En la casi completa oscuridad, nos desvestimos y él colgó la chaqueta en una silla. Observé cómo lo hacía y se percató de que lo miraba, se quitó la camisa y cubrió el tejido oscuro con el algodón blanco para que pasara prácticamente desapercibido y quitó la gorra fuera de la vista. Entonces lo vi con la apariencia que debería haber tenido en otra vida: los tirantes lánguidos a los lados, un pecho esbelto y marcado apenas visible en el brillo que entraba por la ventana, sus pulmones succionando y soltando aire, fuerte y rápido, las costillas como si fueran pistones.

Pasé la cortina por la ventana antes de quitarme el vestido y me saqué las braguitas, avergonzada por el cuerpo que había perdido y que solo había medio recuperado desde que había empezado esa otra vida. Nos escabullimos bajo las sábanas –todavía sin palabras– y nos analizamos el uno a la otra, centímetro a centímetro, tocando hambrientos cada porción de piel para que nada se quedara falto de contacto. Inhalé en su cuello y olí la nuca donde su pelo rubio se encontraba con los huesos de su columna, y él se movió hacia el lugar donde mis pechos habían despuntado un día, encontrando consuelo con avidez en la carne que había allí. Desprendía un aroma a brandy y cigarrillos y a ese misterioso toque de colonia, pero no a suciedad agria u odio.

No había vuelta atrás. Aquello era la guerra, nada de medias tintas ni barreras, nada de «vamos viendo». ¿Amor o lujuria? Cuando había poco tiempo para analizar cualquiera de las dos, acometías a algo entre medias y vivías el momento.

Fue cuidadoso con mi cuerpo marchito, preocupándose por agarrarme por donde había ganado nueva carne, y obviando la flácida excusa que tenía por figura. En comparación, él era firme y robusto; como cabía esperar, los músculos los había ganado en los campos de fútbol de la infancia o en el garaje de su padre, bien

desarrollados. Me tomé el placer de palpar cada curva, cada tendón orgulloso mientras me sostenía, y él se ocultó a mi alrededor
y dentro de mí, y me sentí como no me había sentido en mucho,
mucho tiempo.

Segura.

De camino, febrero de 1942

Un agujero entre las juntas de la lona de la parte trasera del camión significaba que podía ver la vida real pasar zumbando mientras nos alejábamos del cuartel general de la Gestapo; uniformes militares, ciclistas, madres que empujaban cochecitos en un paso de peatones. La vida seguía para aquellos en libertad, ajenos a los horrores que tenían tan cerca, como yo hasta unos días atrás. No hay nada como anhelar la libertad cuando no la tienes, y podía saborearlo en el aire frío que se colaba por los resquicios.

La lona era tan sólida como cualquier límite de una prisión con la presencia de guardias armados, y al menos me procuraba un poco de protección contra las temperaturas glaciales. Los dos guardias estaban erguidos e impasibles enfundados en sus gruesos abrigos y botas, mientras que los cuatro prisioneros temblábamos incontrolablemente. Yo era la única mujer, al lado de un anciano, y dos hombres más jóvenes enfrente. Tenían en la cara moratones visibles, pero el anciano parecía indemne. Inconscientemente, no hablábamos, dirigiendo miradas al pasillo del camión, y regalándonos sonrisas de consuelo cuando los guardias cerraban los ojos con cansancio mientras traqueteábamos.

Me temblaban los labios por el frío, y uno de los hombres delante de mí empezó a quitarse la chaqueta del traje. Desató una reacción veloz de uno de los guardias, que nos ladró que no nos moviéramos, y el hombre hizo un gesto a su ofrecimiento. Al final, el guardia asintió dando a entender que era aceptable. Protesté al principio, pero la cara del hombre mostraba estar dispuesto.

—Llevo una camisa y un jersey —dijo en voz baja, señalando a la lana fina sin mangas que tenía debajo del tejido de lana escocesa.

–Gracias –le dije, y me di cuenta de que era la primera vez que había pronunciado una palabra durante el último día más o menos. Sentí la calidez inmediata del tejido y la humanidad combinados, el material pesado sobre mis hombros. Intenté mostrar un aprecio real con una sonrisa, y él parecía alentado por el hecho de dar. Jamás sabría cómo ese simple regalo me ahorró mucho sufrimiento las horas siguientes, o lo a menudo que se lo agradecí en la distancia, con la esperanza de que no estuviera pasando demasiado frío con su ropa fina.

Parecía que nos dirigíamos al norte, por algunas de las calles y edificios que pasábamos. Pero cuando dejamos atrás los confines de la ciudad perdí el sentido de la geografía y el cansancio me sobrevino. Apoyé la cabeza hacia atrás, bamboleándome medio dormida, arrullada por el rugido del motor. Me desperté cuando nos detuvimos abruptamente, oímos gritos de hombres fuera y nuestros guardias se pusieron alerta, golpeando con las culatas de sus rifles en el suelo del camión.

–¡Escuchad! ¡Todos! ¡Ni una palabra!

A nosotros –el cargamento– nos descargaron en algún tipo de almacén, con múltiples vías de tren a cada lado. Me retuvieron mientras los hombres desaparecieron de la vista por detrás de un tren de mercancías. Un sol débil se ocultaba detrás de una máscara gris de nubes, y supuse que debía ser alrededor del mediodía, el tenue resplandor nos acariciaba de refilón mientras nosotras –seis mujeres en total– esperamos de pie tiritando durante al menos una hora. Solo un soldado aburrido hacía guardia, arrastrando los pies y mirando a todos lados menos a nuestras caras, aunque no nos impidió que habláramos entre nosotras.

Las mujeres susurraban historias parecidas de un miedo bien planeado; me imaginé que en algún lugar, en un despacho en Berlín, había un equipo de psicólogos de ojos siniestros atareados con idear nuevas maneras de romper a sus propios compatriotas, entregándose a fracturar la humanidad sin pensar siquiera en reensamblar el alma. Solo esa idea me entristeció más que cualquier otra cosa.

Estaba al lado de una mujer llamada Graunia, una periodista situada en el lado equivocado del pensamiento de Goebbels. Me pareció una persona brillante y estoica en medio del gris de ese día y me sentí atraída por su espíritu tenaz incluso en aquel momento. A menudo le agradezco al destino que nos agruparan juntas en ese momento, un soporte para la supervivencia futura de las dos que nunca podríamos haber predicho.

Al final, de entre la distancia blanquecina, un tren de mercancías se acercó lentamente hacia nosotras. Los frenos chillaron estridentemente hasta que se detuvo y varios guardias salieron de dentro, para formar un semicírculo alrededor de uno de los vagones, con los rifles cargados. Gritaban órdenes, aparentemente a lo que fuera que había dentro:

—¡Atrás! ¡Silencio! ¡Atención!

Las mujeres se miraron las unas a las otras, con la alarma dibujada en las facciones.

La puerta del vagón de ganado se abrió de golpe, y una nube invisible pero nauseabunda emanó de dentro, buscando desesperadamente partículas de aire limpio. Se me aferró a la garganta: el hedor de la degradación humana. Los guardias observaron repugnados, cubriéndose la nariz sin disimulo, y me esforcé por no hacer lo mismo. Las caras que emergían de la oscuridad parecían avergonzadas de su propia mugre, entonces se agolparon hacia la puerta, ansiosas por inhalar el aire del patio, impregnado del olor a combustible de los motores.

—¡Atrás! ¡Atrás! —ladraban los guardias, alzando los rifles al aire.

Luego nos escoltaron hacia la apertura. Una arcada me subió por la garganta y la empujé hacia abajo con todas mis fuerzas. Sabía que ese sería pronto mi propio hedor también, rodeada por mi propia bazofia durante a saber cuánto tiempo. Otro punto para esos arteros psicólogos.

Nos empujaron hacia el interior del vagón, y aunque no estábamos hombro con hombro, no había suficiente espacio para que todas pudiéramos estar sentadas, así que algunas de las mujeres estaban de pie en grupitos, como si estuvieran charlando en una fiesta. La puerta se cerró con un sonido metálico y mis ojos se ajustaron a la oscuridad; vi que la mayoría de las que estaban sentadas eran ancianas, y una mujer joven que ya era poco más que piel y huesos, como si las piernas larguiruchas cruzadas debajo de ella no la fueran a sostener. A Graunia y a mí nos empujaron juntas, sin mediar palabra. ¿Qué podíamos decir? No había nada que justificara un desconcierto tan puro.

Sin embargo, una mujer a mi lado habló.

—¿Tenéis agua? ¿Algo?

Sus labios y su voz estaban agrietados y la lengua correosa. Mantenía la boca hacia un lado, consciente de su aliento repugnante.

—No, lo siento —respondí—. No tenemos nada.

Sus ojos murieron y se dio la vuelta, tropezando con algunos de los cuerpos sentados y colapsando como un títere, sollozando bajito.

—No está demasiado bien —murmuró una de las mujeres—. Fue una de las primeras en subir, y no sé cuánto tiempo hace que no ha bebido nada.

Nos mantuvimos cerca, Graunia y yo, hablando con aquellas que habían estado en el vagón desde la última parada. No habían viajado durante largos ratos, tal vez treinta minutos cada vez, pero el tiempo de espera entre medias había sido de horas, extendiéndose hasta buena parte de la noche. Solo una vez, los guardias les habían dado una cantimplora con agua, pero el tren se había sacudido violentamente en el instante en que había aparecido, y la mitad del líquido se había perdido en el suelo; el resto lo compartieron entre aquellas que más lo necesitaban.

Fuera, se oían gritos ocasionales, un ajetreo de voces, silencio, luego más actividad, varios disparos en la distancia y después el continuo siseo del vapor que se elevaba, el motor emanando su liberación y empezando el ciclo de nuevo. Me dolían las pantorrillas y los pies me ardían dentro de los zapatos. Era una suerte que mi aspecto nunca me hubiera supuesto una preocupación, en ese momento en el que me parecía a algunas de las señoras vestidas con retales que hacían cola diariamente fuera del hospital, suplicando por un pfennig o dos, con las mejillas marrones y apergaminadas. La diferencia era que ellas sonreían. Y eran libres. Pobres y vagabundas, tal vez, pero a cargo de sus propios destinos.

Estaba medio cabeceando, sostenida por el montón de cuerpos, cuando partimos. La luz todavía se filtraba por entre los listones de madera, nuestro único indicador del tiempo. Hubo un pequeño murmullo de alivio de que, tal vez, el viaje se acercaba a su fin, pero nadie habló. Solo había la mezcla de corazones apesadumbrados y resignación, girando con más hedores del mundo. Un pensamiento tácito nos unía: ¿Dónde íbamos a acabar? ¿Y cómo de parecido al infierno sería?

29
Amigos

Me quedé apoyada en el recodo de su brazo, mirando un pequeño halo de luz de luna en la pared. Él estaba callado, respirando agitadamente, su otro brazo me acariciaba la espalda, resiguiendo una de mis pocas curvas con la barbilla apoyada en mi pelo.

Al fin su respiración aminoró y rompió el silencio.

–Bueno, Fräulein Hoff, es usted una caja de sorpresas.

–Nada predecible usted tampoco –contrapuse–. Para ser capitán.

Nos arrebujamos y reímos bajo las sábanas, y nos tomamos un tiempo para besarnos, en ese momento que no había ninguna urgencia.

No hablamos de lo que significaba; qué líneas habíamos cruzado o las consecuencias si nos descubrían. Había un tiempo y un lugar para eso, pero no en ese instante. Pues esos preciados minutos se alargaron en horas, nos bebimos la intimidad, nos arrimamos en contraposición al mundo duro y frío de fuera, en medio de la caliente tarde de primavera.

Exploró mis costillas y los bultos de mi pelvis, y yo las cicatrices de su primera batalla, rugosidades profundas en ambas escápulas, y ninguno de los dos preguntó ni dio explicaciones. Simplemente era así.

Era la guerra.

Ambos debimos de dormir durante un buen rato, y nos despertamos –Dieter con un sobresalto– cuando la patrulla vino a primera hora. Normalmente no me despertaban, pero los dos chicos jóvenes estaban de risitas por algún chiste mientras pasaban. Nos tensamos el uno contra la otra y luego nos relajamos, mi cuerpo más pequeño enrollado bajo su curva, como gatitos en el universo de las piernas de su madre.

–Debo irme –me susurró al oído–. Sería una catástrofe que me vieran salir a hurtadillas de aquí... Por tu bien.

–Lo sé –le dije.

–Esperemos que Frau Grunders no merodee por los pasillos haciendo su propia patrulla.

Se rio mientras volvía a tirar de las sábanas, y yo me acerqué hacia su lado vacío, ansiosa por ocupar su forma durante unos minutos más.

Se vistió en la luz tenue, solo los pantalones y la camisa y me dio un beso en los labios antes de recoger la chaqueta y la gorra, ponerlos bajo el brazo y girarse hacia la puerta.

–¿Dieter?

–¿Sí?

–Mañana... hoy... nada de arrepentimientos, ¿eh? Que esto no nos haga ser distintos. Podemos ser amigos.

Se giró para mirarme de nuevo.

–Somos amigos, Anke, y podemos ser algo más. Sin arrepentimientos.

Sonrió y se marchó.

Me adormecí un poco más después de que Dieter se hubiera ido y me levanté para el desayuno, con cuidado de no tener un aspecto distinto.

Quería que la antigua Anke enmascarara los fuegos artificiales que prendían en mis pies y estallaban en mi cabeza. Dieter no estaba presente en el desayuno, por supuesto, ya que siempre lo tomaba en el comedor del piso superior, y me sentí aliviada de poder evitar el contacto. Mi rostro sin duda alguna habría sido delatador. Lena y Heidi estaban riendo en la cocina; podía oír sus risitas sobre los nuevos guardias jóvenes de la patrulla, sopesando cuál escogerían.

–Ese tal Kurt solo es un niño –dijo Lena–. Si lo que quieres es un hombre, entonces tiene que ser el capitán Stenz. No diría que no a salir con un oficial como él.

Su voz se elevó con admiración.

–¡Ay, no! –contrapuso Heidi con una repulsión burlona–. No querrás mezclarte con las SS… –bajó la voz– eso es un juego peligroso. Quédate con los normales. Más músculo y menos cerebro, pero al menos seguirás viva.

Su risa de niña amortiguó el resto de la conversación, hasta que la reprimenda severa de Frau Grunders las envió corriendo a limpiar las habitaciones.

Mi corazón se hundió como una piedra en un pozo.

¿Acaso había sido una estúpida y mi deseo había pasado por encima de cualquier razonamiento sensato? ¿Había visto demasiado más allá del uniforme, a un hombre que había moldeado dentro de mi cabeza? Supuse que no debía ser inusual, o que ni siquiera hacía fruncir el ceño que los oficiales de las SS se llevaran las mujeres a la cama a voluntad. Tal vez incluso los aplaudieran en algún cuartel. ¿Cuánta influencia tendría sobre mí, si quería extender y ejercer el poder al que estaba acostumbrado? ¿Quizá había sido yo, en un momento de necesidad, muy, muy estúpida?

Y aun así, el segundo siguiente volví a recordar su calidez, su ternura, su búsqueda por afecto en vez de lujuria desenfrenada. La manera en que había pronunciado mi nombre cuando llegábamos al clímax me había consolado: yo era a la que quería, y no un recipiente conveniente para su propia frustración.

No me sentía usada, o que se había acostado conmigo por avaricia o necesidad. Sentía que nos habíamos acercado con el anhelo de un hombro suave, algo de amabilidad entre las esquirlas de granito desdeñosas que rodeaban ese pérfido mundo. Que habíamos encontrado más el uno en la otra de lo que habíamos estado buscando. ¿Me podía haber equivocado tanto?

A través de la ventana vislumbré el humo del cigarrillo de un guardia mientras se apoyaba en la verja, tal vez con el pensamiento en su amada en casa, y me pregunté cómo habíamos acabado allí; los dos, en lo alto del tallo de judía, en medio de una guerra sangrienta y aniquiladora. Tanta parte de mi ser anhelaba estar de vuelta en Berlín, incluso si estaba reducida a simple polvo bajo una nube, hallarme en la cruda realidad, en vez de flotando en aquella burbuja que era Berghof. Quería que las cosas fueran reales.

30
Nubes en primavera

Ya sabes lo que dicen: cuidado con lo que deseas.

Volví al chalé, alisé las sábanas y ahuequé la almohada, aunque no antes de inspirar su aroma, todavía presente, y encontrar un pelo prendido en la colcha. Entonces miré alrededor con culpa, como si pudieran sorprenderme. No había nada como mi propia inseguridad como método de vigilancia. Para hacer sitio en la mesa intenté trasladar la máquina de coser al suelo. Mientras arrastraba el pesado metal hacia un lado, algo que no eran retales salió disparado, un papelito que descendía hasta el suelo. Me puse de cuclillas y observé el pequeño recuadro doblado de papel que palpitaba como una antorcha. Un garabato escrito en lápiz decía solo: «Anke».

Durante un breve instante, mi corazón se aceleró como el de una adolescente y pensé que la nota era de Dieter. Pero incluso con todo el afecto, sabía que no sería tan necio como para dejar rastros. Vi cómo me temblaban los dedos mientras lo desdoblaba y leía el mensaje:

Tienes el poder de cambiarlo todo por nuestro querido país. El Reich necesita un icono. Lo puedes entregar a las manos de Hitler, o a la seguridad de las nuestras. Piensa en tu familia y tu destino. Y en los alemanes de bien. Puedes cambiar vidas.

¿Real o no? No podía decidirme. Solo que estaba allí en mis manos temblorosas, una fantasía cada vez más tangible. Todavía no estaba segura de qué querían de mí; ¿Traicionar al bebé y robárselo a Eva? ¿O actuar como intermediaria y fingir ignorancia si ellos —ese grupo desconocido— llevaban a cabo un golpe justo

233

después del nacimiento? De cualquier manera, era el bebé el que sufriría. Y Eva con él.

Me metí el papel en el bolsillo y me dirigí rápidamente hacia la puerta, buscando cualquier cuerpo que se estuviera escabullendo por el camino. Pero había estado fuera del chalé durante un buen rato y cualquiera podría haberse metido dentro con una puerta sin cerradura. Aun así, me sentí invadida, como si hubiera recobrado algo de mi dignidad personal y espacio desde el campo, y ahora alguien estuviera mordisqueando su corteza fina de nuevo.

Me sentía enfadada por su invasión, e inmediatamente después indefensa, minada de cualquier capacidad de descubrir quién o por qué. No podía confiar en nadie aparte de Christa, pero igualmente no encontraba el poder dentro de mí para definir un plan de acción. Una combinación de voluntad y destino me había llevado a través de aquella guerra, y aunque nunca había creído en algún ser superior, estaba desesperada por rendirme ante algo ajeno a mí. Para no tener que marcar el camino a nadie, solo que me llevaran. Que la vida escogiera por mí para variar.

Las horas hasta la comida se arrastraron, el crujido del papel en mi bolsillo me agitaba, cargando con el peso de la traición. Lo toqué nerviosa cuando vi a Dieter caminar hacia el porche, su paso firme y la gorra bien colocada. Sonreí ante la primera cosa bienvenida en mi vida ese día. Él no me correspondió. Sus ojos me echaron un vistazo y la expresión era severa y carente de color; mi corazón me dio un vuelco ante la certeza de mi propio juicio erróneo. Lo había leído de manera completamente equivocada. Era de las SS y nada menos.

–¿Dieter?

Busqué en su rostro pétreo.

Se acercó al porche, bajó la vista y se quitó la gorra, colocándola diligentemente bajo el brazo. Se toqueteó los guantes, una señal de su propia agitación.

–Anke, lo siento –empezó a decir.

–Ah, mmm, ¿por lo de anoche? Escucha, podemos olvidarlo...

–No, no es eso.

Estaba serio y sombrío, no enfadado o avergonzado.

–¿Entonces qué es? Dieter, dímelo... por favor.

–Es tu padre –susurró–. Lo siento mucho.

No había ambigüedad en su voz; una áspera anunciación de la muerte. Un nudo de miedo y pena me subió por la garganta y se convirtió en algo entre una tos y una arcada anegada en lágrimas. Trastabillé delante de él y me agarró del codo, ayudándome a sentarme. Me desleí en un mar de sollozos con la mano intentando ocultar la contorsión de mi rostro. Había aprendido con el transcurso de los años en el hospital a enmascarar las emociones –era lo que se esperaba de nosotras– pero cuando se liberaron las puertas de mi presa, salieron en torrente.

Quería saber cómo, cuándo y por qué, pero no podía formar las palabras a causa de las bocanadas de pena que emergían de mi garganta. Dieter me habló en voz baja y sereno por encima de las lágrimas, cogiéndome la mano libre. Tenía la espalda hacia la casa, y desde la distancia nadie habría podido imaginar que el diálogo estaba tan cargado de emoción.

–He estado en contacto personalmente con el doctor del campo –me dijo–. Me han asegurado que murió de neumonía, como resultado de su asma.

Unas pupilas como alfileres miraban arriba y abajo, buscando las mías. Me limité a observarlo mientras los sollozos se aquietaban y se convertían en los hipidos de un niño.

–Anke, ¿me has oído?

–Te oigo, pero no te creo –dije enfadada mientras las lágrimas me fluían por el cuello–. Sé cuántos certificados de defunción tienen neumonía, o fallo cardíaco, escritos sobre ellos como si fueran la verdad. Es todo mentira, solo es lo que dicen.

–No, yo...

–¿Cómo puedes saberlo? Todo es una gran mentira. Probablemente lo cargaron en un camión y lo llevaron al lugar del que nadie vuelve...

Me volví a deshacer en lágrimas. «Por favor, por favor, papá, no me digas que moriste bajo el gas».

Dieter me cogió de ambas manos, bajándolas de golpe para llamar mi atención.

–¡Anke! –Parecía estar casi enfadado–. Por favor créeme cuando te digo que no murió en uno de esos lugares. He llevado a cabo la más rigurosa de las comprobaciones, y tengo pruebas de que tu padre murió en el campo. Por causas naturales.

Un estallido de furia volvió a envolverme.

–No hay nada de natural en que te obliguen a trabajar y no te den comida hasta la muerte, solo porque mantienes tus ideales junto al corazón.

–No me refería a eso –repuso rápidamente–, sabes que no. Pero tu familia figura en el acuerdo, no está en peligro de que la transporten.

–Siempre y cuando me comporte... ¿No es ese el trato?

Mi rabia y petulancia estaban creciendo por encima de la pena, y por más que las estuviera apuntando hacia el Reich, Dieter estaba en la línea de fuego.

–¿Cómo puedes saber los detalles? ¿Eres un íntimo del comandante?

Se echó hacia atrás, y supe que había ido demasiado lejos una vez más, al alinearlo con la parte del Reich que él encontraba más repugnante. A diferencia de mí, no me devolvió el golpe, pero dejó caer las manos.

–Porque me he encargado de saberlo –dijo en voz baja–, y porque me he preocupado desde hace ya un tiempo por saberlo. –Sacó un sobre del bolsillo–. Esto puede que te lo explique un poco.

Se lo arrebaté de las manos y nuestros dedos se rozaron levemente, esa vez sin atisbo de acritud. Extendió la mano para quitarme una lágrima de la mejilla pero se paró en seco cuando un soldado giró la esquina y apareció a la vista.

–Te dejaré en paz –dijo–. Volveré más tarde. –Se levantó e inspeccionó mi cuerpo abatido y enroscado–. Lo siento mucho, Anke, de verdad.

Lo observé, como había hecho tantas otras veces, bajar los escalones del porche y seguir el camino. Esa vez, sin embargo, no giró la cabeza automáticamente hacia el sol dorado y las vistas azules.

Se colocó la gorra y miró justo enfrente.

La carta estaba escrita con la caligrafía de mi padre, con fecha de solo una semana antes. Podría haber tenido problemas en identificarla como suya si no fuera por la manera ornamentada como escribía las T y las P. Era «la destreza del académico» como siempre lo había nombrado. El escrito estaba enmarañado e inconexo en el de un hombre forcejeando por mantener el bolígrafo estable sobre el papel.

Querida Anke:

Me gustaría poder decirte que estoy bien, pero el invierno me ha pasado factura y mi cuerpo anciano no ha emergido del frío con tanto brío como antaño. Sin embargo, estoy en la enfermería y las condiciones son buenas, con bonitas sábanas y amabilidad.

Por favor, dile a tu madre que pienso en ella –en todos vosotros– y me acuerdo mucho de los momentos felices que vivimos en casa, juntos, alrededor de la mesa, cuando reíamos y contábamos cuentos. Especialmente Franz, ¡que contaba los más largos! También recuerdo todas las veces que tú y yo nos sentábamos cerca de la radio un domingo y leíamos el diario. Esas ocasiones especiales con mi querida hija.

Espero recibir noticias tuyas pronto, mi preciosa niña, y saber que te mantienes fuerte. Mantén el sol elevándose en tu mundo.

Con todo mi amor,

Papá

Era sin lugar a duda una carta de despedida de un moribundo. Tal vez había tardado horas o días en escribirla. La podría haber dictado a alguien, pero sabía que habría peleado, entre el fuego en los pulmones y el esfuerzo por sentarse erguido, por escribir su último adiós, porque habría sabido que lo entendería como real. También estaba su mensaje: «Mantén el sol elevándose». Siempre optimista, mi padre. La humanidad prevalecería, es lo que estaba diciendo. Que no perdiera la fe.

Me quedé mirando su reveladora caligrafía durante una eternidad, y aunque las lágrimas brotaban, no me consumía una tristeza devastadora y ardiente. La rabia, ya sabía, vendría después, pero aparté de mi mente las imágenes del campo, la resignación visible en los ojos de las mujeres sentadas en los vagones, preparadas para viajar hacia su destino, el bloque del hospital, las condiciones. No podía permitirme pensar en eso en aquel instante.

De una manera extraña y distorsionada, había algo de alivio; un indulto curioso de que ya no tendría que preocuparme por mi padre y su destino, que no se enfrentaría, en su estado frágil, a ese segundo en el que se daría cuenta de que de las duchas no manaba una nube gélida de líquido, sino el siseo insidioso de la muerte. Sabíamos por las habladurías del campo que ese era el momento en el que los gritos alcanzaban el momento álgido de pánico. No, no podía y no iba a pensar en eso.

No podía hacer otra cosa que creer a Dieter cuando decía que ese no había sido el final de mi padre. La carta era la prueba, ¿no? De otro modo no me habría hablado sobre las sábanas ni la amabilidad. Como un hombre que se estaba muriendo, mi padre habría sido un candidato prioritario para los transportes, etiquetado como *Unnütze Esser,* personas demasiado enfermas como para ser útiles para el régimen, pero se podrían haber movido los hilos y haber pedido favores. Como me había dicho Dieter, él tenía algo de poder, solo que no el suficiente como para salvarlos. Le di vueltas a las posibilidades en mi cabeza, oscilando entre creencias y deseando por encima de todo que mi fe fuera cierta. Tenía que creer que mi padre había muerto en la cama, y no en las entrañas de la inhumanidad.

Me desperté cuando llamaron a la puerta. La luz apagada me decía que era pasada la media tarde, con un pie calentado por los rayos del sol que se colaban en la habitación mientras estaba aovillada en la cama. Vi cómo el pomo de la puerta giraba y asomaba la cabeza de Dieter. Entró y echó la cortina de la ventana.

–¿Cómo estás? –dijo en la nueva oscuridad.

Me froté los ojos y pensé durante un segundo: «¿Cómo estoy?».

—Mmm, estoy bien. Debo de haberme quedado dormida.

Se acercó y se sentó a mi lado como una madre que cuida de su hijo enfermo. Tenía el rostro manchado de rastros de sal, grumoso mientras lo limpiaba. Colocó una mano en mi mejilla y frotó con el pulgar sobre la piel hinchada alrededor de mis ojos.

—Es demasiado —dijo—. Sé que eres más fuerte que un toro para haber sobrevivido tanto tiempo, pero es demasiado. Lo siento.

Me incorporé, frotándome con ambas manos la cara, intentando inyectar algo de vida en la piel reseca.

—Lo curioso es que llevo dos años imaginándome que me dan esas noticias sobre todos ellos pero me siento ligeramente insensible. Sentirme así es peor que estar rota por dentro.

Me volvió a coger las manos y se las llevó a los labios para besar las puntas de mis dedos.

—Odio esta guerra, odio esta jodida y repulsiva pelea de hombres adultos que se comportan como niños —dijo en voz baja, con los labios pegados a mi piel.

Lo miré y tragué saliva con dificultad para ingerir algo de coraje. Solo había una cosa que necesitaba saber, una cosa que no había podido preguntar la noche anterior, pero que en ese momento debía inquirir.

—Dieter, ¿tú tienes algo que ver con el transporte? ¿Con la recolección y la selección, con las listas?

La alarma le cruzó la mirada, pero no la desvió de mí, no la ocultó.

—No. Te lo prometo, Anke, te lo prometo. Yo no haría... no podría hacer eso.

—Pero dijiste... Mencionaste los nombres que quitaban de las listas, que desaparecían.

—A veces trabajo con visados y garantizo el transporte fuera de Alemania. Académicos, doctores, familias con raíces extranjeras. Sello algunas más de las que debería y pierdo las cartas de rechazo. Como te dije, no es mucho.

—Es algo —contrapuse, con una débil sonrisa—. Algo es mejor que nada.

Ladeó la cabeza hacia la puerta, hacia el barullo de un motor y dijo que se tenía que ir. Me preguntó si podía volver más tarde, después de la cena, o si quería estar sola. Le respondí que no. Lo que quería era su compañía, su calidez, que no me dejara para que mi propia pena me consumiera.

–¿No sospecharán dónde estás?

No había visto mucho a Frau Grunders durante las últimas semanas, pero no me cabía duda de que sus ojos estaban en todas partes.

–Le daré a Rainer la noche libre y se llevará el coche al pueblo –dijo–. Es la ventaja de ser un oficial itinerante; no tengo ni agenda ni casa.

Me besó suavemente en los labios, me acarició el pelo como despedida y volvió a desaparecer.

Me lavé y me arreglé, y me senté en el porche hasta la hora de la cena, tal vez mi lugar más feliz hasta la noche anterior. El estómago me rugía de hambre, típico tras un día de dormir, y me di cuenta de que me había saltado la comida, pero igualmente no me apetecía enfrentarme a la sala del servicio, así que ignoré sus protestas al principio.

La brisa era purificadora, picoteando mi piel dolorida, y me quedé mirando cómo caían las sombras, dándome el gusto de pensar en mi padre. Lo visualicé en casa, antes de la angustia y el conflicto, como el sabio de un afilado sentido del humor detrás de la seriedad paternal. A menudo se había reído con tanta fuerza durante la cena que mi madre le había lanzado una mirada para detener su actitud infantil, aunque en la siguiente respiración, a ella se le escapaba una risita también, incapaz de contenerse. La imagen era muy nítida, y tomé una decisión en ese mismo instante: no dejar que la injusticia creara un caldo amargo, uno que me infectaría por dentro y cocinaría a fuego lento un odio tan asqueroso que me cambiaría para siempre. El cuerpo de mi padre había sucumbido a las circunstancias, pero aquella locura no podía vencernos. No lo conseguiría.

31

Alivio

El rugido de mi estómago me obligó al final a acudir a la sala del servicio para tomar la cena, aunque me aseguré de lavarme bien los ojos enrojecidos antes de ir. No quería responder a preguntas extrañas y no estaba segura de si Dieter le habría contado a Frau Grunders lo de mi padre. Esperaba que no; el duelo era mío y no me deleitaba con la empatía forzada viniera de quien viniera, pero mucho menos de los seguidores de la guerra del Führer.

Para mi alivio, nadie me prestó una atención especial, y la cena fue silenciosa como siempre. Solo Lena y yo hablábamos, sobre costura, y estaba animada por una tela para un vestido que se acababa de comprar en el pueblo. Me preguntó si quizá la podía ayudar a confeccionar un vestido para un baile local que tenía lugar al cabo de unas cuantas semanas. Le dije que Christa era la persona que necesitaba si buscaba una costurera habilidosa, pero que daría lo mejor de mí.

No había ni rastro de Dieter, Rainer o del coche después de la cena, y el corazón se me deshinchó un poco.

Intenté convencerme de que eran las tareas administrativas las que lo mantenían alejado. Más tarde, me senté bajo el cielo azul oscuro —el chalé me parecía demasiado claustrofóbico— mientras unas ruedas crujían por el paseo, una puerta se cerraba y un coche se movía de nuevo. Se acercó a grandes pasos con ansia, mirando alrededor en busca de la patrulla, y no habló hasta que llegó al porche.

—Buenas tardes —dijo con el semblante sombrío—. ¿Estás bien?

Sus ojos exploraron los míos en busca de pistas.

—Estoy bien —respondí, y sonreí para reafirmarlo. Él ladeó la cabeza y arqueó las cejas con incredulidad—. De verdad, Dieter, estoy bien. Ha sido un golpe duro, pero no inesperado de alguna manera. Odio dónde estaba, odio que haya tenido que ocurrir, pero también ha sido como una liberación para él. Estoy determinada a que no me destruya a mí.

Se quitó la gorra y alargó la mano para coger la mía. Su piel estaba caliente, las yemas de los dedos suaves, los entrelazó por encima de los míos, originándome un escalofrío al instante.

—Eres increíble —dijo él, mirándome—. Me gustaría pensar que yo reaccionaría de la misma manera, pero no lo sé. No estoy seguro de que pudiera ser tan indulgente.

Me encogí al oír la palabra.

—No tiene nada que ver con perdonar, Dieter. Ni se le acerca. Pero me niego a que esto me haga más daño... Este caldo de odio. Ese sería tu triunfo, hacerme odiar como lo hacen ellos, solo por lo que son. Pero no lo conseguirán conmigo.

Dieter asintió, comprensivo.

—Eres una señora muy decidida —dijo—. Y lo repetiré una vez más: eres increíble.

Su boca era preciosa cuando sonreía, los dientes alineados y rectos, solo con una minúscula grieta en una de las muelas superiores. No me había dado cuenta hasta entonces, pero eso era lo que le daba un aspecto tan juvenil —a pesar de su altura y complexión— como si acabara de salir del campo de fútbol después de un placaje fullero, sonriendo triunfante.

—Bueno, no voy a discutir con ningún hombre que me dice que soy increíble —dije—. Puedes venir a mi porche siempre que quieras.

Volvíamos a estar bien, y flirteando de nuevo.

Esa vez fui yo la que miró alrededor en busca de algún testigo perdido, entrecerrando los ojos hacia la oscuridad. Cuando me aseguré de que no había nadie, le agarré de la mano y tiré de él hacia el chalé desde el porche. Con las cortinas cerradas, era el mismo escenario, la misma anticipación, pero sin lo desconocido por venir. Fue más lento, y nos recorrimos lentamente en vez de apresurarnos para empaparnos del momento, más seguros de que el espacio era fiable. Él se mostró paciente y entregado, y nos turnamos para llevar la iniciativa hasta que no pude retrasar más ese momento en el que subimos hasta la cima y caímos en un nido de alegría envuelta en plumas.

Recosté la cabeza sobre su pecho durante lo que me pareció una eternidad, con su brazo rodeándome y mi dedo resiguiendo su torso. Mi línea de visión se posó en su ombligo y en un extraño agujero en la piel. Pasé el dedo por la hendidura y luego jugueteé con el vello que cubría semejante cicatriz. Sí, había un segundo agujero más arriba, no tan profundo como el ombligo, pero inconfundible.

—Dieter, ¿qué es esto?

Se despejó del duermevela y levantó la cabeza, como si no pudiera sentir del todo dónde lo estaba tocando.

—Ah, eso. Es, mmm… una herida.

—¿De la guerra?

—Fui descuidado —dijo—. Una bala perdida.

—No es difícil que te alcancen con una bala en la guerra —afirmé—. ¿Fue en un combate?

—Sí.

La concisa respuesta envió un mensaje firme, y decidí no dejarla flotando en el aire.

—Entonces, ¿estuviste mucho tiempo en el hospital? ¿Las enfermeras te trataron bien?

—Lo suficiente —respondió—, pero no tanto como lo habrías hecho tú, de eso estoy seguro.

—No te creas, soy mejor comadrona que enfermera. Tal vez habría sido un ogro de matrona para ti; una joven mocosa para un soldado.

Me acercó a él y me besó en la coronilla.

—Entonces, más me habría valido comportarme, ¿no?

Me pellizcó juguetón.

—La bala, ¿te dolió?

—Como mil demonios.

—En ese caso, habría administrado todo el cuidado y la compasión de que fuera capaz.

Con una sonrisa burlona, apreté los labios contra la herida, un cráter céreo en medio de su barriga suave, y fue la única señal que necesitaba. El cansancio áspero de su voz desapareció y nos hundimos bajo las sábanas y hacia el bálsamo caliente de la seguridad de nuevo.

32
La espera

Se volvió a ir a primera hora, cruzando a través de la tierra de nadie del complejo hacia su propia habitación, y me pregunté cuánta de esa alegría me iba a poder permitir antes de que la guerra me la arrebatara, igual que succionaba hacia su vórtice negro cualquier cosa tierna o amable. Por el momento, sin embargo, el cielo de la mañana estaba pintando con un fresco azul las montañas, las cortinas ondeaban flácidas hacia dentro y me permití unos pocos segundos de autocompasión. Entonces mi mente se dirigió hacia papá, mamá, Ilse y Franz, y me levanté para empezar otro día de supervivencia.

El humor de Eva combinaba con el mío, aunque no se percataba de nada más aparte de su propia incomodidad, quejándose de dolores de espalda y «pesares extraños», la mayoría de los cuales sonaban como puntadas de los últimos estadios del embarazo.

–¿Cuándo vendrá el bebé, Anke? Seguro que hay algo que puedas hacer para acelerarlo. ¿No hay nada que puedas darme?

–No –dije de manera realista–, nada más allá de una saludable dosis de paciencia y una pizca de fe.

–Tú y tu fe –masculló. Me miró de soslayo como una niña traviesa–. Estoy segura de que el doctor Koenig me haría el favor, si se lo pidiera de la manera adecuada.

–Estoy segura de que sí –contrapuse abruptamente–. Si quisieras acabar en el hospital, cuando tu cuerpo decidiera que no le gusta que le achuchen ni le inciten a parir. Y al bebé junto a ello.

No estaba de humor para lidiar con su estupidez, ni para tomar parte en una lucha de poderes.

–Oh –dijo ella–. ¿De verdad? ¿Eso es lo que ocurre?

–Es probable –respondí con franqueza–. Los bebés no ven con

buenos ojos que los fuercen a salir. Además, lo que estás sintiendo es una buena señal de que el bebé está descendiendo y se está preparando.

—¿Estás segura?

Se le iluminó el rostro, como si le hubiera devuelto la piruleta que le acababa de quitar.

—No hay nada seguro en este punto, pero la cabeza del bebé parece estar bien y colocada hacia abajo, apuntando hacia la dirección adecuada. Así que está todo correcto. Pero si me preguntas cuándo, simplemente no lo sé. Solo el bebé lo sabe.

—¡Vamos, bebé! —le dijo con urgencia a su barriga—. Venga, que tu mamá quiere conocerte. —Justo en el momento oportuno, el bebé dio una patadita y ella soltó una risita de colegiala—. ¡Ay, me ha oído!

Llegada, en algún lugar de Alemania, febrero de 1942

Nunca había reflexionado demasiado sobre el aspecto que debía tener el infierno. La juventud te aporta ese lujo, además la desconfianza general de mi padre en la religión significaba que la retórica del fuego del infierno y el castigo eterno no casaba en nuestro hogar. Durante ese viaje estremecedor, con dolor de cuello mientras mi pesada cabeza se bamboleaba al son de los movimientos del tren, ahuyenté cualquier imagen de hornos y agujeros negros que intentaban filtrarse por entre las grietas de mi duermevela.

No tenía que haberme preocupado por cualquier predicción ardiente. Porque el infierno es gris: mugriento, insulso y despojado de cualquier pigmento diseñado para levantar el ánimo. Mientras las puertas se cerraban al fin en un mundo oscuro y estéril, la imagen no podía haber sido más lúgubre.

Hubo algunas narices que se crisparon cuando nos detuvimos, para orientarse y obtener alguna idea de la geografía. Detecté un leve aroma a salitre, y se oyeron algunos murmullos: «¿Estamos cerca del mar? ¿Nos llevarán en barco?». Nos acomodamos para la espera, algunas mujeres cedieron sus sitios en el suelo para que otras pudieran descansar las piernas. Se oían gritos fuera, pero nuestros sentidos se agudizaron cuando oímos voces femeninas entre los graves ladridos de los hombres y los perros. Luego, el rasguño sonoro del cerrojo, y la puerta abriéndose, seguida por el retroceso de aquellos esperando fuera para permitir que el asqueroso hedor se disipara.

–¡Fuera! ¡Fuera! ¡Rápido! –gruñó el hombre, mientras observábamos con ojos como platos a las mujeres que sujetaban los perros de grandes dientes que nos amenazaban en la penumbra, con la espuma formándose en las fauces mientras tiraban de las correas. Al otro lado de las correas, las mujeres casi se difuminaban en el fondo, las líneas delimitadas de sus uniformes grises y sombreros apenas visibles. Sus rostros se mostraban pétreos pero los hombros se sacudían a causa de la fuerza de los perros. Jugaban a retenerlos y luego parecía que los soltaban para que dieran un salto adelante en turnos, los gruñidos invadiendo nuestro espacio.

Graunia y yo nos mantuvimos juntas, arrastradas hacia una rampa dura de cemento. Nos separaron en líneas de diez, y pude comprobar que más de cien mujeres habían ocupado aquel vagón.

–Qué aspecto más lamentable tienen –se rio un guardia–. Les apartaría la cara si me las encontrara por la calle.

–Ya, pero al menos no son judías, o prostitutas –dijo otro, y sus carcajadas estaban tan cargadas de suciedad como la que yo tenía encima.

Bajando por la cuesta, había gravilla, la tintura de la sal se mez-claba con un sabor extraño y ahumado en el aire. No podía oír el mar y algo dentro de mí me decía que no estábamos cerca de la costa de Alemania. Sin embargo, por todas las pistas sensoriales que me resultaban inconexas bien podía estar sorda, muda y ciega.

Nuestros pies estuvieron crujiendo durante lo que pareció una eternidad, que se hizo incluso más larga por tener que ayudar a las más débiles de entre nosotras. La mujer de los ojos muertos y la otra de las piernas como cañas necesitaban dos hombros cada una para apoyarse; algo que los guardias toleraron tras denigrarnos para persuadirlos. Las mujeres sin perros nos azuzaban mientras cargaban con largas y pesadas porras atadas a la cintura.

–Venga, sin rezagarse –gritaban–. Tenéis que estar en forma para quedaros aquí; tenéis que poder manteneros en pie. Ser algo para el Reich.

Unas puertas grandes de metal se abrieron y nos arrojaron a un espacio abierto, de forma cuadrada por los límites de los barracones, mientras que el suelo estaba formado por una gravilla más fina y gris. Unas luces tenues salían de una o dos ventanas de cada barracón, y entreví algunas caras moviéndose detrás de los pequeños cristales. Los guardias nos rodearon, gritándonos órdenes como «manteneos rectas» y «la cabeza erguida». Las mujeres con los perros nos daban vueltas, como lobos amedrentando a su presa.

Después de una eternidad de pie, el frío me caló hasta lo más profundo de los huesos y sentí cómo se me astillaban por dentro. Luego, un entumecimiento que casi era un alivio. No podía recordar ningún momento, incluso en las últimas dos semanas, que hubiera tenido tanto frío. Si no hubiera sido por la chaqueta de aquel extraño, estaba segura de que habría sucumbido en ese mismo instante y lugar.

La mujer de las piernas como cañas fue la primera en caer. Su cuerpo emitió un leve sonido sordo al tocar el suelo y los guardias se le echaron encima al instante. La mujer que estaba a su lado se agachó en un acto reflejo para ayudarla, y la echaron atrás a culetazos de rifle. «¡Déjala!» le ordenaron.

–Puta debilucha –uno gritó a su cuerpo inconsciente, apuñalándole el vientre con la bayoneta. Cuando ni siquiera gimió, la levantaron bruscamente, con la cabeza bamboleándose como si estuviera muerta.

Le eché una mirada rápida a una de las guardias, y vi cómo una sonrisa burlona se le extendía por los labios, de un rojo rubí impostado. ¿Llevaba puesto pintalabios? ¿Belleza y vanidad en aquella completa locura? ¿O era mi mente que me jugaba malas pasadas?

Arrastraron a la canija mujer hasta un pequeño edificio de ladrillo, sus piernas dejando surcos en la gravilla, las suelas de sus pies más rosadas donde los arcos todavía no se habían infectado por la suciedad. Tal vez se mantuvieron en ese rosado de gamba. No la volví a ver. Muchas piernas y brazos escuálidos durante los siguientes meses, pero ninguno pertenecía a ella.

Ya era de noche cuando se dirigieron a nosotras formalmente, copos de nieve bailando y cuajando, convirtiéndonos en un lote de novias que esperaban. Una mujer salió de un edificio recio de tres plantas, con las ventanas bien iluminadas, que revelaban cuerpos que se movían airados. Su uniforme era del mismo tono gris, y mientras se acercaba a la plaza me di cuenta de que su falda no se separaba mientras caminaba. Como las demás, llevaba puesta una gruesa falda pantalón de lana. En los brazos, la chaqueta lucía varias líneas bordadas rojas y diamantes plateados. Solo los cielos saben por qué le presté atención a ese detalle, como si mi mente estuviera buscando cualquier cosa para evadirse en aquel mar de tristeza, como una persona ciega que busca un rayo de luz para darle sentido al mundo.

Se quedó de pie delante de nosotras con el pelo gris peinado debajo de la pequeña gorra y las medias lisas estiradas sobre las pantorrillas tonificadas. Cuando habló, su voz era como las de las maestras de guardería, matriarcal y aun así amable, capaz de abrazar a un niño que se ha golpeado la cabeza. Levantó la mano y la impulsó hacia nosotras mientras gritaba: «¡Heil Hitler!», y con eso esa imagen delicada estalló como una burbuja frágil.

–Os han traído aquí por una serie de razones –empezó a decir–. Sean cuales sean, no sois amigas del Reich o nuestro glorioso líder, y no merecéis la libertad. Por ende contribuiréis con la sociedad, con nuestra guía. Ravensbrück es una instalación de trabajo, con el acento puesto en el trabajo. Aquellas que no puedan trabajar serán redirigidas a otro lugar.

Estaba claro que «otro lugar» no era deseable.

Sus ojos barrieron de derecha a izquierda, pausándose para causar efecto.

–Si acatáis nuestras normas, si trabajáis duro, se os tratará justamente. Pero la disciplina es vital. No vamos a tolerar ninguna disidencia; los castigos serán severos, os lo prometo.

Su voz ascendió de registro, algo parecido a un tono de «todas las chicas juntas», pero lo que dijo a continuación era hielo puro.

–Señoritas, este no es un campamento de vacaciones. No cometáis ningún error y se lo retribuiréis al Reich. Si no, enfrentaos a las consecuencias.

Noté cómo los ojos iban de un lado a otro en las filas, mujeres demasiado aterrorizadas como para mover la cabeza pero desesperadas por medir las reacciones. De repente, volvía a tener dieciocho años, cuando la matrona Reinhardt nos habló en nuestro primer día como aprendices de enfermera: apabulladas, expectantes, asustadas. Solo que entonces habíamos tenido luz, el resplandor de nuestros uniformes de algodón blancos como la nieve, las risitas apenas reprimidas, las esperanzas que albergábamos dentro de mejorar, de proseguir.

En aquel lugar solo había una penumbra miserable. Las puertas se cerraron tras nosotras con un ruido metálico y no podía ver ninguna manera de escapar o de sobrevivir a aquel infierno.

33
Espacio vacío

Los días siguientes fueron un conjunto de retales de horas vacías interrumpidas por borbotones de actividad. Dieter estuvo ausente durante varios días, y ya notaba cómo crecía la decepción dentro de mí, pues ya echaba de menos el tiempo nocturno con su cuerpo enrollado al mío. Cauteloso por no mostrar ningún contacto físico dentro de las paredes de Berghof, se había limitado a guiñarme el ojo como despedida.

–Volveré pronto.

Lena y yo pasamos tres horas trabajando en su vestido para el baile, que fue tal vez el espacio de tiempo más largo que había estado en la casa, puesto que la sala del servicio disponía de una tabla más grande para cortar la tela. Frau Grunders iba y venía con sigilo, repartiendo una variedad de miradas reprobatorias, aunque la sorprendí esbozando una sonrisa burlona en los labios cuando Lena hizo una pirueta probándose el vestido. Desapareció al instante. ¿Alguna vez había sido esa mujer una joven despreocupada, con mariposas en el corazón, antes de que la máscara de la lealtad se aposentara? ¿Antes de la pasión por el Führer?

–Lena, recuerda que el comedor tiene que estar despejado –dijo Frau Grunders mientras se iba con los tacones resonando.

Me pasé algo de tiempo a solas sumida en mis pensamientos sobre mi padre, metiéndolos mentalmente en una caja y guardándolos en una parte de mí que nadie podría alcanzar jamás –ni el Reich, ni la Gestapo, ni la guerra ni el mismísimo Hitler–. Eran míos. Sin la perspectiva de recuperar el cuerpo o poder organizar el funeral, hice lo único que tenía a mi alcance y le escribí una carta. Era larga y a veces divagaba, mi dolor sangrando a través del bolígrafo, mezclado con gruesas lágrimas que se derramaban, haciendo que el papel se quedara húmedo y fibroso. La página parecía desgastada por la guerra, arrugada y manchada mientras la doblaba y me dirigía a los jardines. Un fuego ardía continuamente en el brasero, las llamas bajas crepitaban y chisporroteaban con restos de follaje y podas del jardín, además de despojos de la cocina que levantaban pequeñas lenguas de fuego. Sostuve la carta con los dedos por encima del resplandor y la solté.

–Adiós, papá –dije, y observé cómo el papel se ondulaba, se oscurecía y moría, con las cenizas flotando por la brisa, hacia el cielo.

La calma fue interrumpida por la visita de uno de los buenos doctores, que profesaba estar «preocupado» por los preparativos que se habían hecho hasta el momento. Enfrentándose a mí en el despacho del sargento Meier, el doctor Koenig estaba sentado y el doctor Langer se quedaba de pie, con los brazos cruzados mientras se turnaban para interrogarme sobre qué acción llevaría a cabo en una variedad de escenarios: un parto largo, hombros que se atascaban, un bebé en peligro. Tenían una larga lista.

–¿Ha alumbrado muchos bebés que vinieran de nalgas? –metió baza el doctor Langer, con los labios en un mohín; una añadidura al aspecto general de comadreja que tenía su persona.

–Así es –respondí–. Tanto en casa como en el hospital. Creo que rara vez necesitan ayuda si se les deja completamente en paz. Pero estoy bastante convencida de que el bebé de Fräulein Braun no viene de nalgas.

Sonreí por dentro cuando se intercambiaron una mirada sombría. Era un extra estar irritando a esas dos hienas, sin la necesidad de una disidencia obvia. El interrogatorio duró media hora, con mis respuestas cortas, clínicas y al grano. El doctor Koenig sudaba por la frustración.

–Por supuesto, compartiré esta misma tarde mis preocupaciones con Fräulein Braun –dijo casi sin aliento–. No voy a ocultar que este arreglo no es, bajo mi opinión profesional, el más seguro y apropiado para una señora del Reich.

Se quedó callado y esperó una respuesta.

–Estoy segura de que le recibirá y escuchará sus preocupaciones –dije llanamente–. Si hay algún cambio en las peticiones, por descontado respetaré la elección de la señora.

Pequeñas arterias parecían sobresalir de los rechonchos mofletes del doctor Koenig, y prácticamente podía oír su presión sanguínea silbando como una olla a presión El doctor Langer, por el contrario, no hizo nada más que mirarme con intención, sin pestañear. Era mi turno de retorcerme por dentro ante la profundidad de su mirada negro azabache y los pensamientos oscuros que había detrás. El fanfarrón y pomposo Koenig no era más que un bufón, pero el doctor Langer era simplemente peligroso –un carnicero con ansias– y me hice una nota mental para andarme con cuidado.

Más tarde, supe por Eva que había fingido estar cansada y había pospuesto la visita del doctor Koenig hasta el siguiente viaje que este hiciera a Berghof. Tuve que ocultar una sonrisa al imaginar cómo despachaban al hombre con aires de grandeza con una reprimenda por sus ideas ampulosas.

Sala de costura en el campo al norte de Berlín, noviembre de 1942

El ruido de la sala de costura era estridente cuando la producción alcanzaba su momento álgido, una danza combinada de aproximadamente cien ruecas que creaban un rugido que envolvía todo el barracón. Curiosamente, el intenso sonido permitía una pequeña capa de privacidad mientras el traqueteo rodeaba cada mujer sentada a su mesa inclinada; una autómata en cuanto a la tarea pero que guardaba con celosía sus propios pensamientos.

Los ocho meses en el campo me habían parecido que sucedían muy rápido y que se arrastraban según el momento; cruelmente, los meses cálidos habían pasado como un borrón, para que los reemplazaran las noches gélidas en las que nos arrebujábamos las unas con las otras en los barracones, la única manta que nos daban a cada una demasiado fina como para repeler el frío lacerante, resguardando nuestros cuerpos, de tres en tres en las literas. Mi preciosa chaqueta de lana escocesa, donada por un compañero en Berlín, me la habían confiscado al llegar, junto con nuestras ropas y todo el vello corporal, rasurado en un instante y los cráneos chamuscados con agua hirviendo como parte de la limpieza. No había visto un espejo desde entonces. Ni quería. La corteza que tenía en la cabeza me era desagradable al tacto, y el cuerpo me picaba con zonas de piel en carne viva y agrietada. Y eso fue antes de que las ladillas vinieran para quedarse.

Graunia y yo nos las arreglamos para permanecer juntas en el mismo barracón, aunque estábamos en diferentes estaciones de trabajo. Tras la primera noche desconcertante en el suelo de un edificio de ladrillo, nos raparon, nos vistieron con los trajes normativos de lana áspera y nos entrevistaron para saber nuestras diferentes habilidades.

–Diles, diles lo que haces – me urgió Graunia con un susurro.

No me podía imaginar que tuvieran ninguna necesidad de una comadrona y, con el consejo de mi padre todavía en mente, no quería atraer la atención. Exageré la realidad y les dije que podía coser, con la esperanza que mi limitada experiencia con la antigua máquina manual de mi abuela y los puntos que aplicaba en el perineo me permitieran engañarlos. Las habilidades para la escritura de Graunia le proporcionaron un puesto en el despacho, haciendo borradores de cartas y transcribiendo, con sus nociones de polaco y ruso.

Mi apuesta arriesgada funcionó, puesto que cosían por repetición y no implicaba ninguna habilidad real más allá de una mano estable y la capacidad de seguir instrucciones y trabajar rápido. El supervisor de ese taller era un civil, proveniente de alguna fábrica en algún lugar en una vida pasada en la que sin duda alguna había regañado a pobres amas de casa para que mantuvieran sus cuotas, utilizando el dinero –o la promesa de él– como su porra. Allí, Herr Roehm estaba feliz de poder usar una de verdad, golpeándonos la espalda con su larga vara pulida cuando intentábamos estirar los hombros doloridos y machacándonos los huesos cuando el trabajo era de mala calidad o las máquinas se atascaban con el hilo, como ocurría frecuentemente.

–¿¡Qué es esto!? –gritó, y ordenó que se detuviera el barracón entero, encendiendo y apagando las luces como señal para que paráramos. Sostuvo en alto los uniformes verde grisáceos de la Wehrmacht que cosíamos, día sí y día también–. Si me pusiera esto sería el hazmerreír de cualquier ejército invasor. Mirad este zurcido. Es una mierda. Todas vosotras sois una mierda. Hacedlo mejor.

Su rostro, una morcilla rosada y redonda, palpitaba de rabia.

El castigo de una de las mujeres siempre era compartido y Herr Roehm regularmente asignaba a toda la sala una hora extra de trabajo, a sabiendas de que nos perderíamos la llegada de la olla de sopa en el barracón. Graunia haría lo imposible por guardarme la escasa ración de sopa —un agua grasienta con finas tajadas de col— pero las había que estaban tan hambrientas que tendría que espabilarse para mantener mi taza a salvo, y ni hablar de que estuviera caliente. El pedazo de pan estaría pasado de todas maneras, denso y con la textura del serrín, pero no dejaba de ser un sustento insípido.

¿Me había adaptado? Suponía que sí, tanto como me podía llegar a hundir en una vida tan mísera. Durante la primera semana anduve aturdida; cada cosa, comodidad o persona que conocía se habían desvanecido de la noche a la mañana y en su lugar había aparecido esa bola de apatía que era esa vida. A las recién llegadas o las empujaban, o las apartaban o las arrastraban las amables veteranas del campo. O conseguías pasar o caías, así de simple. Como comadrona había aprendido que las mujeres eran mucho más resilientes de lo que cabría imaginar, y durante esas semanas pude comprobar cómo los humanos pueden y se aferran a la dignidad y a la vida en igual mesura.

El hambre era una compañera constante; mi propia madre no habría reconocido la escasa carne en mi figura esbelta, con solo mis antebrazos manteniendo algún tipo de definición tersa, de la constante presión de empujar la tela por la máquina. Incluso sin un espejo, no reconocía los contornos de mi propio rostro, mis mejillas tan hundidas que debía de parecer que mi cuello podía partirse en dos por el esfuerzo de sostener mi protuberante cabeza.

El campo estaba dirigido con eficiencia. Estaba sucio, plagado de enfermedades y era un refugio para la muerte, pero funcionaba como un reloj y servía los castigos con una regularidad despiadada. Oficialmente, estaba comandado por los hombres de la SS, pero en realidad las guardianas mantenían el orden y prosperaban como vigilantes. Se presentaban con el aspecto de una pandilla vestida con trajes a medida, peinadas y maquilladas, habiendo instalado un pequeño y bizarro salón de belleza en el lugar, donde las prisioneras les arreglaban las cabelleras a la última moda. Cuando no estaban incitando a los perros para que nos gruñeran, exhibían un afecto desmesurado por sus «bebés», peinándoles el pelaje y regalándoles cachos de carne que nosotras solo conseguiríamos en sueños. Cada una de ellas le podría haber dado a un oficial de las SS lecciones de crueldad, como si esos uniformes grises llevaran cosido el corazón de piedra.

Las palizas eran habituales, agresivas y visibles, el bloque de castigos a menudo estaba abarrotado, y la muerte formaba parte de la vida diaria. Eran raros los días en los que el carro de los cuerpos no se dirigiera a la costa del lago. Los pies sangrientos sobresalían de una fina mortaja, aunque Graunia nos dijo que –oficialmente– los certificados de defunción solo daban como causa de muerte el paro cardíaco o la neumonía. Solo esperaba que los enterraran en paz, y no que mil almas se mecieran para toda la eternidad en las aguas embarradas.

Mantenía la cabeza gacha, cosiendo a toda velocidad, y me consolaba con la compañía de Graunia y de varias otras del barracón. Éramos unas ochenta o así, un mosaico humano de culturas y credos: alemanas, húngaras, alemanas polacas y checas, pero ninguna judía. Nuestra unidad provenía de que todas éramos antinazis, algunas comunistas, algunas socialdemócratas, y por definición todas patriotas fallidas. Nos llamábamos a nosotras mismas las alimañas, y nos orgullecíamos de ello.

El resto del campo era una lección de cómo dividir y gobernar. Judías, prostitutas, gitanas nativas, testigos de Jehová –todas consideradas «indeseables»–. Cada comunidad tenía su propio barracón o barracones, dependiendo del número, y a los guardias les encantaba enemistar a los grupos entre ellos. Sería esperanzador pensar que todas esas mujeres forzadas en la adversidad se aliarían, todas cuidando de las demás, las fuertes procurando por las débiles. Pero la naturaleza humana no es así. La supervivencia, aprendí rápidamente, es el más básico de los instintos humanos, y el arma más poderosa de los nazis era que lo sabían. Lo usaban.

Reissen, la vigilante jefa, era astuta. Empleaba tiempo en reclutar a prisioneras como encargadas –o Kapos– para que actuaran como líderes de barracón, dándoles pequeños privilegios para hacer que la vida fuera algo más soportable, y una pizca de poder que podían ejercer sobre las mujeres del barracón, a cambio de información sobre posibles disidencias. También las llamaban para llevar a cabo el trabajo sucio de las guardias. Algunas mujeres, aquellas que sin duda creían que ya no tenían ninguna moralidad que perder, trabajaban en el bloque de castigos y administraban palizas personalmente. El deseo por la vida –la propia–, es un motivador muy eficaz.

Como me mantuve siempre fuera del radar, nunca me señalaron. En vez de eso, formé una estrecha amistad con Graunia y Kirsten, una alemana de origen checo cuyo delito había sido ocultar a judíos en barcos mercantes hacia fuera de Alemania. Juntas, acumulábamos comida, historias, deseos y sueños. Nos manteníamos vivas. Cada noche, antes de que apagaran las luces, nos cogíamos de las manos y susurrábamos: «Otro día que va, otro día vivas, otro día hacia la libertad». Me recordaba a las palabras que solía decir casi a diario en el hospital a las madres que sentían que nunca llegarían al final del viaje: «Una contracción menos, una más cerca de ver a tu bebé». Cada minuto que pasaba esa vida me parecía más y más lejana, como una arena que se me escabullera por entre los dedos.

Hasta que llegó Leah. La producción en la sala de costura ese día iba frenética, con Herr Roehm todavía más feroz de lo habitual, debido a una orden urgente de los altos mandos del Reich. Había una recompensa de un nuevo Mercedes-Benz como agradecimiento por su «lealtad»; eso nos dijo Graunia puesto que había tecleado la carta de Roehm, asegurándole al gobierno del Reich que estaría lista a tiempo, «costara lo que costase».

Ese día, dos mujeres ya se habían desmayado de deshidratación, y una tormenta de nieve formada por motas de tela obstruían el aire mientras las cortadoras trabajaban a toda capacidad. Solo tenía tiempo de concentrarme en no atraparme los dedos bajo la aguja de la máquina, que saltaba a una velocidad vertiginosa. El ruido era una cacofonía sin fin.

Leah estaba trabajando a dos máquinas de distancia. La había visto esa mañana entrar en la sala a las seis de la mañana, ligeramente encorvada y con una mano agarrándose la barriga. El sangrado mensual era excepcional entre las prisioneras, pero las infecciones de orina comunes, causando un intenso dolor en la vejiga. Le había lanzado una mirada cuando habíamos entrado, arqueando las cejas, como para preguntarle «¿estás bien?». Me había esbozado una sonrisa débil, pero no asintió. Era pequeña y delgada, y esperaba que pudiera aguantar hasta el final del día. Graunia nos había dicho que todo el envío tenía que estar en el tren antes de las diez de esa misma noche.

Todas probamos la punta de la vara de Herr Roehm ese día. Ser rápidas no era suficiente. Quería que los uniformes salieran volando de las máquinas a una velocidad obscena. Al mediodía, cuando vio que la esperanza de ver su brillante coche nuevo se desvanecía de la vista, su voz alcanzó un tono febril.

–¡Malditas perras! No hay café durante la comida hasta que tengamos hecha la mitad de la comanda. ¡Más rápido! Trabajad más rápido, perras. ¡Trabajad para el Reich!

Tenía rodales de sudor en la chaqueta, y un aspecto que parecía que pudiera necesitar a un doctor antes que alguna de nosotras. A Leah ya la había empujado con la vara una vez, además de un golpe en el hombro cuando había aminorado el ritmo visiblemente. Cuando ya había pasado mucho rato de nuestra hora de descanso, la mujer que había entre nosotras me tocó con la mano para llamar mi atención.

–Le pasa algo –vocalizó, y ambas miramos hacia Roehm, ocupado en la otra punta de la sala.

Leah estaba desplomada hacia delante con la cabeza sobre la tela. No estaba muerta; podía ver su columna huesuda a través del movimiento del vestido, elevándose y saltando como si estuviera recibiendo una leve descarga eléctrica.

Ambas nos quedamos petrificadas.

La norma número uno, que nos machacaban día tras día en el recuento de las cinco de la mañana, apenas despiertas en la plaza gris, era que no ayudaríamos a ninguna mujer que cayera. La debilidad no se toleraba, aunque la creara el mismo Reich. El instinto de ayudar a una compañera necesitada te otorgaba una paliza rápida y un tiempo en el bloque de confinamiento solitario. Más psicología efectiva.

Sabía que si Roehm veía que Leah parecía estar echándose una siesta, descargaría con fuerza su vara sobre su pequeño cuerpo, tal vez incluso sobre su cabeza, con consecuencias fatales. Seguí cosiendo con una mano y meneé el otro brazo en el aire, con la esperanza de atraer la atención de la guardia de turno que se paseaba por las filas de maquinistas. Era nueva en el campo y esperaba poder tomar ventaja de la poca humanidad que le pudiera quedar dentro. La Kapo que estaba hablando con Roehm era particularmente cruel e, irónicamente, teníamos más oportunidades con la soldado.

Se acercó.

—¿Qué pasa?

Señalé a Leah y la guardia se dirigió a ella y la zarandeó por los hombros.

—Venga, chica. No te metas en líos.

Tenía puesto un ojo en mi máquina, que traqueteaba y el otro a mi lado. La cabeza de Leah cayó lánguida, y la guardia volvió a moverla. Leah volvió en sí de golpe y se aferró a la barriga. Oí ese familiar aullido incluso por encima del ruido de la habitación. Rebuznando, empujando. Un parto. Un bebé. Inconfundible.

No pensé en las consecuencias, en las noches que me podía pasar sola en una celda oscura, lamiéndome las heridas. Me levanté de la silla y me asomé por debajo del vestido de Leah, donde la forma de la cabeza de un bebé estaba ya moldeando la piel, listo para mostrarse en cualquier momento.

—Está a punto de dar a luz —le dije a la guardiana.

—¿Qué? ¿Puedes verlo?

Parecía estar preocupada por Roehm, pero él seguía distraído.

—Todavía no, pero no tardará.

Me miró con suspicacia, y nuestros ojos se encontraron. Le supliqué con todas mis fuerzas en esa mirada que no alertara a Roehm, sino que nos sacara a hurtadillas por la puerta antes de que él pudiera enarbolar la vara. Leah volvió a gemir, y la guardiana desvió los ojos hacia la puerta cercana. Tal vez razonó que el caos de un parto detendría la producción y se ganaría una reprimenda.

Medio tiramos medio arrastramos a Leah de la habitación hacia un pequeño vestíbulo del barracón.

–Tenemos que llevarla a la enfermería –soltó la guardia, mirando detrás de ella por si Roehm nos seguía.

–No llegará a tiempo –le dije–. La cabeza estará aquí en cualquier momento. Créeme.

–¿Cómo es que de repente eres toda una experta?

–Una gran familia con muchos sobrinos –le dije para quitármela de encima–. Necesitamos algo para envolver al bebé, alguna tela.

Leah estaba en el suelo, parecía inconsciente pero volvía en sí por el dolor de las contracciones. Se estaba esforzando y empujando visiblemente, su piel estirada fina como el papel cuando vi un círculo de pelo negro del tamaño de una moneda. La parte trasera de su vestido estaba ligeramente húmeda, donde había roto el pequeño charco de las aguas del bebé. La desnutrición significaba que no había sido un maremoto.

La guardiana apareció de nuevo, con un retal de tela y los ojos mirando a todos lados, incómoda.

–Será mejor que acabemos rápido, o Roehm saldrá –me advirtió. Aun así, vi cómo llevaba las manos automáticamente a los hombros de Leah y le proporcionaba un efímero apoyo.

–Lo será –hablaba en voz baja a Leah, aunque parecía estar en su propio mundo–. Está bien, Leah, lo estás haciendo bien, ya casi está.

La arenga era tanto para ella como para mí.

Leah dio un tremendo empujón y la cabeza del bebé nació rápidamente, pelo negro en contraposición a una piel blanca como la cal. Tenía los rasgos inmóviles, los labios morados y no sabía decir si había vida o no. Con solo otro medio empujón, el cuerpo se deslizó hacia fuera como un cachorrillo, flácido e insensible, con un escuálido cordón alrededor del cuello. Instintivamente, lo froté con la tela.

–Ey, hombrecito; ey, bebé, vamos.

Y entonces me incliné para insuflarle vida. No me paré a pensarlo, simplemente lo hice.

Carente de grasa en la caja torácica, fue fácil ver cuándo respiró, un globo de vida que golpeaba su esternón, y tosió y gimió. Leah recuperó la conciencia en ese mismo instante, y sus ojos se tiñeron de alarma y miedo, seguidos por una sonrisa. Una de verdad. Varios trabajadores de la enfermería en el bloque hospitalario llegaron y la desplazamos a través del patio, todavía unida a su bebé y unas gotas de sangre daban luz, vida y color al suelo grisáceo.

Dentro del bloque médico, trabajé en mi propio mundo, animando a que saliera la placenta con unos frotes en el abdomen de Leah. Cuando me giré para deshacerme de ella, me encontré con la mirada severa del oficial del hospital.

—¿Tiene algo que contarme, prisionera Hoff? —me preguntó con las cejas arqueadas—. Parece ser que nos ha estado ocultando algo.

34
Comienzos

Era la medianoche del cuarto día desde que Dieter se fue y me desperté con el chirrido del pomo de la puerta. Su alta silueta se acercó a la cama, caminando de puntillas en calcetines.

—No te preocupes, estoy despierta —susurré.

—¿Es demasiado tarde? ¿Necesitas dormir?

Me apoyé sobre los codos.

—No, quiero dormir contigo... Por fin.

La semana anterior mi apetito sexual —anulado prácticamente a cero desde que el conflicto real empezó— había revivido, propiciado por su presencia. El sueño se aquietaba ante la mera visión de Dieter. Con la chaqueta abandonada en la esquina más lejana de la habitación, caminó hasta mí y se metió debajo de las sábanas.

La brillante luz del sol atravesaba las finas cortinas cuando me desperté. Tardé varios segundos en darme cuenta de que todavía estaba enroscada contra el contorno de su largo cuerpo, que no se había esfumado al romper el alba. Se movió mientras yo me estiraba.

—Dieter, es bastante tarde. ¿No deberías irte?

Miró su reloj con los ojos entornados y luchó contra la neblina del sueño, apretando mi vientre mientras volvía a hundirse en la cama.

—¿Dieter?

—¿Mmm? Ah, le dejé a Rainer el coche para toda la noche, visita a una mujer del pueblo. No volverá hasta el mediodía.

Se sumió en un duermevela mientras yo miraba las cortinas que bailaban con la brisa.

Mi estómago gruñó sonoramente y habría dado lo que fuera en ese instante por estar en la habitación de un hotel de París durante los tiempos de paz, con el olor a café y pastas cerca, tentándome a salir corriendo de debajo de las sábanas calentitas para cogerlas y compartirlas con Dieter.

Gradualmente, noté cómo su respiración aumentaba el ritmo y se despertó estirazándose. Sus pestañas me tocaron y me hicieron cosquillas por la parte de atrás de los hombros. Se acomodó bocarriba y yo me moví para encajarme como la última pieza del rompecabezas bajo su brazo.

—¿Crees que algún día nos despertaremos en una bonita habitación de hotel y tomaremos el desayuno juntos? —musité.

—¿Tanto te importa? —murmuró—. Puedo hacer un arreglo y pedirle a Frau Grunders que traiga una bandeja, si tantas ganas tienes.

Le apreté juguetona entre las costillas.

—No hace ningún daño tener sueños, capitán.

Dieter apretó la barbilla sobre mi coronilla y noté el aire caliente que le salía de la nariz.

Mi curiosidad creció a medida que se alargaba el silencio.

—Dieter, ¿qué crees que nos pasará a nosotros, a Alemania?

Se quedó meditando durante unos segundos.

—¿A nosotros? Sobre eso no tengo ni idea. Pero a Alemania ni me atrevo a pensarlo. Es irónico que Hitler esté probablemente en algún búnker bajo tierra intentando maniobrar una victoria y aun así nos estemos cavando cada vez más profundo en un agujero muy oscuro.

—¿Tan mala es la situación?

—Eso creo, a juzgar por lo que llega a mi escritorio. Al alto comando siempre se le ha dado bien aparentar, pero en realidad están escarbando como ratones. Creo que Hitler ha subestimado en gran medida a los aliados. Son tenaces y ese Churchill es un zorro astuto.

Dejando de lado el estallido que nos había llevado a la cama en primer lugar, eso era lo más cercano que habíamos tenido a una conversación en detalle sobre la guerra. Con todo, parecía expuesto, como si purgarse de ello fuera un alivio.

—Goebbels sigue teniendo el control de la prensa, así que los ciudadanos piensan que avanzamos por Europa sin cesar, con la cabeza en alto. En realidad, los Aliados están tomando puntos clave en

Italia, y hemos sufrido devastadores ataques aéreos. Las ciudades alemanas están destruidas y cojeamos como un animal herido. Ha habido varios intentos de asesinato contra Hitler, provenientes de dentro de sus propias tropas. No es de extrañar que no esté aquí arriba jugando a las familias felices.

Me quedé sin aliento cuando oí que mencionaba los intentos de asesinato, y me esforcé por soltar el aire lentamente. Casi se me escaparon las palabras: los mensajes a Christa, la nota debajo de la máquina de coser, la potencial amenaza al bebé. Algo en mí, sin embargo, las retuvo. Confiaba en él, de verdad. No creía que Dieter me pudiera llegar a hacer daño o traicionarme. Pero, incluso entonces, no estaba segura del alcance de la amenaza, o si llegaría a cumplirse llegado el día. No quería darle más cargas, hacerle escoger entre un bando o el otro. Demasiadas elecciones podían rompernos, y en ese instante, él era la única cosa brillante que me permitía renquear hacia delante. Después de lo de mi padre, mi propia propulsión no bastaba. Necesitaba una razón para avanzar hasta el día siguiente.

–Dieter, ¿tienes miedo?

Respiró hondo y aguantó el aire; noté los tirantes fuelles de su pecho contra mi oído. Al fin, lo soltó.

–No estoy seguro de si sé lo que es el miedo a estas alturas. Lo perdí hace ya mucho, junto a la ansiedad y la preocupación. Todo se mezcla en uno; vives cada momento esperando encontrarte con la muerte detrás de cada esquina, como si fuera un amigo perdido de hace mucho tiempo. Incluso en mi mundo. Un comandante nazi borracho con resentimiento y una pistola es tan peligroso como un campo de batalla, a veces.

–¿Tienes esperanza? –Es todo cuanto pude decir.

–La tengo ahora –dijo, apretándome. Una sensación pequeña y húmeda serpenteó por entre los pelos de mi coronilla y me golpeó el cuero, pero no miré ni comprobé si era una lágrima suya, o la chispa de todo mi ser que me empujaba hacia él.

Se vistió por completo mientras estaba en el baño y me dio un beso de despedida antes de que cerrara la puerta. Deambulé por la sala del servicio mientras estaban limpiando la mesa. Puse la tetera a hervir y me preparé el desayuno. Con la gorra debajo del brazo, Dieter entró incómodo en la habitación.

—Buenos días, Fräulein Hoff. Parece ser que voy demasiado tarde como para tomar el desayuno arriba —dijo, con una sonrisa que le curvaba la comisura de los labios.

—Eso parece, capitán. Yo también voy bastante tarde. —Apenas podía suprimir la risa, un serio peligro que podía delatarnos. Pero agaché la cabeza y aguanté, nuestro secreto era la mejor de las motivaciones—. Estoy a punto de hacer café. ¿Puedo tentarle con una taza?

—Le estaría muy agradecido.

Y así tomamos el desayuno juntos, no en una engalanada habitación de hotel, desnudos y con el olor del sexo, sino completamente vestidos en medio del ajetreo de la mañana y con la mirada de soslayo fría de Frau Grunders mientras iba y venía.

Me dirigí a la habitación de Eva con paso definitivamente alegre. Inusualmente, seguía en la cama —eran más de las diez— pero me dijo que pasara y se giró con un quejido. Tenía la cara pálida e hinchada, indicios claros de una mala noche.

—Eva, ¿cómo estás? Pareces cansada.

—Ay, Anke, ¿va a ser así durante semanas? Debí de estar despierta hasta las tres. Noto la barriga muy tirante, como si todo lo de abajo se estuviera aplastando, pero el bebé se retuerce mucho. Eso es bueno, ¿verdad?

—Lo es. Probablemente sea la cabeza del bebé dándose la vuelta y desplazándose hacia abajo, algo que también es bueno.

Cuando llevábamos un minuto de exploración, sin embargo, una pequeña alarma se disparó en mi cerebro. Mientras presionaba la barriga con la palma, se contrajo bajo mis dedos y Eva arrugó el rostro visiblemente, sonrojándose justo por debajo del mentón y por todo el cuello, remitiendo cuando la carne se volvió a relajar. Su presión sanguínea estaba un poco alta, y el pulso un poco elevado. Si no estaba equivocada, Eva empezaba a ir de parto.

El corazón del bebé latía con fuerza como siempre y le resté importancia a las contracciones –si Eva creía que podía ocurrir de inmediato, toda la casa se pondría en alerta máxima–. Incluso si estaba en lo cierto, todavía podían quedar días de murmullos y preparativos hasta el momento real.

–Bueno, todo parece estar bien. Estoy segura de que volverá a relajarse –le dije–. Tal vez deberías dart un paseo, y luego asegurarte de dormir un poco más tarde.

Extrañamente, pareció satisfecha con mi consejo, y no por primera vez pensé que Eva Braun tenía el suficiente aplomo como para aguantar las exigencias físicas a las que pronto debería enfrentarse.

Encontré a Dieter en la sala de comunicaciones, y le hice un gesto para hablar fuera, en privado.

–No puedo estar segura, pero creo que Eva está de parto –le dije cuando no nos podía oír nadie.

Su semblante se alarmó ligeramente.

–¿No es demasiado pronto? Tenía entendido que faltaban tres semanas.

–Bueno, para ti eso son las mujeres y los bebés. No, no es demasiado pronto, está de treinta y siete semanas y no será un recién nacido prematuro. Es solo que no quiero darlo por hecho hasta que lo tenga claro. No quiero que suene la alarma.

–¿Qué necesitas que haga?

Me dieron ganas de besarle en ese mismo instante y lugar, por reaccionar de la manera que esperaba.

–Quiero que Christa venga aquí arriba, pero sin alertar a los Goebbels o al doctor Koenig. ¿Hay alguna manera de que podamos ir a buscarla con una buena excusa?

–Puedo, si piensas en una que sea creíble. Sé seguro que Frau Goebbels está fuera en este momento, así que no levantaremos sus sospechas.

Esa noticia fue un alivio profundo, y acordamos llamar a Christa bajo el pretexto de echarle un vistazo a Eva durante la noche, puesto que iba al baño muchas veces, y para acabar los toques finales del ajuar del bebé. Probablemente nos harían preguntas, pero podíamos contestarlas con facilidad. Era más importante proteger el espacio de Eva, para que pudiera alumbrar al bebé.

Campo al norte de Berlín, noviembre de 1942

–Entonces, ¿eres comadrona? –Gerta Mencken entornó los ojos mientras miraba mi informe–. ¿Y aun así estás en la sala de costura? –Creí que sería más útil allí –dije en tono inexpresivo. Me había convertido en una adepta de la mentira, despojando de cualquier tipo de emoción mi voz, la expresión impertérrita y los ojos aparentemente ciegos.

Mencken gozaba de la reputación de ser una nazi leal, pero una que conservaba su ética como enfermera de la Alemania anterior a la guerra. Observando la coronilla de su pelo rubio platino, cortado en un estilo masculino, me pregunté cómo esas dos versiones habían podido encajar.

–Ya... bueno. –No la había convencido–. Ahora estás aquí, y nos podríamos beneficiar de tus conocimientos. Tenemos más mujeres de las que habíamos previsto en un principio. –Me miró y relajó el semblante para intentar tranquilizarme, aunque resultó poco eficaz–. Las mujeres se beneficiarán de tu experiencia.

Como toda nazi verdadera, Frau Mencken sabía cómo extraer lo mejor de sus trabajadoras de la prisión, usando una forma sutil de chantaje moral. Podía ayudar a que la experiencia fuera más tolerable para los residentes, era lo que estaba diciéndome, y servir al Reich al mismo tiempo.

–Preséntate aquí mañana a las seis. Te instruiremos sobre los procedimientos.

Había sentido un picor desde que había llegado al campo. A diferencia de los numerosos bichos y ladillas que residían en mi cuerpo y que hacían que me rascara con ferocidad hasta dejarme

273

la piel en carne viva, esa púa estaba dentro de mí, pinchándome el cerebro. Era saber que estaban naciendo bebés en el campo.

Inocentemente, había imaginado que todas las mujeres embarazadas eran descartadas antes de subir a los transportes, puesto que aquel no era ningún lugar para cuidar o dar a luz a un bebé. Era un campo de trabajo, solo se permitían a los niños de doce años en adelante; aquellas que podían aguantar todo un día de trabajo. Pero la mayoría de mis nuevas pacientes no estaban embarazadas cuando las separaron de sus maridos y a algunas las habían violado brutalmente los soldados alemanes cuando las capturaron. Aun así, cuando el campo abrió, el número de nacimientos era bajo.

Elke, una residente desde 1939, me dijo que a los primeros bebés se les trató con total reverencia en la enfermería: sábanas limpias, baños para las madres, incluso un vaso de leche después del parto. A pesar de tomarse todas esas preocupaciones, los recién nacidos no sobrevivían a la vida en el campo y sucumbían a la desnutrición a tras unos días o pocas semanas, cuando a las madres se les secaba la leche, o los transportaban cuando tenían un día de vida y los «germanizaban» si tenían la suficiente suerte de nacer con los ojos azules. La mayoría de los bebés eran hijos e hijas de prisioneros políticos, alemanes o al menos no judíos, y por ende se toleraban. Los pocos bebés judíos no duraban más de un día, ya por aquel entonces.

A medida que la guerra se propagaba, la población del campo incrementó y, con ella, el número de judías que llegaban ya encinta. Las cifras se dispararon con las violaciones derivadas de la invasión de Varsovia, y los números crecían junto a sus barrigas. Pero los nazis eran astutos. El campo proveía de suministros esenciales a las tropas y mano de obra para las fábricas mecánicas que nos rodeaban, y los polacos eran buenos trabajadores, especialmente los judíos. Oí a Mencken un día diciéndole a su jefa Kapo que las mujeres embarazadas «son como mulas. Si son lo suficientemente fuertes como para llevar al niño, tienen más resistencia. Una semana después del parto ya vuelven a tenerse en pie y necesitamos esa fuerza. Entonces nos son más útiles».

Su manera de pensar no detuvo los abortos forzados. A cualquier mujer sospechosa de estar de menos de veinte semanas la llevaban a un bloque apartado y se segaba una de las dos vidas. Sus gritos se podían oír a intervalos mientras los aprendices de doctor nazis llegaban para afilar sus habilidades sin anestesia. Si las mujeres morían desangradas, se lo achacaban a la experiencia y al daño colateral –aunque a menudo vi a Mencken caminando a pisotones por los pasillos y maldiciendo a los médicos por reducir el número de «sus chichas»–. Pero pensaba solo en los números, no en los lastimeros cuerpos inertes sobre la mesa de autopsia.

Las mujeres pueden ser igual de determinadas, sin embargo, y su celo por preservar la vida en la barriga superaba con facilidad la voluntad de los nazis. Algunas descubrían que estaban embarazadas cuando notaban un hormigueo delatador dentro, puesto que los períodos menstruales –por el estrés y la desnutrición– se habían detenido prácticamente a la llegada. Los movimientos del bebé y un abdomen ligeramente redondeado eran a menudo los primeros signos de embarazo. Incluso entonces, los vestidos holgados de lana escondían bien las pequeñas barrigas, y algunas mujeres conseguían ocultarlo a los demás menos a sus compañeras de barracón hasta que llegaba el momento del parto.

Durante mi primera mañana en la enfermería, trajeron a una mujer tras pasar la lista de las cuatro y media, después de haber estado de pie durante horas en la plaza gris y haber colapsado con dolores de parto. Para cuando llegó al edificio y me empujaron hacia ella, el parto ya estaba muy avanzado, perlada de sudor y con el rubor extendido desde los hombros hasta la frente. Era checa y hablaba en un dialecto que no conseguía entender, así que no me quedó más opción que usar el lenguaje universal de un alumbramiento: un toque suave en la mano, masajeando su piel áspera hacia los dedos de espantapájaros y usando una voz arrulladora mientras hablaba con ella en alemán.

–Déjame que eche un vistazo, ¿puedo mirar debajo de tu vestido?

Ni siquiera sabía su nombre.

Después de una contracción, dejó de musitar y abrió los ojos. Nuestras pupilas se encontraron, le sonreí y asentí.

–Está bien –le dije–. Vas a tener a tu bebé.

–Bebé –dijo, y empujó para enseñarme su niño.

La enfermería había visto días mejores. Al menos era un edificio sólido, sin agujeros en las placas, aunque sus paredes envejecidas se descascarillaban por la dejadez. Las sábanas limpias del recuerdo de Elke hacía mucho que habían desaparecido: se habían ennegrecido y deshilachado, despedazadas para hacer pañuelos para los bebés que sobrevivían. El jefe de los guardias, me enteré más tarde, no compartía los valores de Mencken sobre las mujeres embarazadas saludables y se limitaba a tolerar sus esfuerzos, más que a alentarlos.

No había instrumentos, ni medicinas, y solo trabajaban un puñado de comadronas prisioneras venidas de todas partes de Europa. El conjunto hacía que ese edificio fuera cualquier cosa menos un paritorio. Su experiencia y humanidad lo transformaban en una unidad de maternidad que daba a luz.

Fueran cuales fuesen nuestras habilidades, el fin de una vida nunca estaba lejos del alumbramiento de otra. Todos los bebés que no eran judíos –aquellos que no tenían los ojos azules– los alojaban en una Kinderzimmer justo después de pasar dos días con sus madres, a las cuales solo les permitían visitarlos brevemente durante el día. Por la noche, se cerraba la puerta, pero la ventana se dejaba abierta, incluso en invierno. Las madres frecuentemente encontraban a sus bebés agarrotados y sin vida al día siguiente. Otros recién nacidos se morían de hambre lentamente durante las primeras semanas y solo un puñado pasaban del mes de vida.

Para los judíos, sin embargo, había un destino más claro. Nunca olvidaré la primera vez que oí el salpicón de un recién nacido que golpeaba el agua del barril; se me hizo un nudo en el estómago y la garganta me quemaba con la comprensión de que una vida estaba siendo brutalmente extinguida. El dolor que cada madre soportaba con ese sonido no se podía comprender. Como comadrona, habiendo sido guiada por la luz de la vida en cada turno –una madre unida con su bebé– todos mis valores se habían roto.

¿Qué iba a hacer? ¿Apoyar simplemente en el breve pasaje entre la vida y la muerte? ¿Iba a estar al servicio de la máquina nazi para perfeccionar una nueva clase trabajadora, ayudando a Hitler en su objetivo despreciable de una Alemania limpia, bañada en una moral repugnante?

Después de ese primer día en la enfermería, me revolví en la litera, no por el picor de las chinches, sino por la conciencia que batallaba en mi cerebro. La verdad era que no tenía demasiadas opciones. Era obedecer o que me llevaran al bosque y me fusilaran por disidencia; muchas no habían vuelto tras pronunciarse en contra de algo. O enfrentarme a la siniestra amenaza de que me transportan al este. En ese tiempo, nadie sabía exactamente lo que había en «el este», pero todas presentíamos que no era algo bueno.

Durante las semanas siguientes, el forcejeo moral menguó y encontré un nuevo propósito, una luz que solo se podía describir como tenue; una grieta entre tanto gris, algo a lo que aferrarme en el horror de aquel mundo alternativo. Las mujeres que llegaban a la enfermería eran increíbles; sobrepasar las veinte semanas sin un aborto ya era todo un milagro, pero parecía increíble hacerlo con un bebé cuyas piernas empujaban orgullosas contra las zonas infectadas de sarna de sus abdómenes, como diciendo: «Estoy aquí, estoy vivo». Habían preservado a sus bebés usando cada una de sus células, con los ojos hundidos por la falta de nutrición y la preocupación y unas pequeñas barrigas abultadas sostenidas por piernas que a veces eran tan delgadas como un junco. Jamás pensaron ni por un momento en rendirse. Nunca. Dar vida lo era todo. Muchas sabían que sería una existencia corta, pero todas albergaban una ínfima esperanza de que la guerra acabara de golpe con una liberación rápida por parte de los Aliados y un indulto de última hora para sus recién nacidos.

Pronto me di cuenta de que mi papel, y el de más o menos otras diez comadronas cualificadas, era brindar dignidad donde no podíamos prolongar la vida. Podíamos crear recuerdos, tal vez solo de horas o días, en los que la amabilidad y la humanidad triunfaran. Nos sentábamos, las preparábamos y arrullábamos, guardábamos los pocos extras que podíamos con el fin de que cada mujer sintiera que formaba parte de los mejores cuidados que el dinero podía comprar.

Cada una de nosotras tenía su propia manera de crear un pequeño mundo impenetrable contra la cruda realidad de ruido y hedor que nos rodeaba. Era un pequeño cosmos donde llorábamos y reíamos con ellas, donde manteníamos un espacio –quizá durante solo unos pocos minutos– tan puro que solo su hijo, su bebé, existía durante ese tiempo. Su historia. El dolor ardiente cuando las separaban del bebé no era menos lacerante, pero junto a la tristeza convivían los recuerdos de lo que hicieron por sus bebés; los recuerdos de ser madres.

Y en ese escenario en el que merodeaba la muerte, volví a la vida.

35
Gestación

Estaba agitada después de haber explorado a Eva, merodeando por el complejo y prácticamente espiándola a corta distancia, algo inusual en mí. Salió a la terraza alrededor del mediodía, y fui a decirle que Christa llegaría en breve para ayudar con los últimos preparativos. Parecía estar satisfecha, pero también preocupada; se movía incómoda en la tumbona y se aferraba la barriga inconscientemente. Tenía el rostro menos pálido y enrojecido la mayor parte del tiempo. Me pidió que me quedara con ella para hacerle compañía, así que durante un rato me senté mientras hojeaba una revista, con los oídos puestos en su respiración y controlando las contorsiones de su cuerpo. Observándola, estaba segura de se encontraba, como decíamos las comadronas, «en la cúspide».

Nos separamos para ir a comer y Christa aproximadamente llegó una hora después. La fue a buscar Daniel. Me sentí realmente aliviada con su presencia. Sin ningún entrenamiento y con poco bagaje médico, era aun así lo que más necesitaba, una aliada en quien poder confiar, como Rosa antes de ella. Vino cargada con fardos de tela y su caja de costura, convencida de que se instalaría por lo menos durante tres semanas antes del parto, y se le descompuso la cara cuando le conté mis sospechas.

–¿De verdad? ¿Tan pronto?

Abrió sus grandes ojos verdes como platos.

–Todavía cabe la posibilidad de que se quede en nada, pero las señales son buenas.

–¿Estás aliviada?

–Sí y no –dije honestamente–. Me ha pillado a contrapié, pero si te soy sincera, si Eva hubiese salido de cuentas, estaríamos bajo un escrutinio mucho más severo. Es mejor que el bebé venga cuando quiera. Tendremos que enfrentarnos a ello en algún momento. Si hay algo seguro sobre un nacimiento, es que ninguna mujer está embarazada para siempre.

Ambas nos reímos, para romper la tensión que planeaba sobre nuestras cabezas, una perturbadora nube de lluvia que nos perseguiría hasta que el sol se abriera paso o se rompiera con un tiránico trueno.

–¿Qué reacción han tenido los Goebbels? –pregunté.

–Los señores están ambos fuera, por separado. No dudo de que tienen espías en la casa, pero creo que actué con naturalidad sobre el motivo.

Me informó que no había recibido más mensajes del grupo de resistencia.

–¿Y tú?

–No, nada.

Debería habérselo dicho, por la confianza que nos teníamos, pero razoné que no cambiaría nuestro plan y solo añadiría más tensión. Estábamos decididas a darle a Eva un bebé sano, y luego seguir con nuestras vidas.

Convinimos en que Christa dormiría en la habitación de Eva esa noche, para mantener las apariencias, pero quería que Christa me llamara a mí si necesitaba algo en vez de a una de las criadas. No sabíamos quién podía estar compinchado con los Goebbels o con la resistencia.

Justo después de las tres de la tarde, Eva me llamó a su habitación, su rostro sumido en alarma.

–¡Mira! –me dijo y me guio hasta el baño. Sus braguitas de seda estaban en el suelo, manchadas por una cobertura mucosa, salpicada de rosa y rojo–. ¿Qué es?

–Solo es una señal de que te estás preparando, una buena señal –le aseguré. La «expulsión», un tapón gelatinoso que custodia la entrada del útero, podía desprenderse dos semanas, dos días o dos horas antes de que empezara el parto, pero con todo lo que había visto, era otro indicio de que estábamos cerca–. Ven, vamos a auscultar al bebé.

Se seguía contrayendo, la piel un cascarón duro mientras se recostaba, pero no se retorció ni reaccionó. Había conocido a mujeres que lloraban en ese punto de cansancio y abatimiento, pero Eva volvía a mostrar su aguante una vez más.

Christa la ayudó a entrar en la bañera, y acordamos un plan para la noche. Aun así, no mencioné la palabra «parto», jugando con la inocencia de Eva. También sabía que necesitaba dormir, por si me llamaban de madrugada, y me dirigí al chalé después de la cena. Christa me acompañó durante poco rato en el porche, pero ella también estaba cansada y se retiró pronto. En las penumbras, vislumbré una figura que merodeaba por alrededor de la casa. Durante un momento angustioso, me imaginé que era la Resistencia que intentaba establecer un contacto directo, pero la patrulla daba círculos, y el cuerpo ni se inmutó cuando dos pares de botas se le acercaron. Con la patrulla fuera de la vista, la silueta balanceante de una gorra tomó una forma familiar.

Se acercó con una sonrisa, con la gorra en la mano. Sin mediar palabra, ambos echamos un vistazo alrededor y desaparecimos dentro del chalé y cerramos las cortinas. Se quitó la chaqueta, y nos besamos antes de hablar, mis dedos colándose por debajo de sus tirantes y aferrándose a las sólidas costillas a través de la camisa.

—Llevo todo el día muriéndome de ganas de hacer esto —susurró Dieter cuando apartamos los labios húmedos—. Si te soy honesto, estoy deseando que Eva aguante, solo para tener más de ti.

—Yo también —le dije.

—¿Alguna novedad?

Le conté lo de las señales.

—O bien empieza el parto esta noche o se le pasará y tendremos que esperar bastante más —le dije—. Si te soy honesta, no te sabría decir. Es difícil de leer.

—Bueno, bueno —se burló—, ¡una mujer que gana a la intuición de la gran enfermera Hoff! Eva Braun se ha ganado mi respeto.

Le hinqué los dedos en broma en las costillas, y esa era nuestra señal para deslizarnos a la cama y retrasar mi preciado sueño.

36
Un turno nocturno

—¡Anke! ¡Anke!

Una urgencia brusca tiró de mí hacia la superficie del sueño, nadando a contracorriente. Cuando me liberé, oí a alguien que gritaba en la puerta.

—¡Anke! ¡Anke!

—Ya voy —conseguí decir, notando a Dieter a mi lado.

Mientras se levantaba me giré y me llevé un dedo a los labios para señalarle que no hiciera ruido. La cara de Christa estaba cerca de la puerta; llevaba puesto el camisón y el pelo sujeto en una cola.

—Creo que tienes que venir —dijo.

Qué coincidencia que hubiese estado soñando que Eva daba a luz en la casa del té, con Negus y Stasi como mis ayudantes, y aun así pasaron segundos antes de que el presente se asentara.

—Anke. —El tono de Christa me acercó más a despertarme—. Creo que ha roto aguas.

Al oír eso me desvelé por completo.

—Está bien, tú vuelve con ella, yo estaré allí en unos minutos. ¿Qué hora es?

—Las dos y media de la mañana.

Tal vez se preguntó por qué había dejado la puerta entornada, por qué no le había dicho «entra y dime qué pasa» mientras me vestía rápidamente. Pero en esas circunstancias no me importó.

Cuando volví a entrar en la casa, vi a Dieter apoyado sobre un codo y frotándose el sueño de los ojos.

—¿Ha pasado algo?

—No, pero ya está aquí —le dije mientras me ponía las medias—. Christa cree que Eva ha roto aguas, lo que significa que muy probablemente empiece ya.

Deslizó las piernas por el borde de la cama y se pasó la mano por la cara para liberarse de la fatiga.

–¿Qué hacemos con el doctor Koenig? ¿Cuándo debería llamarle? Sabes que tenemos que hacerlo, Anke.

–Lo sé. –Dejé de abotonarme la blusa, con los engranajes dando vueltas–. Pero en realidad tú estás en tu cama, ¿no? Y no sabes nada de esto hasta que te llame, o se despierte la casa.

–No lo dejes para muy tarde, Anke –me advirtió–. Koenig ya está irritado. Podría complicarte mucho las cosas. Haré todo lo que pueda para mantenerlo a raya pero...

–Lo sé.

–¿El qué sabes?

–Sé ser precavida, Dieter. Hago esto para mantenerme con vida, por mi familia. No lo voy a poner en riesgo en el último minuto. Pero soy la comadrona de Eva. Para mí, eso cuenta.

–Y te quiero por ello.

Me quedé congelada con sus palabras, con un zapato puesto, mientras me atraía hacia la cama. Estiró ambas manos, los dedos largos y fuertes se entrelazaron con los míos, y los apretó.

–Es una locura y el momento más estrambótico –dijo mirando al suelo–. Y estamos en guerra. Pero esto... es amor. –Levantó la barbilla y clavó esos ojos turquesa en los míos, la tonalidad se veía claramente incluso en la oscuridad–. Te quiero, Anke. Te quiero a ti y a lo que eres.

Acerqué los labios hacia él. El corazón me iba desbocado; la adrenalina de la noticia que había traído Christa y la lujuria por el hombre que tenía delante era una mezcla embriagadora.

–Yo también te quiero. Cada gramo tuyo. Lo que hemos tenido...

–Shhh, no tenemos que hablar así. Solo supera el día de hoy, y ya lo solucionaremos después. Lo conseguiremos, te lo prometo. Dejaremos atrás esta vida.

El beso fue largo y presionamos con fuerza. A pesar de lo que acababa de decir, era fruto de la desesperación y la añoranza. Le besé en la coronilla, inhalé su olor juvenil. No quería dejar atrás ese espacio nunca.

–Anke –me llamó mientras me dirigía a la puerta–. Coge esto. Lo necesitarás.

Sostenía su reloj de muñeca en el aire y lo cogí. No era un modelo estandarizado del Reich, sino más de un estilo personal, con una esfera ancha y llana y la correa muy desgastada, con agujeros extra en el cuero para que se le ajustara en su delgada muñeca.

–Gracias.

Sonreí, metiéndomelo en el bolsillo y salí por la puerta hacia un día incierto.

Me deslicé por la puerta principal y anduve de puntillas por el pasillo sin zapatos, deteniéndome un instante y agudizando el oído para comprobar los sonidos nocturnos. No se apreciaba ninguna actividad aparente. En la habitación de Eva, Christa se alivió claramente al verme, aunque no Eva. Tenía la cabeza enterrada en la almohada mientras estaba tumbada de lado, con las rodillas dobladas y el camisón que apenas le cubría las nalgas. Con una mano se agarraba la barriga y con la otra se cubría los ojos, aunque no había mucha luz, solo una lámpara solitaria en la mesita de noche. Respiraba entrecortadamente, pero no gemía ni lloraba.

Christa ya había preparado algo del equipamiento, y yo había llevado el resto.

–¿Cuánto hace que está despierta? –susurré.

–Se empezó a remover hacia la medianoche, revolviéndose y girándose. Se levantó sobre las dos y estuvo en el baño un buen rato. Me dijo que entrara justo antes de ir a por ti.

–¿Qué te dijo?

–Que había notado cómo se caía algo y luego un chorro de agua. Los dolores se hicieron más agudos casi de inmediato.

–¿Miraste en el inodoro? ¿Viste lo que había?

–Una pequeña cantidad de sangre, sé que eso es normal, pero el agua tenía un aspecto sucio. Te la he dejado allí, no tiré de la cadena.

–Perfecto, Christa, eres una maravilla.

Un quejido bajo se elevó de la cama mientras empezaba una contracción. Eva respiró hondo, y entonces se oyó un gemido que iba subiendo de intensidad, aunque no era de pánico. Dirigió la mano que tenía arriba hacia el cojín, el material y su rostro retorciéndose juntos. Christa se acercó a ella, le frotó la espalda y le murmuró palabras de ánimo.

En el baño, el informe de Christa era exacto. La sangre era una buena señal de que el cérvix se empezaba a abrir, aunque la mancha marrón del agua no era tan alentadora. Estaba claro que el doctor Koenig lo veía como una razón para intervenir, pero si el bebé estaba bien, no me preocupaba. Eva estaba tumbada sobre una toalla blanca, y era fácil ver que el meconio no era abundante, solo teñía ligeramente el fluido amniótico; la opción más preferible.

–Eva, soy Anke –susurré–. ¿Puedo auscultar al bebé?

Como tantas otras veces, se giró automáticamente, aunque en esa ocasión con una incomodidad obvia, y le llevó tiempo ponerse bocarriba.

Bajo mis manos la cabeza del bebé estaba en la parte baja de la pelvis, pero a diferencia de los días anteriores, no podía localizar el trasero, solo los miembros en cada lado. Cerré los ojos y volví a comprobarlo, negándome a creerlo. Pero con el instinto de un hombre ciego, la traducción era la misma. Solo era una suposición, pero con fundamento; el bebé estaba espalda con espalda, con la columna apoyada en la espina dorsal de Eva. No causaba la alarma de los bebés que venían de nalgas entre las comadronas, pero a menudo significaba un viaje largo, lento y agotador, puesto que el bebé o bien intentaba girarse ciento ochenta grados dentro, o sortear la pelvis de la madre espalda con espalda, algo que era mucho más doloroso puesto que la línea del canal de parto era más estrecha. Con la cabeza tan abajo, supe que el bebé de Eva sería incapaz de girarse con comodidad. Podíamos alargarnos durante una larga noche y día.

Con las contracciones claramente regulares, Eva me dio el consentimiento para que la examinara, y confirmé lo que sospechaba: un espacio delatador detrás de la cabeza del bebé que intentaba –sin conseguirlo todavía– colarse por entre los confines de los huesos de la pelvis, mejor descrito por las mujeres como un huevo «que todavía no está en la huevera». Por otra parte, más positiva, su cérvix estaba dilatado cuatro centímetros, trabajando y abriéndose, y creo que vi una mata gruesa de pelo en la cabeza del bebé. Ya no había vuelta atrás.

El bebé, afortunadamente, tenía un buen sonido, unos estables ciento cuarenta latidos por minuto, y otra contracción hizo que Eva se tumbara de lado. Un dolor de espalda extremo era otro factor con la posición del bebé, y Christa ya estaba ocupada con frotar con fuerza la espalda de Eva durante la contracción. Eva gimoteó más por el dolor muscular que por la propia contracción, con una mano bailando sobre su sacro mientras respiraba.

En voz baja, le conté a Christa mis sospechas, no para alarmarla, sino como una manera de prepararla. Ese no sería un parto en el que el bebé consiguiera avanzarse a la llegada del dominante doctor Koenig.

–¿Entonces qué hacemos ahora? –preguntó Christa.

–Esperamos, es lo único que podemos hacer. Auscultamos al bebé, cuidamos de Eva y nos aseguramos de que siga con el parto. El resto es cosa suya y del feto.

–¿Y fe?

Conseguí esbozar una pequeña sonrisa.

–Sí, Christa, aprendes rápido. Y mucha fe.

Con Eva, me focalicé solo en lo positivo.

–Lo estás haciendo bien –le dije, con el rostro cerca del suyo.

Hizo una mueca como si no se lo creyera.

–Estás llevando bien el parto, el bebé está en camino. Hoy será el cumpleaños de tu hijo –le prometí con certeza y luego, recordando su preocupación por el momento oportuno, añadí–: Les mostrarás tu bebé a todos los invitados.

Eso al menos le sacó una sonrisa.

–Va a ser la envidia –murmuró contra la almohada mientras otra contracción cogía fuerza.

Christa caminó sin hacer ruido por el pasillo para ir a buscar más agua, y me informó de que la casa todavía estaba en silencio. La criada de la cocina estaría despierta a las cinco para encender la hornilla, y después de eso, tal vez nos tuviéramos que mostrar. Supuse que Dieter sería lo suficientemente listo como para enviar a Daniel a buscar a los doctores en vez de usar un coche que ya estuviera en el pueblo, añadiendo otra hora al viaje, si no más. Entonces empezaría a defender un muro mientras intentaba derribar el otro.

Campo al norte de Berlín, abril de 1943

—Bueno, si no viene ella, tendremos que traerla a rastras o morirá en la cama. Le estará merecido.

Mencken cerró el cajón del escritorio con tanta fuerza que varios de los cuerpos presentes dieron un respingo, como si un disparo hubiera sonado justo dentro de la enfermería. Estaba de un humor de perros; le habían mermado una vez más su mano de obra, lo que a su vez mermaba su orgullo y amenazaba su reputación.

Solo un mes antes, Mencken había recibido el más alto de los galardones del partido, una carta firmada por el mismísimo Heinrich Himmler, alabándola por un «registro ejemplar de provisión de mano de obra» en el campo. Con la carta bien enmarcada y guardada en el cajón de su escritorio en la enfermería, Mencken estaba decidida a mantener la confianza que había mostrado Himmler en su trabajo. No malgastó ni un instante de su precia do tiempo para dedicarle una muestra de humanidad a la mujer que estaba de parto en el Barracón 16 y que se negaba a ir a la enfermería, pero si se desangraba y no se presentaba en su puesto de trabajo antes de una semana, sería mala propaganda para la oficial jefa sanitaria.

—Envía a las guardias al barracón —le ladró Mencken a una de las Kapos—. Y asegúrate de que se lleven a los perros.

Una visión repentina y vulgar de una mujer con contracciones delante de unos perros con los dientes desnudos y el miedo brotando en su interior me impelió a hablar.

—Yo iré —dije—. Me ocuparé de ella en el barracón.

El rostro de Mencken se arrugó con repugnancia. El Barracón

16 era solo para judías, y aunque odiaba profusamente que contaminaran su dominio, Mencken quería tener ojos en todos los partos y en las comadronas, sin duda. Solo los bebés que nacían de improviso durante el Appel, cuando pasaban lista, o en el bloque de los baños ocurrían fuera de la enfermería.

–¿Y por qué ibas a hacer eso? –dijo ella con las pupilas oscuras como el hollín clavadas en las mías.

–Lo único que conseguirán los perros es detener las contracciones. Si se detienen, el bebé se podría girar de repente y tendremos un parto transverso u obstruido, y será más probable que se desangre.

Estaba exagerando mucho, pero Mencken era enfermera, no comadrona, y era fácil deslumbrarla usando tecnicismos. Dos comadronas situadas a cada uno de mis lados asintieron, uniéndose a la conspiración. La mente de Mencken daba vueltas, claramente pensando en la infección moral de su relativamente limpia unidad y la pequeña habitación que habían preparado para las judías, que ya estaba al límite de su capacidad.

–Está bien –accedió–. Pero quiero saber el minuto exacto en el que alumbre. Tú cargarás con ello, Hoff. Si no está de vuelta en su puesto antes de una semana, tal vez pierdas el tuyo. O te mande al este.

Quizá fuera un farol, pero era suficiente como para ponerme los pelos de punta; habíamos ido aprendiendo que cuando te transportaban era a un lugar que no estaba diseñado para el trabajo o la vida. Nadie que desapareciera en un camión con destino al este volvía jamás.

El Barracón 16 estaba casi desierto, con todas las prisioneras en sus trabajos. El único ruido provenía de un gemido grave en la parte delantera del barracón, amortiguado por el estrépito del campo. Era el silencio más profundo que había oído en meses. Una mujer joven se puso de pie cuando entré, los hombros rígidos y la expresión alerta. Se relajó un poco al ver que no era ni una guardia ni una Kapo. Con solo diecisiete años, parecía una cabeza anciana sobre unos hombros jóvenes.

–Me llamo Rosa –dijo, con obvias líneas de preocupación en su joven frente–. He intentado razonar con mamá, pero no cede. Dice que el bebé debería vivir y morir en nuestra casa.

–Está bien –le dije y le coloqué una mano sobre la fina carne–. Nos podemos quedar.

Al oír esas palabras, Hanna salió de su burbuja de parto, se giró hacia un lado, y empezamos el viaje hacia el alumbramiento.

Esperamos y cuidamos de ella, Rosa al lado de su madre todo el rato. Me senté vigilante mientras se invertían los papeles, la hija disipando la angustia de la madre, consolándola cuando pronunció las palabras inevitables de la etapa final: «No puedo hacerlo».

–Sí, sí que puedes, por nosotras, por todas las que estamos aquí.

Rosa le confirmó, y observó, con los ojos como platos pero con una madurez silenciosa, cómo su madre daba a luz a un chico sorprendentemente engreído. Su pelo color arena y los ojos claros confirmaban lo que Rosa me contó más tarde que a Hanna la había violado el capataz de una fábrica, aprovechándose de sus bien ganadas «ventajas», como las llamaba, mientras le robaba. Él le saqueó el cuerpo y el Reich le acabó de robar la vida resultante solo unas horas más tarde. Hanna, sin embargo, estaba viva. Rosa todavía tenía una madre, y las retorcidas balanzas de la justicia en ese nuevo mundo nos decían que debíamos estar agradecidas por ello.

Me quedé hasta que regresaron las que habían salido a trabajar. Casi cien mujeres entraron de puntillas, la noticia se había extendido de alguna manera por todo el campo. En silencio, se dirigieron a las literas, y luego gradualmente hacia Hanna y Rosa para ofrecerle a cada un abrazo o la mano. Ese día casi todas cedieron una exigua porción de su agua sucia que tenían por sopa a Hanna, así que cuando se sentaron a su alrededor para cantar, se quedó dormida en los brazos de Rosa, con la barriga más llena que había tenido en meses, pero el corazón arañando su propio interior vacío.

Hanna estaba en pie y en su puesto de trabajo al cabo de seis días, y Mencken se dio cuenta del esfuerzo de esos días extra, regalándome a regañadientes un gesto afirmativo con la cabeza mientras pasaba por su lado en la enfermería. Durante los siguientes meses, más nacimientos tuvieron lugar en los barracones. La mayoría eran judíos, pero no se trataban como disidencia, siempre y cuando yo u otra comadrona estuviera dispuesta a salir. Mencken se deleitaba con mantener su pequeño barco con la moralidad limpia, a pesar de las paredes descascarilladas y los suelos sucios; tenían menos ratas allí que en los barracones, solo por la virtud de que el edificio estaba construido sobre pilotes de madera.

Sin embargo, como muchos de los bebés morían mucho antes de que pudieran atrapar una infección, la suciedad no era mi mayor preocupación. Además, cuando se sabía que un bebé iba a nacer en un barracón, tenía lugar un acuerdo general de almacenar trapos o papel de mano de las residentes que hacía que el área estuviera más limpia que el bloque del hospital y extrañamente más seguro contra una infección. Y en su propia «casa» estaban rodeadas de amigas y amor, un bálsamo vital para su inevitable duelo. Me sentía, en pequeña parte –igual que en mi comunidad en Berlín– rodeada de mujeres fuertes que se entendían las unas con las otras, arañas que hilaban elegantes telarañas de amor y protección, que no dejarían nunca de tejer, sin importar las veces que destrozaran esa red.

Aun con eso, me dirigía a cada parto con el corazón en un puño. No importaba lo estrechos que fueran los lazos la comunidad del barracón, el resultado final siempre era el mismo: una madre sin su bebé; ya fuera al cabo de horas, días o a veces semanas, si tenía la mala suerte de tener que observar a su hijo gimotear de hambre durante tanto tiempo. La separación era una agonía cada vez, y no podíamos combatir contra la porra o la pistola. Me armaba de valor antes de cada parto, un carámbano acuñado en algún lugar en las profundidades de mi propio corazón, y sollozaba sobre Graunia y Kirsten cuando el nivel de injusticia me superaba. Eran ellas las que me recordaban lo que estábamos haciendo: aportando dignidad dentro de la máquina nazi. Pero necesitaba que me recordaran a menudo que hacía algo bueno, y que no estaba simplemente ayudando a los malos.

Con el paso del tiempo, empezaron a confiar lo suficiente en mí como para dejarme mover de un barracón a otro, para atender a las mujeres antes o después del parto, y usar mis conocimientos como enfermera para ayudar con las rondas de enfermas, los interminables moratones y las heridas que necesitaban cura. No pasó mucho tiempo hasta que rara vez atendía un parto en la enfermería, y me apodaron como la «comadrona de casa», aunque era triste imaginar que una mujer podría pensar en esos antros como un hogar. Después de ese primer nacimiento, Rosa se convirtió en mi ayudante oficial, y trabajamos en equipo en un sinfín de alumbramientos.

Es verdad que nunca perdimos un bebé durante el parto. Durante el embarazo, sí, y después era la norma. Nuestro único éxito radicaba en la recuperación; que las mujeres sobrevivían. Ayudadas por sus amigas, las acunaban con amor y compartían la pena, y mientras la provisión de la mano de obra de Mencken estuviera lo suficientemente firme como para aguantar, toleraba mis esfuerzos.

La movilidad me convertía en una buena mensajera, experta en esconder diminutos fragmentos doblados de papel alrededor de mi cuerpo o en los zapatos y los objetos más grandes bien escondidos entre los trapos empapados del parto. Ninguna de las guardianas quería hurgar nunca en ellos con sus uñas con manicura, y los soldados era algo todavía menos probable. Las mayores ganancias las obtenía en las visitas a los huertos; cacheaban religiosamente a cada trabajadora al entrar y salir, pero a menudo yo iba demasiado cubierta de mugre como para que ni siquiera los guardias me tocaran, dada mi proximidad a la sangre y el pus de los partos. A veces, conseguí robar alguna patata pequeña y, en los días buenos, un nabo grande.

Un día fortuito, a una guardiana novata le dio tanto asco el cordón de un recién nacido que se olvidó pedirme que le devolviera la navaja que me había dado apresuradamente para que lo cortara. Estaba o demasiado avergonzada o atemorizada por las consecuencias de sus superiores como para confrontarme por ello. Con una hoja afilada, podía distribuir pequeñas porciones de contrabando por entre los barracones: por un lado, pequeñas virutas de patata, una rodaja fina por otro, a las mujeres que estaban más enfermas o débiles.

La navaja aportó tanto calorías como consuelo. En cada nacimiento, cortaba un mechón de pelo del bebé, y Graunia se había hecho con una almohadilla de tinta y algo de papel –la metieron dos días en confinamiento solitario por su incompetencia durante el «recuento de material»– y pudimos marcar las huellas de las manos y los pies como recuerdos. Era un sustituto pobre, pero mientras abrazaban el preciado papel, las mujeres se aferraban a una vida breve que se había convertido en historia; tangible y real. Para algunas, durante su locura y luto posparto, era la única cosa que las ataba a la realidad.

Y así vivimos, y sobrevivimos. Parecidas a las de los berlineses que apenas se percataron de la insurgencia de la aparición gradual de las insignias nazis por la ciudad, nuestras expectativas de la vida bajaron lentamente grado a grado.

37

Observando y esperando

El reloj de Dieter señalaba que habíamos conseguido llegar casi hasta las seis de la mañana antes de que alguien llamara a la puerta suavemente. Estaba vestido, acabado de afeitar y su colonia se filtró por el hueco de la puerta, aliviando el pulso ansioso de mi corazón.

—¿Cómo va? ¿Algo que informar?

Me escabullí fuera y apoyé la espalda a la pared, con la esperanza de hundir mi voz en su ropa. Las puntas de nuestros dedos se encontraron durante un breve instante, los oídos escaneando por si había alguien cerca.

—Bueno, todavía no hay bebé, pero Eva está bien adentrada en el parto —contesté—. Estaba de cuatro centímetros sobre las tres, pero siempre es mejor ser precavidos; dos más para beneficio del doctor.

El rostro de Dieter reflejaba su confusión ante mi jerga de comadrona.

—Significa que casi está a medio camino antes de empujar al bebé, pero quedan todavía unas cuantas horas. —Solté un largo suspiro—. Supongo que tendrás que avisar a Koenig ahora. No podemos ocultarlo más tiempo, y necesitaremos la ayuda de la cocina pronto.

—Está bien, si estás segura.

Se giró para irse. Lo agarré del brazo.

—Dieter, cuando lleguen, por favor, ven a buscarme. No permitas que entren sin más. Y nada de criadas holgazaneando por los pasillos.

Su rostro adoptó una expresión de preocupación.

—Sé que te pido mucho —añadí—, pero no quiero que Koenig intimide a nadie aquí. Puede que desestabilice a Eva.

Arqueó las cejas. ¿Era Eva, o yo, a quien se le truncaría la calma?

—De verdad —insistí—. Podría retrasar el parto entero. Confía en mí.

Me miró con intención, sin ninguna teatralidad en el rostro.

–Confío en ti, Anke. Implícitamente.

–Gracias –le dije–. Te prometo que te mantendré bien informado. No te dejaré en la oscuridad.

Christa y yo nos turnamos para atender a Eva, que en general se quejaba poco para una mujer que experimentaba tanto dolor de espalda. Solo necesitaba reconfirmación de que la agonía era normal a medida que las contracciones se hacían más intensas.

Cada media hora, yo auscultaba al bebé. Le metimos cucharadas de infusión de manzanilla en la boca y calentamos las hojas de lavanda para ayudar a la relajación, el aroma impregnaba toda la habitación. Bebíamos café insípido para contrarrestar el efecto soporífero de la lavanda y mantenernos despiertas, dado el inicio temprano.

De mientras, escribía abundantes notas sobre el progreso del parto, escogiendo mis palabras con cuidado, a sabiendas de que las inspeccionarían a conciencia tanto los médicos como el Reich, tal vez incluso el mismo Führer. Y más si algo iba mal.

A las ocho y media de la mañana, alguien volvió a llamar a la puerta suavemente. Dieter de nuevo.

–Están aquí –dijo–. Los he dejado en el comedor y Lena los tiene ocupados con el desayuno. Pero insisten en verte, pronto. Koenig parece que está con una resaca tremenda, pero Langer está muy despierto. Ten cuidado.

–Lo tendré. Estaré allí en cinco minutos, lo prometo.

Ausculté al bebé y dejé a Christa al cargo. Mientras caminaba hacia el comedor, era obvio que algunos de los gemidos de Eva se estaban filtrando por los pasillos y poniendo a la casa en alerta máxima. Cada vez era más ruidosa, y solo podía suponer que significaba que el parto iba progresando.

–Fräulein Hoff.

El doctor Langer se puso en pie cuando entré, pero el físico orondo de Koenig le impidió a este levantarse rápidamente. Eso y el bocado de pan y carne que estaba mascando. Asintió en un reconocimiento reacio.

—¿Cómo progresa el parto?

Los ojos de Langer eran negros como el carbón, con más aspecto de comadreja que antes.

—Fräulein Braun lo está haciendo muy bien —contesté—. Estaba de dos centímetros a las tres de la mañana, las contracciones son buenas y rompió aguas a las dos y cuarto.

—¿Fluido transparente? —consiguió decir el doctor Koenig con la boca todavía llena.

—Sí —mentí desvergonzadamente.

—¿Pulsaciones?

—Dentro de los límites normales, doctor.

Gruñó.

—Me gustaría verla.

Ahí estaba. La desconfianza no solo de un doctor hacia una comadrona, sino también del Reich hacia una prisionera. Respiré hondo.

—Fräulein Braun me ha pedido que a menos que no haya un motivo, le gustaría que estuviéramos solo Christa, una de las criadas, y yo con ella. Como habíamos planeado.

No había dicho eso explícitamente, pero lo había insinuado de todas las maneras posibles.

Sus ojos se clavaron brillantes en los míos y habló con absoluta pomposidad.

—Creo, Fräulein, que si le dice a su señora el motivo por el que hemos venido, nos permitirá entrar en su habitación un instante. Estamos aquí por la seguridad y la supervivencia de su bebé. Tal vez necesite recordarlo.

—Con todo el debido respeto, doctor Koenig, creo que podrá ver que yo también estoy aquí con el mismo propósito, y Fräulein Braun es consciente, y está agradecida por sus preocupaciones. —Las palabras iban afiladas, nacidas de la irritación y un profundo desdén por su arrogancia. Ignoré un estremecimiento en el estómago—. Me preocupa, sin embargo, que cualquier tipo de interferencia no la ayude. Necesita calma y tranquilidad para que progrese el parto.

–Mmm.

Desestimó siglos de intuición de las comadronas con ese sonido burlón. Su rostro que enrojeció para combinar con el jamón cocido amontonado en su plato. Langer era como un fantasma en comparación, y se miraron. La tentación de dispararme debía de ser arrolladora, pero todavía tenían en mente que era la señora del Führer; ir con pies de plomo era lo adecuado.

–Muy bien, pero quiero que me informe del más mínimo cambio o retraso.

Su voz intentó ser dominante.

–Tienen mi palabra.

Delante de la puerta de Eva, me quedé un momento escuchando a escondidas los sonidos que procedían de dentro. No era por desconfiar de Christa, sino que simplemente necesitaba encender mi radar de partos. Con las presiones de fuera no había tenido tiempo de calibrar los cambios de tono ni la extensión de las contracciones.

–¡Christa! –La voz de Eva sonaba necesitada.

–Estoy aquí –oí que decía Christa detrás de la puerta–. Vamos, una más cerca de ver a tu bebé, una a una, Eva.

Tenía la arenga perfecta de una comadrona.

–Pero *duuueeeleee* –gimió Eva, más como una afirmación que una queja.

–Y tú eres fuerte, y el premio es tu bebé –seguía Christa mientras Eva bramaba ruidosamente contra su propio cuerpo. ¿Cuántas veces lo había dicho ya, y cuántas más quedaban antes de que viéramos a esa criatura?

Cuando hubo pasado la contracción, abrí la puerta y lo vi de inmediato: el conocido papel doblado en el suelo, justo en el umbral. Lo recogí y me lo metí en el bolsillo antes de que Christa pudiera verme. Ya tenía bastante con lo que cargar. Ausculté al pequeño y le susurré a Eva que los doctores estaban allí, como confirmación de que el bebé de verdad estaba de camino. Sonrió con resignación, y me preguntó si todo iba a ir bien. El rostro perlado de sudor de Eva mostraba tanta necesidad como una princesa solitaria en la torre. Le dije que era la mujer más fuerte de la habitación y que todo iba a salir bien. Asintió, satisfecha con unas aserciones tan vagas. Me retiré detrás de mis notas y saqué el papel doblado del bolsillo:

Estamos listos y esperando. Tenemos un transporte seguro para ti y tu compañera. Vuestras familias estarán a salvo. Tenéis el futuro del Reich en vuestro poder, y el de Alemania. Aprovecharemos la oportunidad, igual que vosotras. Dejadnos una señal, puerta trasera de la alacena.

¿Era una promesa o una amenaza? ¿O ambas? Si no les entregábamos el bebé en brazos, ¿acaso ellos –generales del ejército, disidentes alemanes o incluso un pequeño grupo de los aliados– se lo llevarían a la fuerza y nos dejarían atrás a Christa y a mí para que nos enfrentáramos a las consecuencias? Había vivido aquella guerra durante tanto tiempo como cualquier alemana, pero mi experiencia era evidente y brutal, con una violencia desatada. No tenía experiencia en esos juegos, ni había vivido ningún tenebroso intercambio de balas. Y si hubiera un enfrentamiento, en lo alto de la montaña, la gente se vería atrapada en el fuego cruzado. Dieter estaría obligado a defender, y ya había esquivado una bala.

Mi cerebro era un amasijo de dudas, miedo y empecinamiento. ¿Cómo se atrevían? Y aun así, lo hacían y podían. Esa guerra no tenía límites, no tenía normas. ¿Cómo podía apaciguarlos, conseguir algo más de tiempo, y afianzar la seguridad de Eva junto al bebé?

Decidí rápidamente que no podía seguir haciendo aquello sola y ser la comadrona de Eva. Bajo el pretexto de comprobar el gas y el aire, fui en busca de Dieter en su despacho. Levantó la vista inquisitivamente.

–No, no son noticias nuevas –le dije–. Pero necesito tu ayuda.

Me sinceré mientras él me observaba, sorprendido, pero no horrorizado; le hablé sobre las notas, el topo desconocido en Berghof, el plan para exterminar el Reich y la amenaza en ese mismo instante al bebé. Sus ojos se endurecieron cuando leyó la última advertencia y cambiaron a un azul marino mientras se entornaban. ¿Estaba enfadado conmigo? Tenía todo el derecho. La frente arrugada significaba que estaba pensando; dividido sin duda entre la defensa del régimen que detestaba, la mujer a la que le había profesado su amor, y la Alemania a la que aspiraba, todo retorciéndose incómodamente alrededor del núcleo de sus valores morales.

—Dieter, ¿qué deberíamos hacer? Estoy completamente desconcertada.

Pareció pasar toda una vida antes de que respondiera.

—Bueno, si el parto va como has predicho, el bebé nos dará un tiempo real, pero podemos retrasar a la resistencia prometiéndoles lo que quieren.

—¿No crees que nos puedan dar lo que dicen? ¿Seguridad para nosotras y el bebé?

Necesitaba comprobar sus pensamientos.

Su respuesta fue resuelta.

—Escucha, Anke, no quiero que los Goebbels tengan una herramienta en sus manos más que tú, pero esa llamada Resistencia es una esperanza falsa. No les importan ni Christa ni Eva. Te dejarán colgada.

La analogía era dolorosamente visual y reforzada por mis propias creencias.

—Entonces, ¿qué pasa si no lo entregamos? —añadí.

—No lo sé, pero me da tiempo para pensar.

—¿Se lo dirás a alguien más? ¿Meier? ¿Pedirás refuerzos por radio?

Me miró, sus propios engranajes girando sin parar.

—No. No se lo decimos a nadie. Puede ser un farol muy elaborado y que se quede en nada.

Con todo, abrió el cajón de su escritorio y tocó una pistola que estaba dentro. Me pilló mirándolo, un intercambio sin palabras como el del primer día en Berghof, y apretó la boca en una fina línea.

—Dieter, ahora es mi turno de decirte que tengas cuidado. Por favor.

—Lo tendré. Te lo prometo.

Sonrió como garantía, pero no era convincente.

—Tengo que volver con Eva.

–Está bien, pero por favor dales un informe a los doctores pronto. Se están impacientando. Escribiré una nota y la dejaré al lado de la puerta de la alacena; los apaciguará durante un rato.

Nuestros meñiques se entrelazaron durante un instante a través del escritorio, y quería desesperadamente inclinarme hacia delante, besar sus nudillos y acercarlo a mí. Incluso con la chaqueta, quería encontrarme con sus labios y sentir su suavidad, pero no era seguro. La seguridad era nuestra supervivencia en ese momento.

38

Inminencia

Cuando estuve de vuelta, vi claramente que Eva se estaba acercando a la transición: el túnel entre los estadios de dilatar y empujar. Su tono había cambiado y se peleaba dentro de su propia cabeza, moviéndola de lado a lado con un autodirigido «no, no». Christa no se iba de su lado, ofreciéndole agua con miel y consuelo con sus propias manos doloridas.

La reemplacé en los masajes durante varias contracciones, leyendo el progreso cuando alcanzaba el pico, observando los pliegues en sus nalgas mientras frotaba alrededor del sacro y notando una línea distintiva morada que se elevaba de buena manera. Pero la urgencia por empujar demasiado pronto era común en los bebés que estaban espalda con espalda, y debía asegurarme de que estaba completamente dilatada antes de que Eva presionara hacia abajo con fuerza. Eran las diez y media y hacía un buen rato que no comprobaba el progreso internamente. Si hubiese estado de verdad al mando habría esperado hasta que mostrara signos de empujar, pero necesitaría algo con lo que aplacar a los buenos doctores pronto.

Mi suerte radicaba en el estoicismo de Eva; en su otro mundo accedía a prácticamente cualquier cosa, y la chequeé rápidamente. La cabeza del bebé estaba bien abajo de la pelvis, y el cérvix a ocho centímetros, fino como un papel y trabajando bien. Me hice un esquema mental de la posición, notando una pequeña forma de cometa bajo mis dedos a las seis, un pequeño hueco en los huesos del cráneo del bebé, lo que significaba que él o ella seguía espalda con espalda pero encajado en la zona posterior. No era perfecto, pero sí lo suficientemente bueno, puesto que parecía que el bebé se estaba abriendo camino, al menos por el momento.

Las siguientes dos horas serían cruciales para asegurarnos de que Eva no empujara demasiado pronto; el ruido de presionar casi seguro que viajaría por toda la casa, hasta los doctores, y a cualquier persona de la resistencia con orejas. Todos merodearían con diferentes motivos, pero ninguno en el interés de Eva.

Me encontré a Koenig y Langer en el quirófano temporal, comprobando el equipamiento de anestesia, como buitres dando círculos. Tosí por el olor acre a desinfectante.

—Fräulein, ¿va algo mal?

Koenig buscó problemas de inmediato con su tono.

—No. Al contrario, doctor Koenig, Fräulein Braun es una mujer muy fuerte, junto a su bebé. Todo va bien, y el parto progresa como es de esperar para un primer hijo. Está dilatada de siete centímetros. —Le quité un centímetro deliberadamente.

—Creía que estaría más avanzado —se quejó Koenig.

—Pero solo ha estado en parto activo durante siete horas, doctor. La media para un primer bebé es de doce horas...

—¡Sí, ya lo sé! —le soltó—. Sé muy bien cuál es la media de un parto, gracias. Quiero un informe dentro de dos horas. Tiene que estar completamente dilatada para entonces. Si no hablaré con el capitán Stenz y veremos entonces quién está al cargo aquí.

Estaba rojo y sin aliento por el esfuerzo de ejercer el mando. Langer se quedó parado impertérrito, con una sonrisa marcada en su piel blanquecina.

—Muy bien —dije, y me giré para irme, notando la forma acechante de Langer pisándome los talones.

—¿Fräulein Hoff?

—¿Sí, doctor? —Aparenté una curiosidad inocente.

Bajó la voz mientras su ancha, fina boca y aliento rancio invadían mi espacio.

—No se imagine que nosotros, o al menos yo, no estamos al corriente de sus... prácticas particulares.

Ladeé la cabeza, como un niño al que pillan con las manos en la masa y aun así con una sonrisa impostada.

—Soy muy consciente de mi ámbito de práctica, doctor. Dispusimos las normas en detalle.

—Está bien, haga lo que le plazca. —Sus ojos verminosos desprendían malicia con sus palabras—. Pero tengo memoria para las caras, y recuerdo la suya muy bien, a pesar de la buena vida aquí arriba. Eres una mentirosa y traidora, y aunque has podido embaucar a la señora del Führer, sigues siendo una enemiga del Reich y no se puede confiar en ti.

Equiparé su mirada, desesperada por pestañear, pero conteniendo el aliento y todo mi ser en un limbo.

—Y, aun así, doctor, soy buena comadrona, capaz de traer este bebé al mundo. Sin necesidad de una carnicería.

Al decir eso, me falló la respiración y me giré antes de que pudiera ver cómo me subía el rubor y exhalaba al mismo tiempo, notando cómo su repugnancia me quemaba en la espalda mientras me alejaba.

Campo al norte de Berlín, junio de 1943

Rosa, mis inestimables manos extra, estaba a mi lado cuando Dinah rompió aguas. Era su sexto bebé, a cinco de sus hijos los había dejado atrás en Múnich cuando la arrestaron. Ese nuevo niño no era más que una pepita en su barriga mientras la separaban de las demás. Tanto Rosa como yo temíamos que el parto fuera rápido, y llegamos al barracón cuando Dinah empezó con los dolores. Hicimos infusiones con las ortigas que teníamos, y bebimos té; había convencido a Mencken de que las hierbas que crecían en los huertos del campo eran efectivas para contraer el útero, y me permitió que me quedara un pequeño alijo.

Así que Rosa y yo esperamos. Dinah alumbró al bebé al ocaso, con un reguero de fluido y un torrente de lágrimas. El bebé, su segunda niña, al principio estaba callada, respirando pero tranquila, y conseguimos una media hora extra antes de que sus gritos llegaran y me viera obligada a anunciar su nacimiento. La guardia que vino se quedó nerviosa en el umbral de la puerta, y tuve que recordarle que me diera unas tijeras para cortar el cordón. Se acercó lentamente a regañadientes. Sabíamos que no tenía estómago para ahogarla; eso se lo dejaban a un guardia especialista y un prisionero que había sido encarcelado por asesinar a un niño cuando estalló la guerra, ambos con la moral al mismo nivel.

La guardia recogió las tijeras y antes de retirarse dijo:

–Llamaré a los demás.

Dinah sollozaba mientras nos pedía a Rosa y a mí que cogiéramos una manta que había arreglado milagrosamente y estaba escondida bajo el suelo, preparada para el parto.

Nos fuimos durante solo cinco minutos a la otra punta del barracón y recolocamos las tablas de madera con cuidado. Cuando volvimos, las lágrimas corrían por el rostro de Dinah. El bebé, Nila, estaba oculto bajo la manta fina, su madre había envuelto y ocultado sus pequeñas facciones con la tela y tenía una mano puesta encima del rostro de la pequeña.

–Quiero ahorrarle ese final –gimoteó–. Pero no puedo hacerlo.

Sus dedos se retorcían por la necesidad, pero estaban igualmente paralizados. Debía notar la respiración liviana del bebé a través de las fibras.

–Por favor, ayudadme... ayudadla. –Su rostro era como cera derretida por el dolor. Me llevó una eternidad comprender lo que me estaba pidiendo–. Ayúdala –repitió.

–No... no puedo, Dinah –tartamudeé –. ¿Cómo quieres que haga eso?

Rosa estaba callada a mi lado. Miré su rostro joven, con intención. Sabía que estaba recordando el día que su propio hermano nació y se lo llevaron, todo en cuestión de horas. Había oído el golpe sordo, y muchos más desde entonces. Juraría que vi cómo su cabeza se inclinaba en el más leve de los asentimientos.

Dinah tenía los ojos muy abiertos y húmedos, mostrando una pena tan profunda como cualquier pozo.

–Por favor –repitió–. Por ella.

No podía sostener al bebé mientras lo hacía, desesperada por no sentir el último estremecimiento de vida contra mi piel. Pero sí que enrollé la tela y puse la mano sobre el pequeño mohín de Nila, con un ojo en la puerta por si volvían los guardias. Se sacudió, pero solo con un forcejeo débil y entonces se quedó quieta como para ponérmelo más fácil. La sostuve con firmeza mientras Dinah se inclinaba sobre su hija y le besaba la cabeza húmeda. Fue la madre la que reconoció el estertor final. Cuando no quedaba más aliento en aquellos labios rosados, la envolvimos con la manta. Parecía estar en paz, aunque mi cuerpo estaba agitado, todo lo asqueroso del mundo revolviéndose en mi estómago y los deshechos sangrando en mis adentros.

—Gracias —dijo Dinah, la rabia elevándose por encima de su agitación—. Su alma está aquí. —Apretó con un dedo su pecho huesudo mientras pronunciaba las palabras—. No ahí fuera, no con ellos. No les daría eso. No pueden tenerla. Es mía. Para siempre.

Lloré más tarde en el barracón con Graunia y Kirsten, devolví la poca comida que tenía en el estómago, vertí arrepentimiento y culpa sobre su regazo mientras me sostenían. Lo que sabía, el pensamiento me rondaba cada día hasta entonces, era que el hecho de tomar una vida seguía contando como asesinato. Incluso en esa vil excusa de guerra. Me aferré a ello, cada vez que oía el disparo, o la salpicadura del agua. Era un homicidio a sangre fría, llevado a cabo por lacayos, pero orquestado por ese hombre que había prometido ser nuestro padre y cuidar de la patria. Había prometido, a aquellos que se creyeron su palabrería en Núremberg, darnos una vida mejor, y allí estaba, robándonos todo lo que nos era preciado y cercano. Nuestras vidas. Nuestras familias. Nuestra humanidad. ¿Cómo se atrevía? Adolf Hitler no era ningún padre.

¿Y qué sería de mí? Había cruzado esa línea, había tomado una vida, sea cual fuere el motivo. ¿Era asesinato o clemencia? ¿Alguna vez podría reponerme de algo así?

39
La fuerza de la red

En la habitación de Eva, su gruñido delatador señalaba que estaba empujando. Grave, áspero y primigenio, procedía de su interior, como si cada mujer naciera con un pequeño hogar enclavado en su ser, preparado para encenderse para esas ocasiones. Estaba agradecida de que pudiéramos controlar el volumen por el momento, y miré a Christa con intención mientras le frotaba fuerte el sacro, mis ojos enfocados en las nalgas de Eva alerta por el más mínimo movimiento. Allí estaba; en el pico de la contracción, su piel se apartó, la línea entre sus nalgas se movió hacia arriba y la piel se tensó y se puso brillante, casi traslúcida. Espalda con espalda o no, ese bebé estaba bajando.

Animando a Eva a que respirara entre cada contracción, calculé media hora antes de sugerir comprobar su interior de nuevo. Si de verdad estaba completamente dilatada, entonces el parto estaba resultando rápido a pesar de la posición del bebé. Si no lo estaba, teníamos que detener los empujones de alguna manera.

El corazón se me hundió cuando noté una cresta del cuello uterino en frente de la cabeza del bebé: un común pero irritante «labio anterior». El tejido era más grueso que antes –demasiado grueso como para empujarlo– y si Eva seguía presionando, se hincharía todavía más, dejándonos con ninguna otra opción más que esperar. Y sabía que Koenig no estaría dispuesto a eso.

–Eva, ya casi estás, solo un poco más de trabajo por hacer antes de empujar –le dije, el olor cobrizo del parto pungente cuando estuvimos frente a frente. Las lágrimas se le derramaron automáticamente.

–¿Cuánto tiempo, Anke? –suplicó–. No creo que pueda aguantar mucho más. Necesito que pare.

–Lo sé, y parará, pero por ahora respira tanto como puedas. Por tu bebé.

Asintió con resignación, volviendo a su papel en Berghof, a la señora obediente y servicial.

Christa y yo nos pasamos la siguiente media hora moviendo a Eva, hacia el baño y de vuelta, distrayéndola de la gran hinchazón en las nalgas, que acababa en un breve empujón en el pico de algunas contracciones.

–Respira, Eva, sopla el aire, apaga la vela que tienes delante –la urgíamos en cada episodio de dolor.

–Lo intento, Anke –gimió, con los párpados medio cerrados–. Lo intento de verdad.

Al fin, no pudo retenerlo más. El dolor estalló y un reguero de sangre se abrió paso como si fuera lava mientras Eva apretaba incontrolablemente; Christa y yo sentimos su poder, y ninguna palabra suavizaría esa fuerza bruta. Tal vez fuera la antigua forma física de Eva que volvía a mostrarse, porque no podía notar más el cérvix mientras exploraba dentro. La cabeza del bebé estaba baja, solo a medio dedo de distancia, y moviéndose hacia delante bajo mis dedos con una contracción.

–¡Maravilloso, Eva! –No pude evitar que la alegría y el alivio tiñeran mi voz–. Puedes empujar a tu bebé.

Me miró, como si fuera una aparición.

–¿De verdad? Creía que era demasiado pronto. Creía que todavía no debía hacerlo.

Su rostro estaba encendido y el sudor le empapaba las raíces del pelo. En ese instante, sin embargo, tenía un aspecto mucho más vivo que en las semanas recientes, preparada para recibir a su hijo. La noticia la había estimulado, y reunió las fuerzas visiblemente.

Estaba preparada para un estadio de empujar largo y le dije a Eva que simplemente lo hiciera «con ganas» por el momento. Era mediodía; como los doctores no lo sabían todavía nos quedaba tiempo, y el latido del bebé era normal. A la una, sin embargo, tendría que informar de que Eva estaba completamente dilatada, y el reloj empezaría a contar. Teníamos menos de una hora para avanzar y agenciarnos la ventaja. Envié a Christa a que tomara un poco el aire y a recoger más té y provisiones, mientras nos acomodábamos.

A través de la ventana del baño, vislumbré un uniforme que se movía por el terreno, una forma negra recortada en la claridad del mediodía: la figura esbelta y alta de Dieter que se paseaba por la parte trasera de la casa. El corazón se me detuvo al verle, mientras nos buscaba. Se giró y le hice señales para que se acercara a la ventana, sus ojos constantemente analizando el paisaje.

–¿Va todo bien? –preguntó, con la mirada distraída.

–Sí, Eva está empezando a empujar, pero no hace falta que los doctores lo sepan todavía. ¿Puedes llamar a la puerta a la una, para que puedas enviarle un mensaje a Koenig? Con suerte, para entonces estaremos ya a poco camino de ver al bebé.

Asintió y volvió a su ronda de vigilancia.

La determinación resuelta de Eva incrementaba con cada contracción, y la observaba con una admiración genuina. Instintivamente, parecía estar escuchando a su cuerpo; ya no gemía, sino que esperaba a la urgencia intensa de empujar y la usaba como energía. En vez de aullar como un lobo al aire, como muchas mujeres hacían mientras reunían las fuerzas, ella empujaba más profundamente en su propio ser y su pelvis, con solo un gruñido sostenido y grave. Con los ojos cerrados con fuerza, empujaba a su bebé a golpe de deseo. Con Christa alentándola desde la cabeza, Eva se mecía adelanta y atrás sobre las rodillas, y yo mantenía guardia desde abajo. No esperaba ver al bebé durante al menos una hora, solo las señales de que estaba de camino. Hicimos que no desfalleciera con un torrente continuo de cháchara.

–Brillante, Eva, estás moviendo a tu bebé.

–¿Está viniendo? ¿Estás segura? ¿Puedes ver algo? –dijo con la respiración entrecortada y desesperada.

–Todavía no, pero todo va bien. Sigue así. Tú y tu bebé sois muy fuertes.

Agitada cada vez más por la tirantez en las nalgas, Eva se fue al baño, con una banda sonora ondulante de empujones fuertes y chillidos de sorpresa mientras el bebé entraba en nuevas áreas de la anatomía de su madre. Me aliviaba que los sonidos no fueran muy altos y no se extendieran por la casa, alertando amigos y enemigos por igual. Sin darse cuenta, Eva estaba resultando ser una salvadora de su propio bebé y su futuro.

De vuelta en la habitación, Eva no podía replicar el poder para empujar que tenía en el baño, así que Christa y yo hicimos todo cuanto pudimos para idear una cama de partos, Christa sentada en la cama y Eva apoyada contra ella, sentada a horcajadas. Yo me quedé enfrente, esperando cualquier indicio de la cabeza. Si no hubiera presenciado la fuerza de Christa de primera mano durante el parto de Sonia tal vez me habría preocupado por la exigencia física que le supondría, pero estaba más que preparada para la tarea. Con altas dosis de adrenalina, la habitación estaba empecinada en tener un bebé.

A las doce y media exactas le pude decir a Eva lo que necesitaba oír:

—¡Lo veo!

Esa vez, fui yo la que tuvo que controlar la voz al vislumbrar una bienvenida porción de una cabeza oscura y húmeda.

Eva echó la cabeza atrás aliviada, pero solo durante un segundo. Mientras la siguiente contracción tenía lugar, quería ver más, propulsando su energía hacia abajo, cada vena y tendón de su cuello se marcándose orgullosos con el esfuerzo. Cada empujón, cada contracción, impulsaban al bebé un milímetro hacia delante.

Dieter llamó a la puerta suavemente a la una, y la abrí un palmo.

—Diles que está completamente dilatada, que el latido es normal y que informaré de nuevo dentro de una hora —susurré.

—¿Qué está ocurriendo en realidad? —dijo, conocedor de la discreción de una comadrona.

—Veo la cabeza. Con suerte, tendremos noticias pronto, así que quédate cerca. ¿Algún signo de actividad ahí fuera?

—Nada que pueda ver. Haré otra ronda pronto y volveré. Si me necesitas, deja una taza de café delante de la puerta.

Las tres trabajamos en el parto durante la siguiente media hora. Habiéndose mostrado, el bebé estuvo estático durante unos buenos veinte minutos, a pesar de los esfuerzos titánicos de Eva; una porción de la cabeza del tamaño de una moneda se asomaba tentadoramente por la apertura, mientras yo deseaba que siguiera adelante.

–Ese es, Eva, ese es el sitio, solo un poco más, puedes hacerlo. Solo un poco más.

Mis propios músculos, pulmones y ligamentos llegaban al límite con cada contracción, pero Eva estaba agotada y ni siquiera las cucharadas de miel podían persuadirla de hacer más esfuerzo.

Justo cuando Eva empezaba a empujar otra vez, lo oí. Un chasquido en el aire; corto, afilado y familiar, mi cerebro tardó unos segundos en localizar el origen. Entonces otro. Una motocicleta que petardeaba, o un disparo, como habíamos oído a diario en el campo. ¿Era la Resistencia que hacía su movimiento, que venía a llevarse lo que creían que no tenía derecho a existir? ¿Habría una refriega y un intercambio de balas, con Dieter en el medio? Enfoqué un oído hacia la ventana y el otro en Eva, no podía detectar gritos fuera o algo que perturbara el aire tranquilo. Mi batalla estaba concentrada dentro de la habitación, y tenía que confiar en que Dieter nos protegería. No oí nada y me focalicé únicamente en la fuerza de la energía que crepitaba entre las tres.

Cambiamos de postura varias veces: de rodillas, de cuclillas, sobre el lado izquierdo, y de vuelta a la silla humana de Christa, pero con poco progreso. Miré el reloj de Dieter, las manecillas avanzaban demasiado rápido hacia las dos en punto. ¿Necesitaría ese bebé la ayuda del fórceps de un doctor, como muchos de los que venían espalda con espalda? ¿Se nos acabaría el tiempo y la energía de Eva? El latido del bebé se mantenía fuerte, pero no duraría para siempre. Los bebés se acaban cansando al final y Eva ya estaba exhausta. Teníamos que idear algo, y pronto.

Miré la pila bien doblada del ajuar del bebé de mantas y ropa preparados para vestirlo. La madre de Eva había enviado una manta de lana preciosa tejida a mano y sabía que se había emocionado cuando el paquete había llegado hacía unas semanas, enrollándola alrededor de su barriga y pavoneándose como una modelo de pasarela. Cogí la manta y la extendí firmemente debajo de Eva, su cabeza se mecía a causa de la fatiga.

–¿Eva? Eva, mírame.

Abrió los ojos con esfuerzo.

–¿Ves esta manta, esta manta para tu bebé? –Un asentimiento lánguido–. Bien, quiero que saques a tu hijo y lo deposites en el nido que tienes debajo, y será un lugar seguro porque estoy aquí y tu nido cuenta con esta manta especial. Ahora es el momento, Eva, ahora es el momento de tener a tu bebé.

Incluso a través de la neblina del cansancio, oyó el tono de mi voz, el matiz de necesidad real. La siguiente contracción fue una intensa, equiparable a su esfuerzo, y sonreí cuando el bebé dobló la curva del canal del parto y salió proyectado hacia delante, su pelo se mostraba en ese instante más rubio que oscuro. Eva soplaba y empujaba alternativamente, forzada a continuar por la contracción, pero contenida por el anillo de fuego en su piel completamente estirada.

–¡Fantástico, Eva! ¡Fantástico! –Era difícil contener mi propio entusiasmo–. Solo un pequeño empujón e impulso, maravilloso, sigue así.

Detrás de Eva, el rostro de Christa estaba fijo en el mío, y le confirmé el progreso con una amplia sonrisa.

Una vez hubo superado la curva, se movió con rapidez. Apareció la cabeza del bebé, y el grito más alto de Eva llegó cuando su piel se escurrió por encima de los huesos del cráneo, la nariz y la boca deslizándose hacia delante mientras la cabeza entera salía, mirando hacia arriba y hacia el mundo, todavía espalda con espalda. Las piernas de Christa temblaban con el peso de aguantar a Eva, y ella se apoyaba sobre la punta de los pies en el limbo de un bebé a medio nacer, con los hombros todavía dentro, madre e hijo en un medio mundo. Todas estábamos aguardando, simplemente eso. El bebé tenía la cara azul y los ojos cerrados, pero era normal, y tuve que recordarme que lo era.

–Solo uno más, Eva. Espera a la sensación. Uno más y entonces tendrás a tu bebé.

Tenía las manos colocadas para interceptarlo, y vi que el reloj marcaba las dos menos cinco.

Los hombros salieron un minuto después, el cuerpo se deslizó sobre mis manos con una gracia gimnástica. El cordón estaba enrollado flácido alrededor del cuello y lo quité con una mano y lo coloqué sobre la madre, que salió de su mundo de ensueño ante la visión y el tacto de un recién nacido húmedo contra su piel. Su sonrisa era una de las más amplias que había visto jamás, completo júbilo.

–¿Qué es? –preguntó–. ¿Niño o niña? ¡Dímelo, Anke!

El cuerpo estaba tumbado encima de ella y retiré una de las piernas para ver los inequívocos genitales.

–¡Es un niño!

«Pobre niño», pensé de inmediato. A una niña tal vez la hubieran ignorado; no era el trofeo varonil que anhelaba Joseph Goebbels. Al ser un tesoro menos importante para el Reich, una niña quizá hubiese tenido alguna oportunidad. Ese niño era oro puro, tanto para Goebbels como para la resistencia.

–¿Está bien? ¿Por qué no llora?

Eva sonaba alarmada, como todas las madres que pensaban que los bebés lloraban al instante. Los grandes ojos del niño observaron las caras que tenía delante, y extendí una mano hacia su pecho, rosado con oxígeno. Noté su pequeño corazón aletear entre las costillas.

–Está bien, está respirando bien –le aseguré. El bebé tosió y gimió levemente como respuesta.

Colocamos a Eva y al bebé en el nido y el alivio de Christa fue instantáneo. Con la adrenalina todavía surcándole las venas, se puso de inmediato en acción, moviendo el equipamiento y metiendo sábanas debajo de Eva, mientras yo comprobaba el pulso, que no mostraba nada por lo que preocuparse. Le dimos sorbos de agua mientras recuperaba el aliento y le plantaba besos al bebé en la cabeza.

–Mi bebé –casi cantaba–, mi niño precioso.

Anudé el saludable y grueso cordón con unas cuantas tiras de tela a unos centímetros de distancia y volvió a gemir mientras sesgaba la completa dependencia de su madre. Me lo llevé para secarlo y envolverlo bien, y fue entonces cuando lo vi.

40
Un mundo real en la cima de la montaña

Le faltaba la mano derecha. Había estado escondida de la vista durante los primeros minutos desde el nacimiento, oculta bajo el cuerpo de Eva. Cuando se había liberado, pude ver que el brazo acababa suavemente en la muñeca; ningún dedo deforme en la mano, simplemente nada. Examiné los dedos de los pies: los demás quince, orejas y ojos parecían ser normales, sin ningún índice de un síndrome o discapacidad. Afortunadamente, había heredado mucho más de la apariencia de Eva que de su padre. En su completa inocencia, arrulló mientras lo examinaba, pero no lloró. Solo tenía unos minutos de vida y ya parecía que supiera que un gran llanto podía alertar a todos los de nuestro alrededor de su presencia.

Con rapidez, lo envolví bien apretado y se lo devolví a Eva, que claramente no se había dado cuenta, todavía. Se regodeaba en su éxtasis mientras yo me llevé a Christa al baño. Se percató mi mirada de inmediato.

—El bebé no tiene mano derecha —le dije.

—¿Qué? ¿Qué quieres decir? Parece estar perfecto.

—Y lo está, en todos los demás aspectos, pero no hay mano... nada. Tenemos que decírselo a Eva con tacto, y mantener a los demás lejos por ahora para darle tiempo para que lo asimile. Quiero que expulse la placenta primero antes de que lo desarropemos y se lo mostremos.

Christa asintió, y volvimos a nuestras tareas.

Una vez más, la pura fortuna nos bendijo más veces de las que podía contar ese día, y la placenta salió de una. Eva me miraba con una sonrisa de oreja a oreja, una mujer cuyos fragmentos de inseguridad se habían hilado juntos en ese intenso momento de maternidad. Y allí estaba yo, a punto de descoserlo.

Cuando Christa y yo nos disponíamos a desarropar al bebé, alguien llamó a la puerta y me detuve en seco. Había perdido la noción del tiempo y ya eran pasadas las dos. El rostro de Dieter apareció por la puerta.

—¿Qué les puedo decir a los doctores? —susurró—. Se están agitando mucho.

Me escabullí por la puerta y me puse enfrente a él, embriagándome con su colonia.

—El bebé ha nacido, pero...

—Pero ¿qué? ¿Qué ocurre?

—Eva está viva y bien, pero al bebé le falta una mano.

—¿Qué quieres decir? ¿Cómo es posible?

—Es extraño... Solo lo he visto una vez antes. Puede ser simplemente genético. —Ante esa palabra frunció el ceño—. Pero también puede ocurrir cuando se forma una cinta en el útero y corta el suministro de oxígeno mientras el bebé se está desarrollando. Es pura coincidencia. Está perfecto por todo lo demás.

—Pero no completamente perfecto. —Dieter pronunció en voz alta lo que yo no me había atrevido a contemplar. Entrecerró los ojos, mostrando que estaba cavilando—. ¿Qué necesitas que haga?

—Necesito tiempo para contárselo a Eva antes de que los demás vengan. Es probable que quieran hacer algunas pruebas, y después de eso... No lo sé. —Pensé con rapidez—. Diles que todavía está empujando, que el bebé está bien y se está moviendo pero que tal vez necesitemos ayuda con los fórceps dentro de un rato; no les digas en cuánto tiempo. De esa manera estarán ocupados preparándose y no merodeando. Vuelve lo antes que puedas.

Entrelazamos los dedos de nuevo y apretamos las manos. Juro que sentí cómo su pulso palpitaba en mi piel.

De vuelta a la habitación, Eva estaba en la cama, balbuceando con las hormonas posparto, y el bebé se había adherido a su pecho, succionando con vigor. Miraba hacia abajo en completa adoración.

—Creo que lo llamaré Edel, siempre me ha gustado ese nombre. Es muy fuerte, ¿no crees? Ay, todo el mundo estará tan satisfecho... un niño. Lo estará, seguro que lo estará.

Estuvo a punto de decir «Adolf» o «el Führer» pero en mi cabeza sí apareció. Mi mente estaba ocupada elaborando la siguiente parte del plan.

—Eva, el bebé es adorable, y es perfecto en muchos aspectos... pero...

—Pero ¿qué? —soltó de mala manera con la defensa instantánea de una madre.

El bebé se estaba alimentado en su pecho derecho y retiré la manta para revelar el miembro atrofiado. Soltó un grito ahogado y se llevó la mano a la boca, los ojos se le arrugaron y derramaron lágrimas inmediatas. Aparte de no tener ningún bebé, ese era claramente su peor temor. Intenté llenar el aire con palabras, explicarle cómo podía haber ocurrido, que estaba perfecto por todo lo demás...

—Es perfecto para mí, pero no para ellos, ¿no? No para...

Y de verdad se detuvo antes de decir su nombre. El nombre del padre del bebé. El hombre que tenía que aceptarlo como heredero de su apellido y del Reich. Como un padre orgulloso.

Al igual que Dieter, Eva había estado en los círculos íntimos nazis más tiempo que yo; entendían los estrechos límites de su tolerancia. La saturación de júbilo de la habitación se disipó para sangrar una completa desesperanza. Pasó el dedo por encima del suave muñón del bebé mientras las lágrimas caían sobre el pelo ralo y este succionaba a la madre felizmente.

Christa y yo nos apartamos para dejar que Eva absorbiera la noticia, y nos dimos un abrazo estrecho, en parte aliviadas de que el parto hubiera terminado, pero también asustadas por lo que pudiera venir a continuación. Aquella anormalidad no era cosa nuestra —no era culpa de nadie— y no la podíamos predecir, pero el régimen nazi nunca se mostraba tolerante con las excusas. Habría consecuencias.

En aquel momento, sin embargo, la madre y el bebé tenían prioridad.

—Es precioso —le dije a Eva, mientras tocaba los bucles del bebé.

Maltratados y magullados, esqueléticos o robustos, todos los bebés eran cautivadores para sus madres y se tenía que hacer saber.

—Lo es —dijo ella mientras le acariciaba la cabeza—. Pero tanto tú como yo sabemos que no se puede quedar.

Sus palabras planearon como una densa niebla entre nosotras.

—¿Qué quieres decir? —la miré directamente a los ojos.

Aspiró por la nariz.

—No soy tan ingenua como para creer que los doctores no querrán echarle un vistazo, tocarlo y hacerle pruebas. Sea cual sea el motivo, lo verán como algo genético, como un defecto. —La palabra hizo que me estremeciera—. Y entonces, ¿qué le ocurrirá? En el mejor de los casos será una vergüenza, en el peor.... no quiero ni pensarlo.

—Pero es un bebé, un inocente, seguro que...

A pesar de lo que había visto con mis propios ojos, no me podía creer que pudieran desechar a ese recién nacido.

—Anke, ¡no sabes cómo son! —Meneaba la cabeza desesperada—. Al Führer le ponen enfermo las discapacidades. Es lo que más teme. Si se revela la de su hijo, lo debilitará a él y a su sueño. Podría superar perderlo, pero que ellos lo oculten, lo investiguen, experimenten con él... Eso no, eso no podría soportarlo.

El silencio se extendió como una pestilencia, hasta que no pude aguantarlo más.

—Eva, ¿qué quieres hacer?

Su sonrisa de tendera se convirtió en la máscara de acera de una madre con una voluntad acabada de engendrar.

—Quiero que te lo lleves lejos, a un lugar seguro. Que viva.

El corazón me dio un vuelco, volvía a ser Dinah y su súplica de nuevo. Me pedían que volviera a separar a una madre de su bebé.

—Eva, ¿sabes lo que estás diciendo? Puede que no lo vuelvas a ver. ¿Estás segura?

—No, pero se tiene que hacer. Por él. Lo sé. —Esbozó una débil sonrisa y me apretó la mano–. Por favor. Ayúdame una vez más, Anke. Ayuda a mi bebé.

Tenía razón, por supuesto. Había visto oficiales que iban y venían de Berghof, algunos lisiados por la guerra, que cojeaban torpemente, tenían miembros amputados o les faltaba algún ojo, pero no me cabía duda de que todos habían sido perfectos especímenes arios cuando llegaron al campo de batalla. Las discapacidades obtenidas del valor se aceptaban, incluso les otorgaban prestigio. Pero un defecto de nacimiento era tan solo eso, un defecto. Solo Joseph Goebbels, con su pronunciada cojera, parecía ser la excepción. El hijo del Führer tenía que ser fuerte y estar completo.

Esa realidad puso mi mente a trabajar sin descanso. ¿Cómo íbamos a sacar a un bebé y llevarlo montaña abajo, hacia las llanuras que se extendían al pie bajo una capa de seguridad, en un país en guerra, a plena luz del día? ¿Y rápidamente? Parecía imposible.

Me aparté de Eva para pensar; di unos pocos pasos y la habitación me dio vueltas, con tanta ferocidad que me tuve que apoyar en la pared para no caerme, la bilis me subió por la garganta mientras los colores de la alfombra se convertían en una espiral de confusión. A través de la niebla solo veía una imagen: papá tumbado en su lecho de muerte, con el rostro pálido y una barba larga y rala, con aspecto tranquilo, pero por completo muerto. La muerte causada no por la guerra, no bajo una bomba de los aliados, sino a manos de sus propios compatriotas, del país que había amado con pasión. Esos mismos paisanos que me rodeaban a mí en aquel instante.

En ese momento, mientras me aferraba al marco de la puerta, pensé: «¿Por qué iba a hacerlo? ¿Por qué iba a arriesgar todo por lo que había estado colgando de un hilo por alguien que confabulaba, incluso dormía, con el arquitecto de mis propias desgracias? ¿Cuyas propias manos podían estar teñidas del negro de la muerte?». Podía decir que no. Podía dejar que Eva se enfrentara a las consecuencias de sus acciones. No estaría en peligro, ¿no? Un exilio forzado, tal vez. Ya no sería la princesa honrada, pero no la maltratarían. No estaría muerta como papá, ni encarcelada igual que mamá.

El músculo de mi corazón forcejeó, lo suficiente como para que me llevara la mano al pecho, y luego a la boca, para detener las náuseas. Me obligué a dirigir la vista a Eva, que sonreía y lloraba al unísono mientras se embebía de preciados momentos con su bebé; al que acababa de dar a luz, y estaba preparando para sacar de su pecho. Mientras movía su pequeño miembro despojado, Eva lo besó con tanto cariño que el corazón se me hizo añicos. Podría haber cuestionado la inocencia de la madre, que sus decisiones fueran moralmente incorrectas, pero las del bebé no lo eran. No había pedido eso, no tenía nada que ver con su ascendencia. No debería pagar por sus juicios o delitos. Estaba segura de poco más, pero su virtud en ese instante era una certidumbre.

Cuando Dieter llamó a la puerta fue como una campanada, estrellándose en mi cabeza y devolviéndome al mundo presente. Esa vez lo convencí para que entrara, y los ojos de Eva se levantaron en alarma al ver su uniforme.

–No pasa nada –le aseguré–. Puede ayudarnos.

Le expliqué rápidamente la petición de Eva. Inusitadamente, no me dijo que el plan era una completa locura o un suicidio, solo se limitó a asentir para hacerme saber que estaba pensando.

–Dieter, ¿de verdad crees que es sensato?

–No, nada en esta guerra es sensato, Anke. Pero creo que Fräulein Braun tiene razón. El bebé no tiene ninguna oportunidad aquí arriba.

–¿Por qué? ¿Ha ocurrido algo?

Bajó la voz a un susurro.

–La Resistencia ha hecho su movimiento, desde dentro. No hacía falta un ataque, ya estaban aquí. Daniel, y varios de la patrulla de la casa. Solo puedo suponer que forman parte de un grupo cuyas frustraciones los han vuelto en contra del Reich.

–¡Daniel! –No me podía creer que el apacible chófer fuera algo más que eso. La guerra se había cobrado un precio con su familia; había hecho referencia a ello–. ¿Están aquí, amenazando?

–Ha habido una pequeña emboscada, que hemos contenido. Se han retirado por ahora, pero creo que se han ido a reagrupar, y podrían volver a aparecer. Han desmantelado la radio mientras tanto; por fortuna, Meier está ocupado intentando arreglarla.

–Entonces, ¿cómo sacamos de aquí al bebé? ¿Hay algún otro conductor simpatizante que podamos avisar?

Negó con la cabeza.

–No se lo podría pedir a Rainer. Me es leal, pero tiene una familia joven. Sería pedirle demasiado.

–¿Podríamos ocultar al bebé hasta que sea seguro movernos, cuando se haga de noche?

Sabía que me estaba agarrando a un clavo muy ardiente incluso mientras lo decía.

–No sé mucho de bebés, pero supongo que no están en silencio durante mucho rato, especialmente cuando tienen hambre. Y cerrarán la carretera de la montaña pronto, una vez lleguen nuestros refuerzos.

Tenía razón. El bebé se estaba alimentando en aquel momento, pero teníamos un máximo de cuatro horas, con suerte, antes de que su estómago estuviera vacío de nuevo. Eva tenía algo de leche en polvo a mano si no le podía dar el pecho, pero teníamos que mezclar los biberones sin que sospecharan nada en la cocina.

Dieter estaba callado, sumido en sus pensamientos.

–Tenemos que movernos pronto o nos arriesgamos a no poder hacerlo en absoluto –dijo.

–Pero ¿a dónde?

Mientras lo decía, un pequeño rayo de esperanza se abrió paso desde los confines de mi memoria y lo llevé a la realidad: la granja del tío de Dieter. Estaba allí, en Bavaria, a menos de treinta kilómetros y tenía una ama de llaves que sabía que era amable, indulgente y –sospechaba– una detractora del Reich. Podía amparar al bebé hasta que pudiéramos encontrar algún lugar más seguro. No estaba segura pero no teníamos otra opción.

–Conozco un sitio –dije–, pero seguimos necesitando un transporte. Sé conducir. Si me puedes encontrar un camión o un todoterreno, puedo sacar al bebé.

Me miró con esos ojos intensos y penetrantes.

–Anke, sabes que eso sería un suicidio... y el fin de tu familia. Además, no pasarías del primer puesto de control.

Pestañeó fuerte varias veces.

–Yo lo llevaré.

–¡Dieter, no! Es peligroso para ti también.

–Pero es más probable que me dejen pasar a mí por los puestos de control, si el bebé está en silencio. Al menos tendremos una oportunidad.

Tragó saliva y me rehuyó la mirada. Quería decir que el bebé tendría alguna oportunidad, pero más allá de eso, la vida, la vida de Dieter, era una completa incertidumbre. No podría volver jamás a Berghof; en el mejor de los casos lo considerarían un desertor, en el peor, un traidor y un fugitivo. Para los nazis, eso era peor que el enemigo.

–¿Cómo vas a explicar la ausencia del bebé? –añadió.

–Déjamelo a mí.

No tenía ni puñetera idea en ese momento, pero pensaríamos en algo y nos enfrentaríamos a las consecuencias.

–Dispondré el transporte y con suerte me quedaré fuera de la vista de Koenig. Está que trina, así que tendréis que prepararos rápido. Volveré en cinco minutos.

Las chispas saltaron de nuestros dedos cuando nos tocamos y se escabulló por la puerta.

Eva vio que me acercaba a ella y se tensó, con los músculos del brazo sujetando fuerte su preciado bulto.

–¿Tan pronto? –preguntó.

–Tiene que ser ahora –respondí–. No hay otra manera si estás segura de que se tiene que ir.

–¿Te lo llevarás? –inquirió–. ¿Cómo puedo pedirte algo así?

–El capitán Stenz irá a un lugar que conozco, escondido y seguro por ahora. Alguien cuidará de él allí. Sé que lo harán.

–El capitán Stenz, ¿es de...?

–Es de fiar. Te lo prometo. Confía en mí. Confía en él.

–Debo hacerlo. No tengo otra opción. –Bajó la vista hacia su hijo–. Ninguno de los dos la tenemos.

Christa ayudó a Eva a vestir al bebé rápidamente, y encontré un neceser de maquillaje en el tocador. Marcamos su piececito en el polvo y luego sobre una hoja de papel de escribir. Más tarde ya pensaríamos cómo preservarlo. Christa le cortó un mechón de pelo y lo apretó entre más papeles. En todo el proceso, el bebé estuvo afortunadamente silencioso, arrullando levemente, ebrio con la primera leche de su madre, el néctar espeso y amarillento formando una costra alrededor de sus labios.

Rápidamente, Christa fue a buscar algo de agua caliente de la cocina, bajo el pretexto que la necesitábamos para el nacimiento inminente, y preparó un biberón de leche.

Dieter volvió demasiado pronto, como el enemigo a las puertas. Entró y asintió.

—Eva, es la hora —dijo con amabilidad.

Envolvimos al bebé en una manta suave, y por encima le colocamos una tela corriente; nada que destacara ni pudiera llamar la atención. Dormido, su cuerpo estaba resguardado y sus pequeños rasgos se asomaban como los de una muñeca rusa.

Eva apenas podía hablar entre sollozos, y le retiré los dedos, con los nudillos blancos, mientras liberaba al bebé.

—Mi querido Edel —dijo, sin aliento, mientras Christa le aguantaba los hombros y la pena le sacudía el cuerpo entero.

Le pasé el bebé a Dieter y un biberón envuelto.

—Tengo una motocicleta con sidecar —dijo, enfocándose en las practicidades—. Es menos probable que levante sospechas, pero voy a tener que meter al bebé justo dentro.

—¿Puedes conducir la moto a buena velocidad?

Aquellas piscinas azules se elevaron y la sonrisa juvenil salió a la superficie.

—Me he criado entre motores, Anke. Irá bien.

Farfullé para retrasar lo inevitable.

—Se debería quedar dormido gracias al movimiento. Solo asegúrate de que su cara está destapada. Si tienes que parar dale el biberón.

Dieter asintió. Había llegado el momento. Su mano libre se entrelazó con la mía y apretó.

–Te encontraré si puedo –susurró–. Mantente a salvo, Anke. Sobrevive. Debes sobrevivir.

Sus ojos se mostraban más claros que nunca, y quería besar sus labios muy fuerte y durante mucho tiempo; caer en la cama y olvidar todo lo acaecido durante el último día, comer pastas acabadas de hornear y beber buen café mientras reseguía con mis manos su preciosa y pálida cara. Y no soltarlo nunca.

En su lugar, solo salieron palabras, insípidas e inadecuadas.

–Tú también. Escóndete. El tío Dieter te ayudará. Es un buen hombre. Pero cuídate.

Le apretaba la mano con tanta fuerza que casi sangró.

Deslicé una nota en su bolsillo, un código garabateado con prisas para el tío Dieter: «Cuida de este niño, encuéntrale unos padres donde nadie pregunte. Estoy bien. Nunú».

Era el apodo cariñoso que usaba mi tío conmigo desde que era niña, y una prueba de que el mensaje venía de mi parte. El resto lo dejaba a la confianza y al destino y su naturaleza agreste y buena. Nos llegó un ruido del pasillo, y Dieter volvió rápidamente a la realidad de la habitación.

–Tengo que irme –dijo y vocalizó «te quiero» antes de girarse, con la pequeña muesca en el diente apenas visible.

–Yo también –le dije de vuelta, pero no sé si lo oyó.

Vi cómo la chaqueta desaparecía por la puerta, y mi futuro, una vez más, se hacía tan oscuro y profundo como el tejido que llevaba puesto él.

Un minuto después oí cómo el motor de una motocicleta cobraba vida, el rugido ronco mientras aceleraba y desaparecía en la distancia. Se habían ido sin señales de persecución; tal vez se hubiera podido escabullir sin llamar la atención, su inmaculada reputación allanando el camino. Entonces un estrépito. Y un segundo y tercero. ¿Eran disparos o el petardeo del motor? No tenía manera de saberlo, solo el tiempo y las consecuencias me lo dirían. Eva me agarró la mano mientras nuestros futuros desaparecían por la ladera de la montaña, cada una de nosotras marcadas por dentro por la pérdida.

Supe entonces que solo podía hacer lo que me había pedido y sobrevivir. Me giré hacia Christa, cuyo apoyo silencioso durante las pasadas doce horas me habían soportado más veces de las que podía contar. Las tres estábamos sentadas juntas en la cama de Eva, escuchando los pasos invasores fuera, el caminar pesado y estridente de Koenig nos hacía unir los brazos y mantenernos firmes. Un estruendoso golpe en la puerta puso fin al crucial nacimiento en Berghof, y las tres nos preparamos para la batalla que se avecinaba.

41
Venganza

Desprendía furia de los pies hasta el cuello, que salía en el más leve de los palpitares, pisando con fuerza para que su cojera fuera apenas visible y la sangre le hervía en las venas. Por encima del cuello, sin embargo, Joseph Goebbels tenía puesta una máscara de calma, pómulos hundidos y el pelo negro con todos los mechones en su sitio. Solo los ojos vibraban con desasosiego.

Daba vueltas a mi alrededor, observando a su presa, como si yo fuera un repugnante aunque intrigante mono de feria. Me mantuve completamente quieta, resignada, cada nervio de mi ser trabajando con todas sus fuerzas para mantener la expresión lo más inexpresiva posible, nada que lo pudiera encolerizar ni ninguna muestra de miedo.

—Entonces, Fräulein Hoff —empezó a decir—, este no es el resultado que esperábamos, ¿verdad?

El tono no era retórico.

—No, Herr Goebbels. Lamento tanto como usted la pérdida de Fräulein Braun. Es una tragedia.

—Yo diría que es más que una tragedia. Ese no era cualquier niño, como bien sabe. Es una tragedia para Alemania entera. Así que, ¿puede iluminarme con lo que ha ocurrido?

Respiré hondo tan discretamente como pude, luchando contra el temblor creciente en mi voz.

—El parto progresaba con normalidad, como con cualquier parto primerizo, y no había nada que me preocupara hasta que nació el bebé.

—¿Y entonces?

—Era obvio desde el principio que no estaba... saliendo adelante.

—¿Y no fue capaz ni de respirar?

331

Ese hombre inhumano, padre de seis hijos, era incapaz de ver a ese bebé como a una persona. Lo odiaba más por eso que por cualquier otra cosa de su despreciable pasado.

–Sí, brevemente.

–¿Intentaste salvar al bebé? ¿Insuflarle vida?

Su tono seguía llano, con una rabia colosal subyacente que burbujeaba como la olla del guiso en la hornilla de mi madre, volutas de vapor forcejeando por salir de debajo de la tapa.

Siempre, siempre, esa olla vertía la espuma sucia sobre la limpia cocina de metal.

–Lo intenté, durante unos minutos.

–¿Por qué solo durante unos minutos? –me soltó.

Se estaba animando, había una grieta por la que se veía mi culpa, por la que podía justificar mi culpabilidad. Les ahorraría tener que fabricarlo más tarde, solo para los informes.

–Fräulein Braun me pidió que parara.

–¿Estás segura de eso? ¿Estás segura de que no fue simplemente porque querías que ese bebé, el hijo del Führer, muriera? ¿Por venganza, por represalia? Conocemos los enemigos del Reich.

Tenía la cara a centímetros de la mía, mostrando los dientes puntiagudos. Un hombre repulsivo, por dentro y por fuera.

–No –dije lo más calmada que pude, sin mostrar emoción alguna.

La tapa con la que cubría mi miedo hizo que abriera las aletas de la nariz.

–¿Y por qué te pidió Fräulein Braun que pararas? ¿Por qué una madre te pediría que pararas de salvar a su bebé de la muerte? No consigo imaginarlo, Fräulein Hoff. De verdad que no lo visualizo.

–Porque era obvio que el bebé no sería capaz de sobrevivir. El bebé tenía... –en ese momento sentí que apuñalaba a traición a todos los bebés que nacían con imperfecciones–... deformidades. Deformidades importantes.

–Eso es lo que dices. De hecho, ¿tan graves que tuviste la necesidad de deshacerte del cuerpo antes de que pudiéramos verlo, de quemarlo por completo para que se perdiera cualquier prueba?

Estaba levantando la voz, la olla empezaba a hervir, una espuma ácida burbujeaba.

–Imagino que en eso no pensó Fräulein Braun –respondí.

Mi propia voz empezaba a romperse y la determinación a derrumbarse. Vamos, Anke. Pelea por el bebé, por la familia, por Eva, por ti misma. Respira hondo.

–Su principal preocupación era que la reputación del Führer pudiera verse comprometida si se viera... Si se supiera que el bebé era suyo. No quería ningún registro, ninguna posibilidad de obtener una imagen que pudiera ser utilizada contra el Reich.

Le miré directamente a los ojos y mentí a través de los míos, castañeando los dientes en silencio.

–Lo hizo por el amor al Führer. Por Alemania.

Lo pillé por sorpresa durante un instante, retrocedió, y se paseó por la habitación de nuevo. Entonces se recobró para un segundo asalto.

–Y tú, Fräulein Hoff, ¿no pensaste que esas acciones levantarían sospechas, generarían preguntas?

–No pensaba en eso en ese momento –le dije, diciendo una verdad a medias–. Estaba lidiando con un bebé muerto, y una madre muy alterada que acababa de perder a su hijo. Mi prioridad siempre es la madre, y el bebé si es posible.

–¡Eso has dicho! –dijo gritando, alto pero con la voz controlada–. Y aun así estoy desconcertado, Fräulein Hoff, por lo que ocurrió. Lo que pasó en realidad.

Golpeó con el puño la mesa al mismo tiempo que la puerta se abría de golpe y Eva entraba en la habitación. Tenía el aspecto de una leona herida que se abalanzaba para proteger a sus cachorros.

–¡Joseph! –gritó, y él giró el rostro, sorprendido por la que probablemente era la reprimenda más ruidosa y única que ella se había atrevido jamás a dirigirle.

Eva se quedó de pie, temblando, pálida e inestable, con el pelo suelto que le caía lacio. La bata sucia le quedaba holgada en cuerpo repentinamente menguado.

Dejé mi sitio, fui a por una silla y la llevé hasta ella. Cuando volvió a hablar, lo hizo con una voz más calmada.

–Herr Goebbels, por favor. No ha sido cosa de Fräulein Hoff. Fue mi decisión por completo.

Goebbels se había quedado atónito por su intrusión y sus palabras directas.

–No puede ni la hará responsable de ello –continuó–. Sus cuidados fueron impecables. Simplemente no había esperanza e hice lo que me pareció adecuado en ese momento.

Él dio un paso adelante, y vi en su tic nervioso los astutos engranajes de su cerebro girando a máxima velocidad.

–Por supuesto, Fräulein Braun, y mis pensamientos están con usted; los míos y los de Magda. Nuestro más sentido pésame. –Esa adulación repentina hizo que me vinieran arcadas–. Pero tal vez hubiese sido más... adecuado, si hubiésemos podido preparar un entierro apropiado.

Nadie en la habitación se creyó por un segundo que estuviera hablando por el respeto y no por el control. Ni siquiera Eva, por más ingenua que pudiera ser. Ella lo miró, con la cara rota por el llanto, y actuó como una actriz consumada.

–Lo entiendo, Joseph, y me tocará a mí hacer las paces con el Führer, cuando sea el momento adecuado. Pero no quería que nadie, nadie, pusiera los ojos sobre el chico que debería haber sido perfecto. Lo hice por respeto al Führer, por su mayor creación. Estoy segura de que puede entenderlo. ¿O acaso su fe en el sueño se debilita?

No sollozó ni se le quebró la voz. Es lo que se esperaba de ella en ese punto, moldeándose a las expectativas de una señora nazi, centrada y firme, como los montones de mujeres como Magda repartidas por toda Alemania. Pero lo entreví en la voz de Eva, un fallo minúsculo, el dolor no de un bebé muerto, sino de un hijo vivo. Muerto para todos menos para ella, sabiendo que estaba ahí fuera en algún lugar, acurrucado en el pecho de otra persona. Y no pude evitar sentir admiración por ella, por su sacrificio.

El mayor escritor del Reich, maestro en tergiversar la verdad, por fin se quedó en silencio. Era la mano derecha de Hitler, estaba entre los hombres en los que más confiaba, pero ¿podía, se atrevería, a cuestionar la palabra de una reina, la única elegida?

—Como le he dicho, mi más sentido pésame —consiguió decir—. Fräulein Hoff, por favor ayude a su señora a volver a la habitación.

Sentí cómo le temblaban las piernas a Eva mientras nos alejábamos, tal vez por la debilidad causada por la pérdida de sangre, pero era más probable que fuera por la mayor confrontación de su vida. Para alguien que se había pasado la existencia en las sombras, había salido de ellas a pelear cuando más importaba.

—Antes de que se vaya, Fräulein Hoff.

El tono tranquilo y sutil de Goebbels tiró de mi correa y me quedé congelada a medio paso.

—¿Sí, Herr Goebbels?

No me giré pero me agarré firmemente a Eva.

—El capitán Stenz. ¿Sabe algo de su desaparición? ¿De las circunstancias que la rodean?

Noté cómo el reloj de Dieter me picaba en la muñeca, donde me lo había atado el día antes en una acción quizá insensata. Lo aparté de la vista bajo la bata de Eva. Los ojillos negros de Joseph estaban clavados en mí, quemándome los hombros. ¿Acaso había visto mi muñeca y la revelación involuntaria que ya no podía ocultar?

—No, Herr Goebbels. Lo vi ayer, un breve instante durante el parto, y no lo he vuelto a ver desde entonces.

—Como todos, Fräulein Hoff. Por lo que me dice el sargento Meier entiendo que eran... amigos.

No vio cómo tragaba saliva, pero me permitió un segundo para detener un sollozo.

—No éramos amigos, pero nos tratábamos con cordialidad. Era mi vigilante.

—¿Nada más?

Estaba indagando; le habría encantado sonsacármelo, persuadiéndome a base de golpes, si tuviera la oportunidad.

—Nada. Sienta bien estar en buenos términos con tus captores, Herr Goebbels.

–Mmm.

Me tomé el murmullo como una despedida, y me llevé a Eva de la habitación.

La tumbé en la cama y comprobé su sangrado mientras giraba la cara hacia las sábanas y los ojos se le empañaban de lágrimas. Sus dedos secos y agrietados se entrelazaron con los míos.

–Gracias, Eva –le dije–. Por mí y por mi familia.

Me miró con los ojos rojos y las lágrimas derramándose.

–Parece ser que al final consigo cuidar de alguien –inhaló por la nariz y sonrió débilmente–. Aunque sea solo un instante.

–Así es –le aseguré, y la sostuve mientras lloraba por su hijo perdido.

Epílogo
Berlín, 1990

Anke, setenta y siete años

Desde mi piso cerca de la Chausseestrasse puedo ver cómo se desmorona el Muro, pequeños grupos de personas que descascaran años de internamiento, cuerpos que se alejan corriendo con un pedazo de hormigón histórico, que ya se puede vender. Como hormigas con su botín.

Me siento extrañamente triste, no por la humanidad, porque aquellos en el lado oriental puede que finalmente experimenten algo de democracia con el tiempo, sino porque esos ladrillos afirman que no estoy sola en mis recuerdos de aquella época. Cada persona lo suficientemente mayor como para haber visto cómo se erigía el Muro recordaría los tiempos anteriores, durante y después de la furia que se apoderó de Alemania, de Europa y del mundo. Los montones de escombros de hoy son un recordatorio del paisaje rocoso lunar del Berlín posterior a la guerra. De una rara manera, me reconforta.

A veces, me cuesta recordar las cosas –detalles de la vida diaria– pero es un privilegio de la edad que puedas recordar con claridad eventos de hace cuarenta y cinco años. De algunos quiero mantenerme alejada, pero hace mucho que batallé con mis demonios y hemos llegado a un punto muerto. Forman parte del conjunto.

En esos días tras el nacimiento del bebé de Eva, hubo confusión; ella con su duelo, yo con el miedo a la represalia contra mi familia. Estaba extrañamente tranquila con lo que visualizaba que sería lo inevitable: la llegada de la Gestapo a Berghof, que me sacaran del porche y tal vez me llevaran a alguno de los bosques de alrededor y me dispararan por mis fracasos. Lo que temía era un preámbulo largo y tortuoso, cuando al final me iban a despachar con una bala de todas maneras. A Christa la habían enviado de vuelta con los Goebbels el día después del nacimiento, sin duda donde Magda podía controlar su silencio. Solo podía esperar que estuviera a salvo.

Cada dos por tres, Magda acechaba por las habitaciones de Berghof con el pretexto de aliviar la pena de Eva, pero en realidad estaba intentando cazar información. Me arrinconaba cuando me veía y me inquiría sobre mis conocimientos de la discapacidad y la supervivencia, cuyas respuestas empañaba con un buen número de palabras técnicas. Mujer contra mujer, sentía que ella podía ver a través de mi deshonestidad con mucha más eficiencia que los mejores agentes de la Gestapo, pero era precavida con mis palabras, jugando al gato y al ratón con sus preguntas.

Joseph estaba en algún otro lugar, fabricando mentiras sobre las aplastantes derrotas y la inminente caída de Alemania; me llegaron rumores susurrados en el comedor de que la guerra estaba llegando a su fin. Aparte de Lena, nadie me hablaba directamente, no fuera a ser que se infectaran con mi lepra del fracaso.

Con todo, la Gestapo no apareció por el camino con sus demoníacos coches negros, y Frau Grunders se enojaba como si no hubiese ocurrido nada, mirándome con una mezcla de suspicacia y admiración. Su chico volvía a estar a salvo de las garras de esa mujer.

Él, el gran padre de Alemania, no hizo acto de presencia, ni se apresuró para estar al lado de su mujer desconsolada. Sentía pena por ella, pero alivio por mí. Había perdido la fe de tener noticias de mi familia y me quedaba solo un rayo de esperanza envuelto y guardado en el fondo de mi corazón. Con Dieter desaparecido, no me quedaba nadie que me allanara el camino, y el sargento Meier me castigaba con un muro de silencio. Nadie me dijo si me iba a ir, a quedar o iba a volver al campo. Todos sus pensamientos estaban puestos mucho más allá de lo que podíamos ver, en Europa, peleando por salvar lo que pudieran del avance de los aliados. Los cielos sobre nuestras cabezas zumbaban con las aeronaves, suyas o nuestras, no sabía decirlo, pero nadie corría ni gritaba la alarma. O bien levantábamos la vista un instante hacia arriba, o las ignorábamos. El camino hacia lo inevitable tal vez.

Comprobé el estado de Eva, como haría con cualquier mujer después del parto, pero estaba sepultada por su propia pena, tan punzante como los alambres que nos rodeaban a todos. Y no tenía a nadie con quien compartirlo, aparte de mí. Aun así sabía que solo vislumbrar mi rostro le traía a la mente su pérdida con intensidad, así que la rehuí siempre que fuera posible; me había convertido en un símbolo de la traición contra su propio hijo, y la breve intimidad que habíamos compartido se había esfumado, consumida por su culpabilidad. Sus ojos eran de un azul grisáceo apagado rodeados por ondas rojas y el brillo ambarino de su pelo se había perdido tras días sin lavarlo. Ya no era esa chica de un centro comercial de Berlín, todo risas y promesas. Reconocí la mirada, la que había visto incontables veces entre los catres y literas del campo; una mujer que había sufrido una pérdida.

Dos semanas después del nacimiento, el sargento Meier me llamó a su habitación. Me sentí igual que cuando me tuve que presentar ante el comandante mi primer día en el campo: resignada, preparada. Solo me irritaba que fuera a disfrutar de una satisfacción engreída cuando cumpliera mi destino. En vez de eso, me pasó el «salario» del mes y me dijo que debía irme de inmediato.

—¿A dónde? —pregunté, horrorizada.

—A Berlín, a tu libertad —respondió bruscamente—. Algunos mantienen sus promesas, Fräulein Hoff.

No podía mirarme, un icono en pie de la traición a su querido Reich.

—¿Y qué pasa con lo que sé, con lo que he visto? ¿Me vas a dejar ciega, como Sansón, o me vas a cortar la lengua?

Sus ojos se entrecerraron hasta convertirse en dos rendijas reptilianas.

—¿Quién te iba a creer, Fräulein Hoff? A una mujer loca de los campos, que masculla sobre el bebé del Führer. Además, tu familia sigue con nosotros, y así seguirá en el futuro próximo. Confío plenamente en tu discreción.

Me giré antes de que pudiera ver cómo se extendía una perfecta sonrisilla por los pelos engrasados de su labio.

Me despedí brevemente de Eva. Consiguió esbozar una débil sonrisa, estiró una mano arrugada –con las uñas mordidas hasta dejarlas en carne viva– y apretó la mía débilmente, entonces la apartó para abrazar a sus otros bebés, Negus y Stasi. Eran su consuelo, espatarrados entre las sábanas. En la mesita de noche vi unas cartas, escritas a mano, tal vez de él, tal vez reconociendo su tristeza, su pérdida, aunque tal vez no. La pequeña huela del pie del bebé estaba al lado de la almohada.

Rainer me llevó hasta la estación de tren en Berchtesgaden, y se despidió de mí con un apretón de manos.

–Disfruta de la libertad, Anke –me dijo–. La has conseguido con mucho sufrimiento.

Había una mirada en sus ojos, una que no había visto antes y no podía desentrañar, pero estaba demasiado ansiosa por despojarme de cualquier rastro de Berghof como para pensar en ello. En el sobre con el dinero había también un billete de tren: segunda clase a Berlín. No me subí en el primer tren que salió. En su lugar, me dirigí a la plaza del pueblo y me senté en la cafetería, nuestra cafetería, bajo un parasol. ¿Era el mismo sitio? No me acordaba. Me tomé una taza de un café muy bueno, la crema de leche seguía siendo deliciosa y espumosa. Me llevé la taza a los labios, pensando en Dieter, y dejé que las lágrimas cayeran por el borde, la sal se mezclaba con el amargor de la bebida.

Berlín estaba hecho pedazos. Bajo el asedio militar, no la reconocía como el lugar donde había nacido; la ciudad estaba gris y abrumada, el aire impregnado del olor a cordita. Unas figuras encorvadas corrían deprisa por las calles, con los hombros echados hacia delante, sus cabezas solo se levantaban cuando algún ruido se abría paso por entre el aire viciado sobre ellas; un ataque, o escombros que caían de los edificios dañados que había por doquier. El ruido simplemente les hacía correr más rápido. Era como si Berlín hubiese sido un parque de atracciones y el circo se hubiese ido de la ciudad. La inminente derrota infectaba cada poro ceniciento, cada cara manchada.

No tenía a dónde ir, así que me dirigí al único lugar que me era familiar, a casa. En los barrios occidentales, nuestra calle tenía casi el mismo aspecto que durante los primeros años de la guerra, con algunos sacos de arena añadidos como una pista de entrenamiento para los niños que jugaban fuera, pero básicamente indemne.

La casa, sin embargo, no estaba para nada abandonada. Vi varios pares de pequeños zuecos apilados delante de la puerta principal mientras avanzaba nerviosamente por el camino, las plantas sembradas con cuidado de mi madre sobrevivían saludables a los ataques, con un color verde pálido y llamando la atención.

Me abrió la puerta una mujer de unos treinta años ataviada con un delantal y un pañuelo en la cabeza, aferrada a una escoba y con un rostro joven y sonrojado.

Cuando le expliqué mi situación, me pidió que entrara, con una vergüenza evidente por el desorden que sus tres hijos habían desatado. Pero no me importaba; me daba la impresión de ser la casa familiar que había sido para nosotros, espolvoreada con amor. Como ingeniero especialista, habían dispensado al marido de Helen del servicio militar y su familia fue trasladada a la casa «abandonada». A cambio, se pasaba largas horas manteniendo las instalaciones de energía de Berlín a flote.

—Era uno de los afortunados —dijo ella, dando a entender que la aliviaba que no estuviera en ninguno de los lados de una pistola.

Helen no actuaba con pretensiones y me cayó bien de inmediato. Me ofreció una habitación, el ático que había sido el escondrijo de Franz cuando era pequeño. La rechacé, por supuesto, pero insistió y no me parecía que fuera caridad. Además, no tenía ningún otro sitio al que ir y disponía de poco dinero que tenía que durarme un tiempo. Ella y su amabilidad me confirmaron que, a pesar de la espantosa masacre, los alemanes honestos todavía eran la columna vertebral férrea de nuestro país, y sus matones eran los pocos que se descolgaban de ella.

Así aguanté lo poco que quedaba de la guerra, haciendo pequeños trabajos remunerados aquí y allá, en bares y restaurantes, y presentándome voluntaria en los puestos médicos para ayudar donde pudiera. Durante esos primeros días, nunca perdí la esperanza de que giraría una esquina y me lo encontraría allí, o que me voltearía para servir a un cliente en el bar donde trabajaba y me estaría mirando y me pediría una bebida con su sonrisa cautivadora.

Al final, recuperamos nuestro Berlín al cabo del tiempo, cojeando y discapacitado. La niebla de la guerra fue reemplazada por vergüenza, primero por la derrota, y luego, a medida que las noticias de los campos se extendían por la población, por los eventos de la guerra en sí. Los había que no habían visto o sabían de la existencia de la matanza y la inhumanidad a manos de ese hombre, y otros clamaban que lo habían hecho por Alemania, por el bien mayor. Cuando oímos sobre Auschwitz, Dachau, Birkenau y demás, me di cuenta de que el infierno tenía capas, y que tal vez yo no me había hundido tanto en ese pozo sin fondo. Aunque era triste admitir que muchos sí.

Durante esos extraños días de invasión, alivio y dolor renovado, miré por todas partes en busca de mi familia; en cada centro de la Cruz Roja, hospitales y puntos de reasentamiento echaba una ojeada a las mujeres que todavía tenían los huesos cubiertos de carne, caras rellenas y cabezas llenas de pelo, y a las que estaban demacradas, con mechones finos y ojos vacíos. Al final las encontré, a mi hermana y a mi madre, aferrándose la una a la otra en un centro comunal, en busca de esperanza. Nos abrazamos sin mediar palabra durante una eternidad.

Acabamos encontrando a Franz en una lista de desaparecidos de Auschwitz; un nombre tachado en una larga lista, y sabíamos que había pocas posibilidades de encontrarlo, a sabiendas que lo único que quedaba de él era su espíritu combativo en nuestros corazones. Habíamos perdido a Franz, y le tenía que contar a mi madre lo de papá, pero con la certeza de que no había muerto por el gas. Confiaba que Dieter me hubiese contado la verdad sobre eso. No les conté otras verdades, como los nacimientos en el campo, y el tiempo que pasé en Berghof. Algo de lo que avergonzarme, sí, pero algunas cosas eran difíciles de explicar a menos que las hubieses vivido.

Cuando me enteré del final de los dos –los recientes prometidos Herr y Frau Hitler– no me sorprendió ni me conmocionó. Ella lo habría seguido hasta los confines del mundo, y así lo hizo. Solo me preguntaba si Eva pensaba en su niño, en el momento que mordió la pastilla de cianuro, si estaba alojado en su corazón cuando dejó de latir. Magda también, rodeada de su prole de bebés perfectos. ¿Cómo llegaremos a saber jamás lo que pensaba como madre en ese momento, más allá del pintalabios, la apariencia y su absoluta devoción por el Reich?

Las imágenes de la cima de la montaña son las que me molestan más. Recuerdo que una vez reprendí a Dieter por emplear tanta emoción en unos simples ladrillos y mortero, por venerar a los edificios por encima de las personas. Pero ver Berghof reducido a escombros, bombardeado hasta que quedó irreconocible, las botas llenas de barro de los aliados pisando por los sitios por los que yo había paseado, me trajo sentimientos encontrados que no quería que salieran a la superficie. No debería haberme sentido así por la casa del mal de Hansel y Gretel. Pero así fue, y lo retengo como mi pequeño secreto turbio.

Rehicimos nuestras vidas, mamá, Ilse y yo, en un mar de compañeros nómadas. Mis delitos contra el Reich fueron eliminados, y volví a ser comadrona; mi trabajo fue mi salvador y mi consuelo, ayudando a bebés sanos. Y no, no creía que por cada uno que nacía robusto y rosado, por cada madre sonriente y feliz, compensaba los que habíamos perdido. No los tachaba de la lista. No podía pensar así o acabaría en el manicomio. Infectada. Pero sus caras, pequeñas e inocentes, permanecieron como un negativo espectral en un rincón alejado de mi memoria durante muchos años después.

Entonces llegó el Muro. Peleé por permanecer en Berlín, en el lado occidental. Ya había tenido suficiente dictadura en mi vida. Conocí a mi marido, Otto, en una cafetería, otro encuentro vital entre el tintineo de las tazas y el aroma embriagador del café. Había sido un soldado regular en el frente ruso, así que nuestras guerras eran muy distintas. Solo hubo unas pocas ocasiones durante los treinta años que estuvimos casados en las que hablamos de nuestras sombras; acordamos que habíamos sido personas muy distintas por entonces. La guerra nos había moldeado, pero nunca podía definir cómo salíamos de ella como humanos.

Y, por supuesto, me dio mis bebés: un niño y una niña. Al fin pude experimentar la agonía y el éxtasis de dar a luz, de estar conectada a alguien fuera de mi cuerpo, el gutural y glorioso empuje, la maravillosa cabeza húmeda, el llanto. El amor desenfrenado e interminable. Fue en ese momento cuando pensé en las Irenas, las Hannas, las Leahs, las Dinahs... y las Evas. Derramé grandes lágrimas, por ellas y por mi propio alivio y júbilo. Por los que se habían perdido y por el regalo precioso que sostenía en los brazos.

Fue mi hijo, Erich, quien me ayudó a buscar las respuestas, años después. Pasaron treinta años antes no salieran a la luz algunas verdades: detalles de los campos, supervivientes, la cruda realidad. Graunia emergió como una escritora astuta de pluma rápida, aunque su honestidad era demasiado amarga para algunos. Rosa, lamentablemente, no lo consiguió, pero rastreamos a Christa hasta un pueblo cerca de la antigua granja de su padre. Nuestro reencuentro estuvo anegado de lágrimas y una conversación frenética; se había convertido en lo que siempre había destinado a ser, una comadrona, y hablamos de los nacimientos y los bebés, del trabajo y la vida en casa. Su pelo rubio se había clareado con la edad, pero sus ojos seguían igual de brillantes que en los días en Berghof, e iba vestida a la moda, sus habilidades con la aguja y el hilo seguían siendo evidentes. Había tenido sus propios hijos, y ambas nos juntamos como madres y comadronas. Nunca hablamos del bebé, de ese nacimiento. No parecía haber la necesidad.

Erich era un historiador entusiasta y se pasaba horas escribiendo cartas y mirando documentos en oficinas municipales, buscando artículos sobre su abuelo, el aclamado profesor de política. Encontró pocos indicios de cualquier intento de atentando en Berghof, las pruebas tal vez enterradas bajo los escombros, y solo una breve mención a un nombre conocido: Daniel Breuger, chófer del personal del Führer, fusilado por «acciones contra el Reich» en junio de 1944, razón desconocida. Los detalles de los intentos de atentado contra la vida de Hitler se documentaron bien después de un tiempo, pero no había ninguna mención a la breve escaramuza de un día de mayo de 1944, una pequeña gota en un océano de odio, que podría haber resultado ser un maremoto en la enormidad de la guerra; estaba enterrada, junto a cualquier evidencia de su existencia y de las personas sepultadas en ella.

Erich me encontró otro nombre: Dieter Stenz. Fusilado por desertar a finales de mayo de 1944, dos semanas después del parto de Eva. El día que abandoné Berghof. No había más detalles, pero Erich encontró una dirección de su anciana madre, todavía viva.

Le escribí –una carta corta pero que me llevó días redactar– en la que simplemente decía que había conocido a su hijo en 1944, que a pesar de los informes oficiales era un héroe, un salvador, y no el cobarde que decían los registros. Que era amable y humano y todo lo que las SS no eran. Era el hijo que ella habría querido que fuera. Como respuesta, recibí la letra enmarañada de la madre que decía «Gracias» y una fotografía de él sin el uniforme, al lado de su padre, y un motor entre los dos, sin duda alguna que estaban desmantelando o volviendo a montar. No se les puede ver las manos, pero estoy segura de que están cubiertas de grasa. La tengo en mi cajón, junto a las de Otto y las de mis hijos. Y el reloj, sus manecillas congeladas en el tiempo.

No le conté lo del bebé, el pequeño elemento brillante de Dieter anclado en mi interior que se escurrió demasiado pronto, antes de que tuviera la oportunidad de darle la bienvenida a él o a ella a mi cuerpo o mi futuro, de convertirse en parte de mi esperanza. Una prueba de nuestro tiempo juntos. La cándida Helen estuvo conmigo mientras sangraba la pena y el futuro embrión, sin hacer preguntas incómodas, pero sujetándome como mi madre lo habría hecho. No hacía falta que la madre de Dieter supiera que podría haber tenido algo de su hijo que adorar, algo a lo que aferrarse. Demasiado cruel ofrecer una mano y luego apartarla de golpe. Pero siempre es una parte de mí, una de esas joyas envueltas a salvo en mi corazón. Mi Dieter. Mi guerra.

En cuanto al otro bebé, no tengo noticias. Y estoy contenta. Solo sé que abandonó la granja de mi tío tres días después de su llegada en medio de la noche, cargado por un hombre joven y su mujer que el tío Dieter describió como «amables». Hay veces en las que estoy mirando en la televisión las noticias de la noche y la curiosidad me impele a mirar con atención. Creo que tal vez puedo ver a un político que se le parezca, y mis ojos inmediatamente buscan la mano, buscan algo que no esté bien del todo. Porque, por supuesto, con la medicina –prótesis lo llaman– siendo tan buenas estos días, nunca se sabe.

Pero tal vez no sea un político. Podría ser fácilmente un granjero, o un carpintero o un artista. ¿Quién sabe? Es bueno que él no lo sepa. Jamás debería cargar con la losa de la vergüenza, de los genes de su sangre. Solo necesita saber que nació del amor de una madre, en un mundo incierto, como uno más de miles que llegaron al mundo bajo el toldo de las bombas, los escombros y la amenaza.

Un niño de esa época, un bebé de la guerra, y no el niño del Reich.

Agradecimientos

Tantas personas han contribuido a la aparición de este libro, en particular mi sufrida familia –Simon, Harry, Finn y mamá– que me han dejar un preciado espacio para escribir. Le doy mi agradecimiento más profundo a mis lectores: Micki, Kirsty, Hayley, Zoe e Isobel, y a mis colegas del ala de maternidad de Stroud, que han soportado mis lamentos por «ser escritora» con verdadero coraje. Un agradecimiento especial para mi compañera escritora Loraine Fergusson, sin ti no tendría editor, ni salud mental; aprecio tus consejos constantes. Y a la escritora Katie Fforde, que fue ella quien reconoció la idea como algo más que un relato, y me dijo sin tapujos que sería mi primer libro. ¡Estaba en lo cierto! También tengo que pagar tributo al maravilloso equipo del Coffee 1 de Stroud, que me ha mantenido recargada con sonrisas y cafeína, y donde escribí una buena parte de este libro.

Gracias a todos los que me han apoyado y le han dado forma: Molly Walker-Sharp y el maravilloso equipo de Avon que han guiado a una novata por todo el proceso sin perder la paciencia. Para el ambiente del campo me he basado en el excelente libro de Sarah Helm, *If This Is a Woman*, en el que se registra con un detalle preciso y humano las mujeres que sobrevivieron con dignidad bajo aquellas condiciones, y, para los recuentos de primera mano de los supervivientes, el autor anónimo de *Una mujer en Berlín*, que ilustra que el sufrimiento no distingue entre culturas o credos.

Como ratón de biblioteca que he sido toda la vida, estoy muy encantada de dar el salto al fin «al otro lado», y le doy las gracias a cualquier lector que quiera girar las páginas y seguir adelante.

Índice